Spanya, 99.X.8

Deze was voor Haaike. Over Heren liefde naar het schijnt.

Adriaan van Dis

Dubbelliefde

Geschiedenis van een jongeman

roman

Broer Addy bracht het mee. Blij dat hij er was!

MEULENHOFF AMSTERDAM

Copyright © 1999 Adriaan van Dis en
J.M. Meulenhoff bv, Amsterdam
Omslag kamerjas, ca. 1800,
collectie Centraal Museum Utrecht
Omslagfoto Jasper Wiedeman
Foto op achterzijde omslag Peter Boer / H H
Grafische vormgeving Tessa van der Waals

ISBN 90 290 5752 1 / CIP / NUGI 300

En al zoû ik nu eens schrijven een boek, waarvan
de held een modern auteur was; al zoû ik dien
held laten schrijven werken, die verwant aan de
mijne waren, de held zoû ik niet zijn, zijn kunst
niet de mijne: en de roman zoû een roman
blijven, niet dan een roman, en zich nooit
realizeeren tot autobiografie.

Louis Couperus, *Metamorfoze*

'Zit de stekker er nog in?'

Ik kwam binnen met mijn mooiste fles – het heeft geen zin om bij een gesprek over een naderende dood slechte wijn te drinken. Men dient een stervende met het leven te eren, ook al was het nog zo'n klootzak – juist dan.

'Voorlopig wel,' antwoordde Werner, 'alles pompt en zuigt, hij hoeft zelf niets meer te doen.'

De ziekte van zijn vader greep mijn vriend meer aan dan ik had gehoopt. 'Zie het als een bevrijding,' zei ik, 'straks ben je van hem af.'

'Je zou het niet zeggen als je hem had zien liggen, hij vecht zo.'

'Het is een plant.'

'Ach, vadertje, lief vadertje.' Werner veegde een traan weg. Een overbodig gebaar voor iemand die tot zijn nek in het bad zat, maar hij was zichtbaar in de war. Het liep al tegen middernacht en ik had een rieten stoel naast de met marmer bekiste kuip gezet, de glazen stonden op de rand. Normaal nam Werner 's morgens zijn bad, maar sinds hij elke dag voor het werk zijn vader bezocht, was het ritueel naar de avond verschoven. 'De neuroloog laat de beslissing aan ons over,' zei Werner.

'Wat let je.' Ik maakte het stekkergebaar.

'Bemoei je er niet mee.'

'Hoezo? Omdat ik een hekel aan hem heb?'

'Wie heeft dat niet in de familie.' We moesten er allebei om lachen. 'Veel verschil zal het niet maken,' zei Werner. 'Dood of levend, contact had ik toch al niet.'

'Zo ken ik je weer.'

'Bah,' riep hij opeens. 'Ik begrijp mezelf niet, ik ben zo sentimenteel. Toen de broeder hem vanmorgen aanraakte, dacht ik: Blijf af, het is mijn vader, en toen ik zijn hartslag op de monitor zag, vond ik het haast goor. Dat hart was van ons, en nu kon iedereen het zien.' Zijn ogen sprongen vol tranen.

'Heb jij hem ook aangeraakt?'

'Ik heb systematische desensitisatie toegepast.'

'Gebruik alsjeblieft normale woorden.'

'Dat is gewoon een term uit de gedragstherapie. Ik maak me ongevoelig voor de vrees mijn vader aan te raken. Vorige week heb ik hem door het laken heen geaaid... Gisteren heb ik zelfs zijn hand vastgehouden.'

'Je gaat wel ver.'

'Ja,' zuchtte Werner en keek me hulpeloos aan.

'Hoe lang?'

'Meer dan een uur. Ik kwam niet meer los... Het leek wel of hij me iets wilde zeggen.'

'Dat het hem spijt?'

'Zoiets hoop je. Maar al zou hij kunnen denken, dan

nog kwam het vermoedelijk niet bij hem op. *Kinderen houden zich meer met hun ouders bezig dan ouders met hun kinderen.'*

Werner zeepte zijn hoofd in, kneep zijn neus dicht en spoelde zijn haar onder water uit. *Mooi was mijn vriend onder water, de golf die hij veroorzaakte spoelde zijn zorgen weg, hij trok zijn benen op en deinde heen en weer over de emaillen bodem – nog steeds een tien voor gymnastiek – maar toen hij lucht happend bovenkwam, lekten de lijnen weer terug in zijn gezicht.* 'Zijn beademingspijpje schoot er vanmorgen uit. Laat maar, dacht ik. De broeder stond meteen naast zijn bed. Ze houden hem elke minuut in de gaten. Hij zag ook dat ik mijn vaders hand vasthield.'

'Schaamde je je?'

'Nou, ik hield hem wel een beetje vreemd vast.'

'Alsof het iets heel vies was.'

'Ik voelde me betrapt.'

'Arme jongen.'

'Ja, dat ik nu zo afscheid van hem moet nemen. Ik had zo graag nog met hem willen praten, een hand willen geven. Nou gaat hij zomaar weg... dat was het dan.'

'Er gaat niks boven een dode vader,' troostte ik Werner, 'dan heb je hem pas helemaal voor jezelf.'

Het bad leek die avond nog groter dan het was. Mijn vriend was krommer en brozer geworden.

Al vanaf de eerste dag dat ik hier woonde, deelden we het bad. Zodra de een was uitgeweekt, ging de ander in hetzelfde water. Niet uit zuinigheid, maar omdat het vullen van de enorme kuip zo lang duurde, ruim een uur – een douche hadden we niet, en zo'n nouveauté zou er onder Werners bewind ook nooit komen. Als het water liep, rammelden en piepten de waterleidingbuizen in het hele huis. Een gezamenlijk bad diende ons beider rust, bovendien waren we oude vrienden.

Al was het huis nog zo gammel, ik was dankbaar dat ik bij Werner in had kunnen trekken. Het zou maar voor tijdelijk zijn en ik moest er gewoon voor betalen. Hier kon ik mijn wonden likken, even op adem komen; zodra ik erbovenop was zou ik gaan.

En nu sliep ik alweer maanden onder het dak waar ik ooit voor student speelde, terug naar de afgetrapte verdieping waar ik zo lang had zitten niksen. Hoe anders had ik me ons weerzien voorgesteld: in een mooi, heel, smetteloos huis... Een penthouse met wervelend uitzicht, ingericht om te ontvangen, in het buitenland natuurlijk... Parijs, New York. Werner kreeg er zijn eigen keuken en badkamer toegewezen. Ik zou hem in de watten leggen, hem mijn kunstverzameling tonen, de bibliotheek, we dineerden aan goed gedekte tafels. Dichters zaten aan, beroemde acteurs, schilders... we hielden elke dag salon. Werner kende mijn grote gebaren en verlangens. Mij had hij een hok aangeboden, hij leefde niet voor de buitenwereld – uiterlijk verval deerde hem niet, als je kop maar op orde was.

We hadden elkaar lang niet gezien – reizen en liefdes dreven ons soms jaren uiteen. Maar zodra we elkaar troffen, namen we de draad weer op. Werner bleef mijn beste vriend, hoe ontrouw ik hem ook was. Hij had zijn deur voor mij geopend, en ik stapte met een paar koffers binnen. De weinige spullen waar ik nog aan hechtte, stonden in de opslag. Wat ik meebracht, paste goed bij de omgeving: in dit huis waren we ook met niks begonnen, Werner op zolder en ik op de etage daaronder. Hij had nooit veel plaats voor zichzelf ingenomen. Ik wel. Ik zou er de wereld tonen wie ik was: zeer bijzonder. Een grote rol was voor mij weggelegd en het huis was dan ook al spoedig te klein. Ik zou het elders gaan maken. Elders bleek niet zo ver weg te zijn, de belofte niet veelbelovend. Het was me een paar keer gelukt een rijk en succesvol leven te leiden, maar lang duurde het nooit. Wat ik opbouwde, maakte ik telkens kapot. Ook dit keer was het me gelukt. Er waren grenzen gepasseerd – we keken niet om – het ging veel sneller dan ik dacht: maar waar ik was aangeland, wilde ik niet zijn. Ik had iets groots gezocht. Het was allemaal anders gelopen. Minder mooi.

De geest van die dromer was in dit huis blijven hangen: de parmantige stap van zijn tweekleurenbrogues klonk nog in het trapgat, zijn grootspraak kleefde aan de muren, zijn naam brandde nog in het blad van zijn oude tafel, een van de vele dingen die hij bij zijn overhaaste vertrek had achtergelaten. Betere tafels zouden zijn ellebogen steunen. Ik zag de dromer voor de badkamerspiegel staan en daarvoor hoefde ik niet naar mezelf te kijken. Ik haatte spiegels zo langzamerhand, ik kende dat vette lijf van buiten. Ik zag hem los van mijzelf, ontgroeid... Kind van verspilde tijd. Ik had in dit huis een jongen achtergelaten die naar een vaste hand verlangde – een zoon die zijn tong naar mij uitstak.

Het vaderschap had ik nooit aangedurfd, ook Werner niet, wij waren vadermoordenaars, dat was ons verbond. Maar samen in en naast het bad gezeten, haalden we herinneringen aan onze jongensjaren op, en ik vond dat ik die jongen van toen alsnog de hand moest reiken. Ik moest hem eindelijk de aandacht geven die hij destijds niet voor zichzelf had durven vragen. Dat eiste hij nu ook. Hij wilde dat ik hem onder ogen kwam en de verspilde tijd verklaarde. En dat ontroerde me aanvankelijk, want wat hij ook had uitgespookt, het was toch mijn vlees en bloed. Mijn schaduw-ik. Maar toen hij me met mijn neus op de feiten drukte, verzette ik me, liep ik weg, net als híj vroeger deed. En ik begon me te schamen, uiteindelijk dwong hij me achter zijn tafel plaats te nemen en het gevecht met hem aan te gaan. Het gevecht tussen droom en daad, zoon en vader, acteur en regisseur.

Het decor stond voor ons opgesteld en Werner was de inspiciënt. Hij legde oude kleren klaar, een jasje waar ik was uitgegroeid, en ik zag tot mijn verbazing dat hij mijn oude danslesschoenen uit een kast had opgediept – rekwisieten voor een aanstaande begrafenis. Werner gooide nooit iets weg en zeker niet wat hij gekregen had. Ik gooide alles weg. Zo wekte hij me elke morgen met een jankende sapcentrifuge – bouwjaar 1961 schat ik, nog van mijn moeder geweest, helaas niet kapot te krijgen – zowel moeder als machine. Elke morgen at hij hetzelfde ontbijt, muesli, net als vroeger. Elke zondag een omelet. Werner hield van rituelen. Ik haatte herhaling in mijn leven, maar dit keer kwam ik er niet onderuit. Mijn vriend dwong mij erin mee te gaan.

Het huis dwong me ertoe. Werner had alles bij het oude gelaten. Houtwerk en plafonds bladderden als in onze tijd, maar nu schimmelden de muren van de badkamer zo hevig dat de vlokken in het water vielen, alsof we in een glazen stolp baadden, een tafereel dat je door te schudden kon laten ondersneeuwen. De hele buurt schilferde, de oude witte huizen hadden jeuk en hier en daar had de slopershamer een pand uit zijn lijden verlost. Ons blok stond nog rechtovereind – en daarmee was ook de echo in en om ons huis gespaard gebleven: lijn negen kraste nog steeds tegen de gevel en de pauwen van Artis krijsten akelig vertrouwd door onze kamers. Zelfs de wolven hadden weer meegehuild op de eerste maandag van de maand, als de rampsirenes werden getest. Alleen de studenten waren verdwenen, je hoorde geen beatmuziek meer door de muren schallen, noch het gescheld van buren en stampende bezemstelen tegen het plafond – ze konden de stijgende huren kennelijk niet betalen en nu waren de panden links en rechts tot verzorgingshuizen verbouwd. En er woonden al zoveel bejaarden in onze tijd. 's Avonds tikten er tientallen wandelstokken aan mijn raam voorbij – een vertrouwd geluid dat sterker was geworden.

De staf van de ouderdom had ook ons aangeraakt. Werner was grijs en ik nagenoeg kaal. Maar in het bad, met de wijn in de hand, lukte het ons maar niet om ouder te worden. Vrouw Holle had de tijd onder de stolp stilgezet.

I

Das Leben ist ein Ding des Übermuts.

RAINER MARIA RILKE, *Ode an Bellman*

Op 29 april 1969, tegen halfnegen 's avonds, staken dertig jongens een sigaret op in de coulissen van Grand Théâtre Gooiland. Een sliert rook trok onder de gordijnen door naar de volle zaal. De brandweer hield toezicht. 'Neem jullie plaatsen in. Licht uit!'

De regisseur haastte zich naar zijn tafel in de orkestbak, de dirigent stond achter zijn lessenaar en de harmonie was klaar met stemmen. De jongens betraden rokend het onverlichte toneel, vingerknippend op de maat van de muziek. Gymschoenen piepten op het zeil, hakken draaiden in het rond, de opgloeiende as veranderde in rode cirkels, felle strepen in het donker... tot een schijnwerper over de dansende hoofden scheerde en dertig jongens in spijkerbroek tegelijk hun sigaret uittrapten. 'Eenmaal een Jet, blijf je altijd een Jet, van je eerste sigaret, tot je laatste gebed...' zongen ze hees.

De meisjes renden op. Het gaas van hun petticoats wervelde in het licht. De Sharks slopen erachteraan. De Jets hielden hen tegen. Sharks tegen Jets – rode т-shirts tegen zwarte т-shirts – vijanden voor het leven. De ene bende stond tegenover de andere bende, klaar voor de aanval, ze knipten hun stiletto's uit, maakten er onverschillig hun nagels mee schoon en... stortten zich in een dans. Een ouderwetse ventilator zakte draaiend uit de kap en sloeg de rook en as uiteen. Gehoest en gestommel in de orkestbak.

Het achterdoek lichtte op. Een danszaal met hoge ramen, daarachter de wolkenkrabbers van Manhattan en, tot ieders verrassing, de beverige contouren van onze eigen school. Applaus uit de zaal. De tekenleraar glunderde in de ereloge. Plotseling hielden de blazers hun adem in en zwelden de violen aan... Daar liep Maria... langs de rand van de dansvloer, in een kring van trillend licht, haar jurk van rode mousseline, beplakt met kleine zwarte stippen, deinde in brede plooien neer.

'Nu Tony. Op!'

En daar kwam ík: in een nerveus gesneden zwartsuède rijbroek, met hoge rijgschoenen – geen laarzen, absoluut geen laarzen – de rugflap van mijn zwartfluwelen jasje tikte tegen mijn billen. Een knalrode pochet wipte uit mijn borstzak. Ik keek over de hoofden van de dansers en sloeg een stofje van mijn mouw. Sharks en Jets staken schraal bij mij af – wat een vreemde gewoonte toch om er allemaal hetzelfde uit te willen zien –, ook de meisjes leken allemaal op elkaar.

Maar Maria was een verschijning.

Ze droeg een roze lint om haar middel, de strik op haar rug bewoog in de wind. Twee zwarte haarbanden bedekten kruislings haar voorhoofd en versterkten het ovaal van haar gezicht – haar rechte neus, haar kin, heel haar persoon tekende zich helder af tegen de dansers. Ze ging op een bank zitten en haalde een zakdoek en een spiegeltje uit de plooien van haar jurk tevoorschijn. In mijn duizeling zag ik alleen nog haar. Ik liep op haar af. Een lamp vonkte op mijn zijden pochet, zo rood, zo vlammend, dat mijn borst er kracht van kreeg, mijn blik durf, mijn voeten moed. Een paar passen achter mij volgde een andere jongen – Bernardo, broer van Maria, leider van de Sharks – mijn tegenspeler. Maar ik, Tony, een van de oprichters van de Jets en allang aan de clan ontstegen, liep in het licht.

De meisjes schuifelden naar de bank. Waarom veranderde iedereen van plaats? Ze moesten blijven dansen, maar gingen in een kluitje voor Maria staan. Dit hadden we toch uitentreuren gerepeteerd: *Tony* komt de danszaal binnen, *Bernardo* achter mij aan, de dansers wijken uiteen en *Maria* klapt haar spiegeltje dicht. Ik houd stil... zij kijkt op... ik trek mijn schouders naar achteren, loop door... een paar passen en het is alsof ik word teruggeroepen, haar ogen branden in mijn rug. We draaien tegelijk naar elkaar toe en... Waarom gingen die sukkels niet opzij? De hemelse muziek kondigde zich al aan. Figuratie met drie liedjes en dan vergeten ze nog wat ze moeten doen! Had ze haar zakdoek al verloren? De zakdoek waarmee ze haar fijne neus en lippen had beroerd. Ik moest hem oprapen. 'Je houdt me voor een ander,' zou ik zeggen. En zij: 'Je bent wie je bent.' Onze ogen ontmoetten elkaar... Twee volgspots zouden ons in één kegel licht vangen. 'Ik heb zulke koude handen,' zei Maria. Ik zou ze in de mijne nemen, tegen mijn borst drukken, met heel mijn ziel naar haar kijken... tot Bernardo tussen ons in sprong en zijn zuster voor mijn neus wegsleurde. Ik rechtte mijn rug en liep door. Vol van Maria. Liefde op het eerste gezicht. Maar waar zat ze? Ik kon haar helemaal niet zien.

'De zakdoek,' siste een Jet. Ik ging op mijn tenen staan.

'Ze moet plassen,' zei een meisje achterin.

'Je houdt me voor een ander,' fluisterde de regisseur in de coulissen. Wat deed hij daar? Waarom zat hij niet beneden in de orkestbak? *'Je houdt me voor een ander'* – dwingend en luider. Gegniffel op de eerste rijen. Ik draaide me om en botste tegen Bernardo. Mijn pochet viel op de grond, ik raapte hem op, en van schrik gaf ik hem aan mijn boze achtervolger. 'Je houdt me voor een ander,' zei hij. De zaal lachte. Sharks en Jets keken elkaar vertwijfeld aan, de meisjes knepen hun knieën samen. De regisseur gooide wanhopig zijn tekstboek op. Bernardo beet hikkend in zijn arm. Pas toen stampte Maria naar voren. De linten van haar strik kronkelden in de wind. Alleen de ventilator viel niet uit zijn rol.

'Wie houdt wie voor een ander?' brieste de regisseur na afloop van de première, 'en dat wil toneelspeler worden. Je kunt niet eens improviseren!'

'Ik zag haar niet staan.'

'Jij ziet alleen jezelf staan.'

Het was niet eenvoudig om de minnaar in *West Side Story* te spelen. Ik had me weken in deze rol ingeleefd, mijn laatste opvoering bij de Lyceumtoneelvereniging. Bij de ontmoetingsscène ging het vooral om het stille spel. Lang had ik voor de spiegel een verliefde blik geoefend: mijn lippen moesten verleidelijkheid verraden, geen dwaze lach, maar een ietwat geopende mond – zoals je wel bij mannequins in modebladen zag –, tegelijk wilde ik ook onschuld uitstralen en eerlijkheid en moed en durf. Het boek *Jongens vragen* had ik er opnieuw voor doorgelezen, weer alle karakters in de liefde uitgespeld, van Don Juan tot Stoethaspel. Ik had geen regisseur meer nodig om voor te spelen hoe het moest – hoe je een meisjeshand streelde zonder de maat te verliezen. Ik wist dat héél haar lichaam in die hand was terug te vinden: de venusheuvel in de duim, haar borsten in het bovendeel van de palm, haar benen in de vingers.

We hadden onze rollen stap voor stap doorgenomen. Zelfs het applaus na mijn dood: samen op, mijn arm om haar heup, buigen, elkaar lief aankijken en dan de handkus. Een lange en laatste handkus in het volle licht, aangemoedigd door de hele zaal. Liefde overwint alle verschillen. Ovatie! *Doek.*

Maar het was vals spel geweest... een kromme-tenen-voorstelling. Maria zat op een brandweeremmer te pissen en ik werd erom uitgelachen. Daarna ging alles mis. Bernardo kreeg meer applaus dan ik. Uiteindelijk had híj alles gewonnen die avond, ook de hand van Maria. Het begon zo onschuldig op de repetities: zij leende zijn zakmes, hij haar pen en ze lazen samen uit één tekst. Mijn ogen zaten niet in mijn zak, ik zag méér dan mijzelf. Werner Trip, alias Bernardo, was veel knapper dan ik: zwart sluik haar, slank en atletisch – daar had hij die rol ook aan te danken – een rol zonder liedjes omdat hij te beroerd was om te zingen. Niet eerder dreef zijn spel een wig tussen ons, wij waren broers op het toneel geweest – tot ik de minnaar speelde en hij door jaloezie werd verteerd.

Uiteindelijk kroop Maria's hand in zijn schoot, op het feestje na de première. Hij streelde haar niet eens – verzadigd als hij was.

•

Tijd voor revanche. Van Jongens vragen, naar Jongens doen. De eindexamens waren achter de rug, de nachten werden korter en zwoeler, de langste zomer van ons leven brak aan, de zon zou ons extra uren schenken. Wie nu niet toesloeg... Iedereen in mijn klas was verliefd, op feestjes draaiden ze keer op keer hetzelfde lied: *Tous les garçons et les fill's de mon âge, se promèn'nt dans la rue deux par deux... Et, les yeux dans les yeux, Et, la main, dans la main...* Iedereen zong mee, behalve ik. Vroeger was ik de jongen die sneller ging dansen als de muziek langzamer ging... maar niet lang meer, niet bang meer. Ook mijn handen zouden binnenkort de vruchten plukken.

'Geef jij geen feestje?' vroeg mijn moeder.

'Zeker in zo'n rotflat.'

'We schuiven de stoelen aan de kant... de bank kan in het souterrain.'

'Nee, nee. Ik houd niet van feestjes.'

'En je gaat haast elke avond uit.'

Ja, naar de rijken van het Gooi. Dansen in de villa's van Laren en Blaricum, jivend op krakende parketvloeren, barbecuen in tuinen en 's nachts met kleren aan in een zwembad springen, dronken van de cola-tic. Je deed mee. Ik was toch een geweldig acteur?

Vier lege maanden wachtten mij voor ik in Amsterdam met de Toneelschool zou beginnen, als ik tenminste slaagde voor het toelatingsexamen. Lappen tekst moest ik uit mijn hoofd leren, geen idee wat ik zou kiezen: een paar gedichten, een monoloog, een dialoog, waarom niet... ik kon gemakkelijk twee mensen tegelijk spelen. Wat heet, drie, vier, vijf karakters... in mijn eentje, ik gaf nieuwe dimensies aan de voordrachtskunst. De jury stond versteld: wat een geluk zo'n talent binnen te halen. De Lyceumtoneelvereniging eerde haar oudspeler en de leraren die mij vroeger hadden gekleineerd – *stil jij, houd nu even je mond jij, we weten wel dat je er bent* – fluisterden beschaamd mijn naam. Beroemde leerling triomfeert! Niemand die hem destijds had begrepen. De vrouwen waren niet meer van me af te slaan: ze knipten me uit, prikten me aan de muur, ze boden zich aan en ik neukte me suf.

Neuken, ik zei het achteloos, als wissel op de roem, ik zei het met zwaar doorrookte stem op de eindexamenfeestjes, tegen de jongens bij het zwembad; das los, sigaret in de kom van mijn hand. Wie zou het vanavond worden? Niet het meisje dat de hele avond met mij wilde dansen, die kon zeker niemand anders krijgen. Alleen al haar glimlach joeg mij achter de coniferen, waar de vieux verstopt stond. Meisjes, vrouwen – *kom jongens, geef die fles eens door* – we konden er allemaal over meepraten. Hoe meer vieux in onze cola, hoe geiler zíj werden.

•

Ik had nóg een talent – niemand die het wist, maar ook daar zou de wereld van opkijken: diep in mijn hart was ik een groot dichter. Al jaren schreef ik in het geheim gedichten. Ik publiceerde in de schoolkrant, onder pseudoniem. Ja, ik zou een sonnettencyclus aan mijn geliefde wijden, een lint van verzen geheel voor haar. Geen vuilbekrijmpjes zoals we om het zwembad maakten, maar echte poëzie, vol mijmering en droom... het vloeide mij aan.

Soms trok ik mijn zwartfluwelen jasje erbij aan, dat paste een dichter, als ik tenminste mijn buik inhield. De schrijvers in mijn literatuurgeschiedenis droegen ook zo'n jasje: Alphonse Daudet, Oscar Wilde, Louis Couperus... Het werd in hun dagen een 'sjamberloek' genoemd. Mijn jasje had dan wel geen ceintuur zoals je bij Wilde duidelijk op de foto kon zien, maar het was beslist voor achter het bureau bedoeld: de ellebogen glommen, het delicate fluweel plette als je erop blies, je kon er met je nagel letters op schrijven, zo zacht was het, en op de revers zat een koord waardoor ze ietwat hingen. Aan de manchetten prijkten rijen knoopjes, zes links, zes rechts. Die knoopjes tikten mee als ik schreef; over het ritme had ik niet te klagen.

Het jasje was een erfstuk van mijn vader. Ik kon op hem lijken als ik hem speelde: kin fier omhoog, rug recht als een militair, één hak dwars tegen de voet en maar hopen dat iets van zijn schoonheid en mannelijkheid op mij af zou stralen.

Om mij zowel in het schrijven als in het voordragen te oefenen las ik die zomer dagelijks hardop gedichten. Nederlandse en buitenlandse, vooral het werk van de grote Franse, Engelse en Duitse dichters uit de schoolboeken, die we eerder klassikaal hadden doorgestreept omdat 'poëzie toch niet hoefde voor het eindexamen'. Maar voor de Toneelschool was het juist een eis: 'Het strekt zeer tot de aanbeveling ook een paar gedichten in de originele taal te brengen,' stond in de inschrijvingsfolder. Onze schoolregisseur, meneer Schütter, raadde me aan met een Duitse dichter te auditeren, want dat deed niemand en dan viel ik tenminste op. Makkelijk praten, hij gaf Duits, maar hij kende ook de directeur van de Toneelschool hoogstpersoonlijk.

Een goed acteur was thuis in de Europese poëzie. Lag Engels dan niet veel meer voor de hand? Uit de bibliotheek leende ik een grammofoonplaat van Sir Laurence Olivier die sonnetten van Shakespeare voordroeg. Zijn stem gaf me grote gevoelens, ook al verstond ik niet alles wat hij zei. Zo hoorde een dichter te klinken. In een tegenoffensief leende Schütter mij de verzamelde gedichten van Rainer Maria Rilke, met een tweedehands dikke *Duden* erbij; de Nederlands-Duitse woordenboeken kenden volgens hem geen 'poëtische nuance'. Rilke was een 'etherisch en sensibel dichter' en ook een 'treuzelaar op school', net als ik. Hij las een paar gedichten voor en ik vond ze op het oor al prachtig. Zacht klonk Rilkes Duits, het rilde regelrecht naar binnen, maar het bleef wel Duits en het was niet gepast daar enthousiasme voor te tonen: hoge cijfers halen hoorde niet. Zouden ze op de toneelschool niet denken dat... 'Nee, hij is van voor de oorlog,' zei Schütter. En zo zat ik ook na mijn eindexamen nog *Schwere Wörter* op te zoeken.

In seiner Schlankheit war, schon fast entscheidend, der Bogen, der an Frauen nicht zerbricht... de strakke boog die niet op vrouwen breekt. Volgens Rilke bracht Don Juan als kind de vrouwen al tot tranen, o, had ik maar iets van zijn zelfvertrouwen: *Und während ein ganz neues Selbstvertrauen ihn öfter tröstete und fast verzog, ertrug er ernst den ganzen Blick der Frauen, der ihn bewunderte und ihn bewog.* Als je het maar zacht zei, kon je ook met Rilke vrouwenharten winnen. En anders met de Franse dichters wel, een man als Charles Baudelaire, droeg ook een sjamberloek, dus dat zat goed – en wat kon hij somber kijken. Er was er niet een die zo opwindend over de liefde kon schrijven als hij. En welke andere dichter zag het liefdesbed als tombe? Daar kon je als toneelspeler tenminste drama in kwijt: *Aimer et mourir*, na *Les Fleurs du mal* wist je blind wat daarop rijmde: *souffrir*! En hij schreef ook over hoeren. Ik huiverde bij zijn portret. Ik knipte hem uit ons literatuurboek, plakte hem naast de spiegel en probeerde bij mijn voordracht net zo lijdend te kijken. Werner Trip leek op hem, datzelfde hoge voorhoofd, die smalle lippen, getourmenteerde blik.

Voor de vrolijkheid koos ik ook iets van François Villon, een Franse middeleeuwer, opnieuw op rijm vertaald – hij was behalve veel verliefd ook eerlijk en schopte de huichelaars onder hun hol; misschien wilde ik die rol wel het liefste spelen.

Al deze dichters benaderden mijn idee van schoonheid, al wist ik niet precies wat ik eronder moest verstaan. Ontroering, dacht ik, een groot gevoel... daar verlangde ik zo naar. Hevig moest het zijn. Moderne dichters die op droge toon een elastiekje bezongen vond ik niks. Een goed gedicht veranderde je leven – dat was de eis. De dichter moest je bij je lurven grijpen. Ik wilde zijn woorden kunnen voelen: als kippenvel, steken in mijn maag. Op die manier werd de schoonheid tastbaar doorgegeven.

Was schoonheid nu alleen iets zuivers in jezelf? Zoals Rilke zei: 'Een ideaal dat stilstaat in de tijd en dat toch met je meebeweegt'? Of mocht schoonheid ook schaamteloos en dierlijk zijn – vol drift, haat, pijn, maden – zoals bij Baudelaire? Ook in de laagheid school volgens hem pracht. En had hij geen gelijk? Woorden konden je vuilmaken, zo heilig waren ze niet. Soms kreeg je er een erectie van... al gingen daar vaak uren van verveling aan vooraf. Want hoeveel tijd verdeed ik niet op bed, met al die bundels om me heen, zoekend in de woordenboeken, terwijl ik maar van één ding droomde: de vrouwen die Rilke als rozen beschreef, blaadje voor blaadje uitkleden. *Rose, du thronende...* Je plukte de kelk, jurk na jurk, en elke laag was tegelijk vermijding en ontkenning... want je eindigde met een knop, de knop in je broek. Ik schaamde me voor die fantasieën en duwde ze weg met een welluidende voordracht. Netjes, netjes, ik wilde zo graag netjes lijken. Tussen lezen en spelen liep een wankele evenwichtsbalk. Als niemand keek, lonkte de kant van het onfatsoen. Vreemd dat juist verheven poëzie zulke lage lusten bij mij wakker riep. De menselijke Baudelaire was veel schaamtelozer, eerlijker – ik bewonderde zijn compromisloze leven. Maar Rilkes rozenblaadjes tergden, daagden me uit... méér dan de tochtige deuren van Baudelaires bordelen. Niet de naakte waarheid, maar de verhulling wond me op: het mooie suikerlaagje moest eraf gelikt. Gelikt? Zet je tanden erin, ruk af... voel! En dat terwijl buitenkant zo belangrijk voor me was. Hoe konden gedichten zo verwarren? Wie legde het me uit? Je las en las, maar kreeg geen antwoord. Je lag op bed, met de dikke *Duden* op schoot, en zocht voor de zoveelste keer vreemde Rilke-woorden op... Je trok de kaften ver naar achteren, meedogenloos, als een beul, tot de katernen kraakten en de linnen rug bol kwam te staan... en nog verder naar voren, tot die kaften aan hun schutbladen zuchtten en er een halfovale schacht vrijkwam, waar je draden en lijm in zag hangen. Je vinger paste erin, drie vingers wel. Je pik past erin. Schuif hem in het woordenboek. Tanden op elkaar: voel de woorden, bespuit de rozen. *Und alle ihre Worte sind bewohnt.*

Je kon dus de schoonheid neuken. En als je niet uit-
keek, pakte ze jou. Schoonheid was heerseres én prooi.
De zomer zou groots worden: ik had nog heel wat op
te zoeken.

●

Maar de schoonheid maakte mij niet schoner – uitge-
rukt zag ik telkens weer mijn eigen lelijkheid en die
schreef geen dichter weg. Ik was te vies voor de liefde. Ik
kon zwijmelen bij Duits gefluister, maar ook het eenlet-
tergrepig vloeken van de nozems wond me op. Wij van
het lyceum keken natuurlijk op ze neer, als ze met hun
grieten op hun rooie brommers voorbijscheurden. Maar
zij lagen niet op bed een gedicht in hun kop te stampen,
zij schoven hun pikken in kutten. Ik kon ze goed nadoen, alle rangen en standen spelen, dalen en stijgen in
accenten, maar thuis, alleen met mijn moeder in die
gehorige flat, werd ik voortdurend herinnerd aan de jongen die ik niet wou zijn.

'Waar zit je?'

'Op mijn kamer.'

'Je bent zo stil!'

'Ik lig uit mijn hoofd te leren.'

'Mag ik binnenkomen?'

'Wacht even.'

Ze stond al binnen: 'Trek je sprei eens recht. Je ziet
zo koortsig... scheelt er wat? Hier, een beker Molkosan,
dat is goed voor je geheugen. En doe een raam open, het
ruikt hier zuur.'

'Ja, mam. Ja, mam.' Waar was mijn bijl.

Alleen Rilke begreep mij: *O Zeitverbringen, O Einsamkeit.*

Bij de kapper had ik in een geïllustreerd blad een foto van de zoon van Errol Flynn gezien, in een zwembroek te paard. Hij wou niet deugen volgens het onderschrift. Playboy, ladykiller en veel onbetaalde rekeningen. Nog slechter dan zijn beroemde filmster-vader. Maar wat was hij mooi: mager en strandbruin met een gespierde borstkast, geen tietjes zoals ik. Zijn haar een helm van goud. Hij droeg een kettinkje om zijn nek. Ik wilde als die jongen zijn.
Ich möchte einer werden so wie die,
die durch die Nacht mit wilden Pferden fahren...
'Zo wil ik het!' zei ik tegen de kapper en ik hield de foto van die jongen uit het tijdschrift op. Het playboy-kapsel zou een ander van me maken – al moesten er drie kruinen voor in de fixatief. Nu nog die schaamteloze blik aanleren. Bevrijd van gehoorzaamheid. 'En geeft u me ook zo'n tube bronze sans soleil.'
'Ja, dat is het nieuwste van het nieuwste,' zei de kapper.

Alleen verkleed kon ik mijn lelijkheid verhullen. Vooral vaders oude kleren hielpen mij daarbij. Dus perste ik elke dag een van zijn broeken, schuierde de jasjes, poetste de schoenen en strikte opvallende dassen – ik had veel van alles, drie kasten vol, meer dan honderd dassen; ik was verzorgd achtergelaten. Maar achter die dassen en onder die overhemden droeg ik een zilveren kettinkje met een dierenriemteken. Eindelijk had ik het mijzelf toegestaan. Zo'n ordinair kettinkje viel beslist uit de toon en zeker in Halfstad, het groene graf waar we na vaders dood naartoe waren verhuisd. Beschaafd wouen de mensen daar wezen, en dat hing af van de buurt en de naam van je laan – plooirok en jagersjas waren verplicht; woonde je verkeerd, zoals wij, en wilde je toch stijgen, dan was het verstandig ze na te doen. Maar omdat ik toneelspeler wilde worden, en iedereen dat weten moest, waagde ik het een beetje op te vallen met een paar felgekleurde sokken, een polkadotdas en, nu de controle van school was weggevallen en de roem gloorde, met een kettinkje dat niemand mocht zien.

Als ik het in de badkamer omdeed en verliefd naar mezelf stond te kijken, voelde ik me ook een filmster, tot een mee-eter op mijn neus me eraan herinnerde wie ik werkelijk was. Al knijpend had ik liefst mijn kop opnieuw geboetseerd. Alles wat uitstak moest eraf: schaamhaar en die muffe onderhandel, waarom zat dat ook zo stiekem verborgen? Weg ermee, ik wou geen vieze gedachten hebben maar zuiver zijn, afgerond – niet aan je pik gekruisigd.

De meisjes die ik leuk vond, keken toch niet naar mij om. Blonde kniekousmeisjes met hazelnootogen, om door een zegelring te halen. Ik viel op keurig, misschien in de hoop er zelf keurig van te worden. Ze sliepen achter cretonnen gordijnen, onder rieten daken – maar mijn brogues wilden maar niet wennen aan het grind.

'Wat moet dat hier?' vroeg professor Nieboer toen ik het pad naar zijn huis opliep.

Waarom ineens zo bars? Hij kende mij toch, ik kwam zijn dochter Ingrid ophalen. We gingen samen naar een feest.

'Geen sprake van.' Professors hand wees naar het hek.

'Waarom?'

'Nog brutaal ook? Manieren uit de achterbuurt?'

Mijn trots sijpelde weg in het grind.

'En ik verbied je de verdere omgang.'

'Wat heb ik misdaan?' vroeg ik Ingrid de volgende dag door de telefoon.

'Mijn vader zag je met rode sokken over de Kerkbrink fietsen.'

We woonden verkeerd. Daar was niet tegenop te kleden. Zo was Halfstad. Grind erover, veel grind en een wals. Een naam verdient het niet.

•

Ik was geen vrij-jongen. Ik was een praat-jongen. Mij kon je in vertrouwen nemen. De meisjes vertelden me alles. Ik maakte geen misbruik van ze. Nee, ik liet ze mijn gedichten lezen.

Ze lazen ze stil. Stuurden de keetschoppers weg. Hun lippen bewogen met de regels mee. 'Mooi,' zeiden ze. 'Van wie is het?' vroegen ze.

'Een onbekende Duitse dichter,' zei ik. 'Ik heb het vertaald.'

'Tjee...'

En ze dansten weer een voor een weg, met dezelfde jongens over wie ze zich zojuist hadden beklaagd.

Ik danste liever met hun moeders. Die hadden tenminste heupen en dan had je meer om handen. Het maakte een goede indruk – niemand die er slecht van dacht. Klasgenoot danst met moeder, hoe aardig ook aan haar te denken, charmant. In hun armen werd ik een ander, de strandbruine ladykiller.

Moeders hadden wat ik als zoon van Errol Flynn ervaring noemde; je leidde ze zoals je dat op dansles had geleerd en zette dapper je knie tussen hun knieën. Maar ze namen ook zelf de leiding, ze trokken je naar het midden van de vloer, zodat de zitters niet zo naar je keken en duwden hun boezem onder je neus. Dat was precies de ervaring die ik zocht, meisjes deden dat niet. Het gekste was ik op de moeder van Guus Dekema – zoals die een revérence maakte wanneer ik haar ten dans vroeg: vol in de gleuf en dan met die pink, hakend in míjn pink en zo de dansvloer opgesleurd. Ze drukte haar buik tegen mijn buik en ik voelde waar haar hart klopte en bij een langzame plaat likte ze aan mijn oor; nam ik te veel afstand, dan beet ze mij weer naar zich toe. Nat was het, lekker nat.

Geweldig was mevrouw Dekema, gastvrij voor de klasgenoten van haar dochter en brutaal tegen de leraren, van wie alleen de leuke op de feestjes werden uitgenodigd – meneer Schütter, natuurlijk, die graag vergeten wou dat hij leraar Duits was en op onze feestjes witte spijkerpakken droeg, de officiële dracht van de zich in de stad roerende provo's. 'Nog steeds een zwak voor uniformen, meneer Schütter?' vroeg mevrouw Dekema. Haar dochter Guus was net zo'n durfal, ze had een schorre stem van keten en hockey. Een kniekousmeisje, uiteraard, en een zwaar grindpad om haar huis, maar minder keurig dan de anderen. Ook zij speelde graag toneel, maar ze mocht er verder niks mee, dat hoorde toch niet... nee, niet als beroep. Bij Guus hielden ze meer van sketches thuis en daar kon ze veel baldadigheid in kwijt, maar als de schuifdeur niet rammelde van plezier, kon ze plotseling heel treurig worden. Ze leek erg op haar moeder wat dat betreft, die voor een moeder heel jong deed, al kon je zien dat achter haar lachen verdriet school, er liepen diepe plooien om haar mond. Misschien wilde ik dat verdriet in haar gezicht zien, omdat ik van Guus wist dat haar moeder niet gelukkig met haar vader was. Die man dronk. En niet alleen op feestjes, ook doordeweeks. Als je voor het eten langsfietste, trof je meneer Dekema met een fles jenever op de bank, Friese liedjes zingend uit de tijd dat hij daar nog burgemeester was; er hing een gravure van het dorp in de hal, afscheidscadeau van de dankbare burgerij. Hij moest daar weg omdat hij na de raadsvergaderingen straalbezopen op zijn knieën over het dorpsplein kroop en zich door de straatjeugd patat liet voeren. Mevrouw Dekema vertelde ons zulke verhalen gewoon. Sinds zijn ontslag werkte meneer Dekema op het ministerie van Sociale Zaken, waar hij brochures tegen alcoholmisbruik schreef.

Mevrouw Dekema sprak laatdunkend over haar man. Als wij na school bij haar thuis bleven hangen en haar man iets te vrolijk van zijn werk kwam, sloot ze hem zonder pardon met overjas en al in zijn kantoortje op. Zijn protest werd met een plaatje overstemd.

Ook op het eindexamenfeest klaagde ze over hem: hij kon zo niks, een slappeling was het, geen ruggengraat, en daar ging het toch om bij een vent: wilskracht en doorzettingsvermogen, en ze haakte haar pink weer in de mijne, ik moest tegendrukken, alsof we deden wie de sterkste was. Ze knipoogde naar me, langzaam en waterig; blauwgeverfde luikjes had ze. Als ik terugkeek, diep in haar ogen, wérd ik ook een wilskrachtige man. Ze vond dat ik heel goed danste en hoe meer ze mij complimenteerde, hoe verder ik mijn knieën tussen haar knieën schoof. Ik tilde haar zelfs een beetje op bij het draaien, ze wierp haar hoofd achterover, lachte. Guus stak haar tong naar me uit.

Het werd laat, we dronken, en toen de klok twee uur geslagen had en de politie was langs geweest om ons tot stilte te manen, besloten we met z'n allen een wandeling over de hei te maken. Jong en oud, meneer Schütter liep ook mee, hij was druk in discussie en nam het weer eens op voor de socialisten. Onze hele klas was rechts, goddank, wie wilde er nou bij de arbeiders horen.

Mevrouw Dekema sloeg een sjaal om en we liepen arm in arm achter de meute aan. 'Heerlijk,' zuchtte ze en ze keek me heel aardig aan. Een stevige arm deed haar goed, ze trok me dichter naar zich toe. Haar man kreeg ze de hei nooit op en zeker de Hoornenboeg niet, de hoge heuvel naar het vliegveld. Ze legde mijn arm om haar heup. Haar pink speelde met mijn pink. Mijn geschoren schaamhaar jeukte.

Het werd stiller in de groep, het ene paar na het andere bleef staan, struikelde en ging erbij zitten, in de oude bomkraters; de Duitsers hadden hier flink huisgehouden in de oorlog. Mevrouw Dekema mocht niet vallen, rechtop moest ze blijven en ik zette er flink de pas in zodat we zonder het te willen voorop kwamen te lopen. Ze kon niet meer, zei ze: 'Even rusten.' Ze leunde zwaar op me, liet zich half in een kuil zakken, tikte met haar hand op de grond en gebood me vlak naast haar te komen zitten. Ze huiverde, de hei was nat van de dauw en achter de heuvel gloorde een bleke zon die de kleuren terug deed komen.

Ik trok mijn jasje uit en sloeg het om haar schouders. 'Lieve jongen,' zei ze, 'je bent een lieve jongen.' Ze schoof naar me toe en ik naar haar. Ik keek haar aan en dacht aan *Jongens vragen*. Ik pakte haar bij haar rechterduim: nu zal het vanzelf wel gebeuren. Ze keek me met een scheef hoofd aan, melancholiek. 'Waarom heb je geen meisje?' vroeg ze. 'Elke jongen van jouw klas heeft een meisje.'

'Ik weet het niet,' zei ik. 'Ik vind dat je niet zomaar met een meisje kan gaan als je niet zeker weet dat je van haar houdt.'

'Dat is mooi van je. Je bent lief, lief.' Ze trok me naar zich toe en zoende me op mijn mond. Haar warme tong likte langs mijn lip en drukte zich tegen mijn tanden. Ik hield mijn adem in. Moest ik mijn mond nu helemaal opendoen, was er wel plaats genoeg voor zoveel tong? Wat smaakte haar lippenstift zoet en wat had ze een groot gezicht van zo dichtbij, haar huid brak onder de poeder.

Ik hield mijn tanden stijf op elkaar en voelde het bloed in mijn slapen bonzen, ik stikte bijna en wrikte me los. 'Nog niet,' zei ik hijgend, 'later.'

'Later? Wanneer dan? Er is alleen maar nu.'

'Het is tegen mijn principes,' zei ik.

'Arme jongen, daar zou ik mijn principes maar niet aan verspillen.'

'Ik heb respect voor u,' zei ik.

Ze boog met halfopen mond voorover, mijn jasje gleed van haar schouders, haar sjaal zakte af, haar borsten deinden me tegemoet. Ik week naar achteren, gespitst op die volle gleuf – het leefde, smeekte, ik wilde haar borsten aanraken, maar mijn handen voelden zo zwaar. Nú, dacht ik, nu, en ik duwde mijn gezicht als een koekhapper in de strop. Mevrouw Dekema liet een boer en viel om.

Ik begreep dat ze dronken was, willig... *Doorzetten*, dacht ik, maar ze lachte toen ik geknield boven haar hing. 'Je gezicht is helemaal oranje,' zei ze. Ze hikte en lachte, alles schudde aan haar. 'Dat is de zon,' zei ik. 'Net een wortel... hè hè.' Ze giechelde, ze lachte me uit. Ik trok mijn jasje onder haar weg en begon bezorgd de takjes eraf te slaan. Mevrouw Dekema sloot haar ogen

en blies de pluizen uit haar gezicht. Ook zij begon zich
te fatsoeneren.

'Zoen je liever jongens?' vroeg ze, terwijl ze de punt
van haar sjaal in haar boezem stak.

'Dat heb ik nog nooit gedaan,' zei ik beduusd.
Ze probeerde op te staan, maar ik bleef zitten en vergat haar te helpen. Ik kon onder haar rok kijken en zag
haar kont, ook daar een volle gleuf.

'Ik zou er maar niet aan beginnen,' zei ze.
We liepen los van elkaar de Hoornenboeg af. Gekreun
links en rechts, ik zag het witte spijkerpak van meneer
Schütter gebogen over Arie van Es, het eitje uit de klas.
Waarom durfde ik niet, nu moest het, nu – ruggengraat, slappeling! Ik moest haar grijpen, ik tastte met
mijn hand onder mijn overhemd of mijn kettinkje er
nog zat, het was zo dun en ik was zo bezweet, dat ik het
niet meer voelde. Ik liet het hangertje door mijn vingers
gaan en dacht aan de jongen in het tijdschrift. De verdorven zoon van Errol Flynn moest me te hulp schieten.
Alleen hij kon het, hij durfde haar borsten te strelen en
zijn lippen op die gleuf te drukken. Hij zou haar naar
zich toe getrokken hebben... En hij begon zwijgend haar
borsten te strelen, zacht eerst en zwaar ademend en
sneller en harder, hij kneedde haar borsten, ze kronkelden onder zijn handen... vloeibaar waren ze, alsof haar
bloed in zijn bloed stroomde, de borsten pompten zich
op, ze knapten haast uit hun bh. Hij streelde haar tepels
door de stof en liet zijn vingers langs een gezwollen
blauwe ader gaan, een kloppende rivier... even vreesde

hij dat ze zou barsten. Zijn handen zochten naar het haakje achter op haar rug, hij kon niks vinden, er zat een draai in het elastiek. Mevrouw Dekema deed een stap naar achteren en tilde haar borsten uit hun schalen. Ze woog ze in haar handen en bood ze aan. Dit was te veel voor een droom en zíjn handen werden míjn handen. De borsten bleven de borsten van mevrouw Dekema. Ook zij kreeg haar bh niet open, ze sjorde hem naar beneden, trok hem omhoog. Dit was anders dan in de blote bladen, haar tepels wezen ieder een andere kant op, als schuwe snuitjes. Mevrouw Dekema draaide de haakjes naar voren. Ze deed een stap naar me toe en duwde de sluiting onder mijn neus. Toen zag ik het pas goed: om haar scheve tepels groeiden rode haren, drie haren uit iedere snuit... Ze grijnsden me toe. Ik sprong achteruit... en rende weg.

'Toe nou,' riep ze, 'kom, kom, doe niet zo flauw.'

'Maaam, laat dat,' krijste een stem uit een krater. Dat was Guus.

Nog diezelfde ochtend de bronze sans soleil van mijn gezicht geschrobd, maar die gesnorde beverkoppen gingen niet meer weg. Ze bleven nachten grommen.

•

Wie had ooit zoiets gezien? *Jongens vragen* gaf geen antwoord. De uitklapbare lichamen in de oude encyclopedie evenmin. Een terloopse vraag aan het ontbijt. Borsthaar bij vrouwen? 'Nooit gezien,' zei mijn moeder. 'Op Bali niet, Sumatra... Ook op de sepiafoto's met inboorlingen

uit Borneo niet. Waarom wil je dat weten?'
'Ik kwam zoiets bij Rilke tegen.'
'Nou, zoek dat nog maar eens op.'
Die Toneelschool, bah... ze was er altijd al op tegen.

Ik vroeg het aan Jaap Schouten, de borstenspecialist van
onze school – hij was onze vraagbaak op seksgebied. Op
feestjes beslist een van de meest ervaren jongens achter
de coniferen. Jaap had het al honderd keer gedaan – op
vakantie in Italië. Zijn zolderkamer hing vol pin-ups;
mocht van zijn vader. Ik kende die kamer goed, het was
er stiller dan bij ons en we maakten er wel eens ons
huiswerk. Vroeg of laat kwam zijn borstenverzameling
op tafel. Blaadjes vol meloenen, peren, scheerriemen en
gebakken eieren.
Mijn vraag was een excuus om de hele verzameling
samen nog eens door te nemen. Naar boven, vlizotrap
opgetrokken en ongestoord bladeren. Jaap haalde zelfs
een mij niet eerder getoonde, uiterst geheime doos onder zijn bed vandaan. *Stars and tits.* Maar haren, ho
maar. Hij liet een naaktfoto van Natalie Wood zien, de
Maria uit *West Side Story.* 'Ook een flinke bos hout voor
de deur.'
Was dat echt Natalie Wood? Mijn zuivere Maria? Hoe
kon ze... 'Wat erg,' zei ik. Ze was zo netjes in de film, zo
aangekleed mooi... Zoals zij en Tony elkaar in een mode-
atelier de liefde verklaarden... zo hoorde het, zo moest
het gaan. *One hand, one heart.* 'Dat valt me vies van haar
tegen.'

'Vies? Jij bent vies. Het is toch een mooie vrouw,' zei Jaap, 'ze hoeft zich er toch niet voor te schamen?'

'Die plaat zal ik nooit meer draaien.'

'Zonder aan haar tieten te denken?'

'Zulke foto's halen een vrouw naar beneden.'

'Jíj wilt ze elke keer zien.'

Jaap kon grof zijn, ook nu weer. 'Wees eerlijk,' vroeg hij met zijn tong boven Natalie Wood, 'heb je die tieten van mevrouw Dekema nou wel of niet gelikt?'

'Nee, natuurlijk niet.'

'Stommeling.'

'Zeker met die haren.'

'Gewoon eruit trekken, een voor een.' Hij vouwde een zwaargeschapen blonde filmster uit en liet haar verlekkerd boven mijn hoofd bungelen.

'Je zal eronder liggen,' zei ik met afgewend gezicht.

'Eronder? Erop!' kraaide Jaap. 'Je hoofd ertussen en hard blazen, mooiste geluid ter wereld.'

Geen wonder dat hij voor zijn eindexamen was gezakt.

•

Jaap had van zijn vader zelfs kapotjes gekregen, voor als de nood aan de man kwam. Zijn vader was cameraman bij de televisie, er kwamen artiesten bij hen over de vloer, hele beroemde, ik had er een keer Patachou op de bank zien zitten en mocht haar toen een hand geven.

'Artiesten doen niet moeilijk over seks,' zei Jaap.

Wist ik. Op de Toneelschool was het ook heel gewoon.

'Toneelspelers!' zei Jaap, 'dat zijn de grootste schuinsmarcheerders.'

41

'O ja?'

Kende ik die en die?... dat waren nymfomanen, die deden het in de coulissen. En de mannen? 'Aan twee zijden bespeelbaar!' Jaap maakte het bekende gebaar. 'Er zitten ook héél beschaafde tussen.'

'Op de planken, ja, als iedereen kijkt, maar moet je ze thuis meemaken.' Zijn vader was een keer op een acteursfeestje in Amsterdam geweest en toen door een vrouw op zijn wang gezoend, hij had niet eens gemerkt dat het een kerel was, want hij droeg een jurk!

'Brrr.' We griezelden er allebei van.

'Ze zijn zo geboren,' zei Jaap ernstig, het was helemaal niet erg. Je mocht het ze niet kwalijk nemen. 'Het is een afwijking waar ze niets aan kunnen doen, dat soort mannen is vaak erg ongelukkig en eenzaam, maar ook aardig.' Kende ik Herman Stok, die man van dat popprogramma op de televisie? Die was ook zo. Herman Stokzuiger werd hij genoemd. Ja, het waren artistieke mensen. Ze hielden heel veel van hun moeder en waren vaak erg op hun kleren. Jaap sloeg zijn boekjes dicht.

'Denk je dat ik...'

'Moet je aan mijn vader vragen, die kan dat zo zien.'

We spraken af dat ik een keer na het eten zou langskomen.

Meneer Schouten was een joviale man, hij zat vol verhalen over zijn beroemde vrienden. Eigenlijk vond ik het helemaal geen vader: alles mocht van hem, Jaap noemde hem ook bij zijn voornaam, Ru; dat was gewoon onder artiesten. In de jaren dat ik bij Jaap over de vloer kwam had ik zijn vader maar één keer kwaad gezien en dat was op de avond voor een Koninginnedag, toen ik Jaap kwam vragen of hij de volgende ochtend mee naar de aubade ging. 'Geen sprake van,' zei meneer Schouten, 'mijn zoon zingt niet voor de koningin. Voor háár moeder lag er een boot naar Engeland klaar, voor míjn moeder stond er een wagon naar Auschwitz. Geen noot voor het koningshuis!'

Meneer Schouten kon de dingen hard zeggen. En ook om seks wond hij geen doekjes. Hij was bereid er een hele avond voor uit te trekken, gewoon in de voorkamer, zonder geheimzinnigheid. Zijn dochter Roos verstopte zich achter de *Libelle*, maar mevrouw, Jaap en de poes kropen er gezellig bij.

'Luister,' zei meneer Schouten en hij ging breed op de bank zitten, met mij tegenover zich, 'het is heel eenvoudig. Je moet jezelf gewoon een paar vragen stellen en als je het antwoord weet is er nog niets aan de hand. Vraag één: Vind je vrouwen aantrekkelijk?'

'Ja,' zei ik met volle overtuiging.

'Droom je wel eens van ze?'

'Nee.'

'Droom je wel eens van jongens?'

'Nee.'

'Waar denk je aan als je je aftrekt?'

'Ru, Ru, moet dat nou,' zei zijn vrouw, die kopjes en krakelingen voor ons op tafel zette.

'Aan mezelf,' zei ik.

Meneer Schouten dacht na. 'Aan jezelf, aan jezelf...
Zie je jezelf dan naakt?'

'Nee, juist heel mooi verkleed.'

'Mooi? In een jurk!'

'Nee,' zei ik beledigd, 'als man.'

Diepe zucht van meneer Schouten. 'Wat vind je aantrekkelijk aan vrouwen?'

'Hun gezicht.'

'Gezicht, gezicht... wat heeft dat nou met seks te maken? Waar krijg je een stijve van?'

'Van sommige boeken.'

Meneer Schouten keek me aan of ik niet goed snik
was. 'Boeken kun je niet neuken.'

'Ik heb me afgetrokken bij *Ik Jan Cremer.*'

'Goed zo, goed zo.' Meneer Schouten kraste over zijn
ongeschoren wangen. 'Kijk je wel eens naar een paar
mooie benen?'

'Nee, nooit, nee. Ik heb geleerd dat je mensen aan
moet kijken.'

'Wat vind je van kut?'

'Een schede?'

'Ja, kut ja, gewoon kut.'

'Ru, Ru,' suste mevrouw Schouten, die naar de achter-
kamer was gevlucht.

'Het ruikt... '

'Vinden meer mannen, zelfs getrouwde mannen.'
Mevrouw Schouten roerde stil in haar kopje. 'Daar moet
je doorheen...' zei meneer Schouten. 'Maarrr,' en hij

veerde hoopvol op: 'Je hebt dus met je hand in hun broekje gezeten?'

'Ik heb drie zusters.'

'Aha... een verwend kereltje dus.'

Ik glimlachte ongemakkelijk. Dat zei iedereen die geen zusters had.

'En borsten?'

'Nee.' In gedachten schudde ik ze van me af.

'Wat nee?'

'Gewoon... vies.'

'Ook kleine borsten?'

'Alle borsten,' zei ik ferm.

'Oooo.' Jaap zat van verontwaardiging op zijn stoel te wippen. Meneer Schouten keek me onderzoekend aan. Kon hij het aan me zien? Waar lette hij op?

'Met kleren aan vind ik het beschaafder,' zei ik om beiden gerust te stellen.

'Beschaafd... beschaafd... we praten hier toevallig wel over de natuur! Kijk nou toch eens naar die mooie jonge tietjes van mijn dochter, trots vooruit. Wou je dat allemaal verstoppen!'

'Hou op, pappie!'

Zie je wel... zelfs zijn eigen dochter zat ermee.

'Zo werkt het niet, jongen. Ja, ja... Je zult ermee moeten leren leven.' We keken hem allemaal gespannen aan. 'Alleen flikkers houden niet van borsten.'

'Ru, Ru.'

'Sorry... homofielen... Dat is bekend.' Meneer Schouten hief zijn armen in de lucht. Hij kon er niks anders van maken: 'Je hangt, jongen.'

We dronken zwijgend onze koffie op. Ik troostte me met een extra krakeling. Roos keek me boven haar *Libelle* vol medelijden aan: 'Maar we houden veel van je, hoor.'

Jaap gaf me een schouderklopje. Ik mocht dan voor mijn eindexamen geslaagd zijn, en hij gezakt, nu had híj zijn triomf: hij zou slagen voor het leven. Hoe ongelukkig zou ik worden? Het was een ernstige zaak, dat zag ik aan alle gezichten. Niemand zei meer iets. Mevrouw Schouten nam een breiwerk ter hand en ketste met haar pennen. Pannenlappen voor een buurmeisje dat ging trouwen... voor mij zou ze die nooit hoeven breien.

Ik bedankte meneer Schouten hartelijk voor zijn diagnose. Ik mocht altijd terugkomen. Mevrouw Schouten wikkelde een paar krakelingen voor me in een papieren servet en stopte ze met een afscheidszoen in mijn hand. Het was nog vroeg in de avond en Jaap bood aan een stuk met me op te lopen, zoals we vroeger wel vaker deden. Mijn fiets veilig tussen ons in.

'Godverdegodver,' zei ik, 'daar ben ik mooi klaar mee.'

'Misschien krijg je wel een vriend,' zei Jaap.

'Ik heb al vrienden.'

'Om mee te vrijen.'

'Getverdemme.' Ik dacht aan die enge Herman Stok met zijn gebakken haren en voelde me plotseling heel vies en onaanraakbaar worden. 'Wil jij nog vriend met me zijn?'

'Natuurlijk. Ik sta helemaal achter je... als je je gulp maar dichthoudt.' Hij gaf me een por over het zadel en stootte met zijn enkel tegen mijn trapper. Maar ik was te treurig om erom te kunnen lachen. Zwijgend liepen we richting mijn huis, verder van elkaar af dan gewoonlijk, of leek dat maar zo? We naderden het park. Normaal staken we daar schuin door, dit keer liepen we om, langs de verlichte buitenlaan.

'Hier komen ze wel eens,' zei Jaap.

'De flikkers?'

'Ja.'

'Wat doen ze dan?'

'In d'r lui kont poeren.'

'Getverdegetver,' zei ik, 'maar dat wil ik niet.'

'Zelf kijken ze daar ook op neer,' zei Jaap, 'alleen bruingangers doen zulke dingen.' Ook dat wist hij van zijn vader.

'Ik ken helemaal geen homo's,' zei ik.

Jaap loerde naar de bosjes of er niet toevallig eentje rondliep. 'Weet je wie het ook is,' fluisterde hij, 'Mart Koning! Waarom ga je daar niet mee praten?'

'Mart? Die vette puistenkop?'

'Wist je dat niet? Hij woont alleen met zijn moeder... ze gaan zelfs samen naar de film. Nou, dan weet je het wel.'

'Zijn moeder ook?'

'Nee, vrouwelijke homo's kunnen helemaal geen kinderen krijgen.'

Het was allemaal moeilijk voor te stellen. Dat nou uitgerekend deze lelijkerd een homo was, ik had ooit een jaar achter hem in de klas gezeten en me aan zijn lijfgeur kunnen verzadigen. Zure zult. En homo's waren zo netjes! 'Heb je die gore sweaters van hem wel eens gezien... onder de vlekken!'

'Spermezaanse kaas,' zei Jaap.

Een rare knakker, die Mart, zoveel was zeker. Met je moeder naar de bioscoop, je moest er toch niet aan denken! Of hoorde dat als je geen vader had? Mijn moeder hield me niet thuis... nog even en ik woonde op kamers. Alleen! En nu had Jaap ook gehoord dat Mart samen met zijn moeder een boekwinkel zou beginnen. Nog een bewijs: moederskindje.

'Hij las altijd al veel,' zei ik.

'Maar vrouwen zijn voor hem een gesloten boek,' zei Jaap.

Moest ik hem eraan herinneren dat ik twee jaar geleden op de Wallen was geweest? Hij had die buurt voor me beschreven... Ik had onderwijl meer ervaring dan hij dacht. Als hij er maar niet over door ging vragen. Zoveel mocht je niet, ze bleven aangekleed, hoe spannend ook, nee... Bovendien, die jongen van toen was ik niet echt, dat was een ander, zo wilde ík niet zijn... voor niemand.

'Als ik langs zijn huis fiets, zit hij als een wijf in de erker te lezen.'

Een luie, vieze flikker...

'Hij is opgemaakt,' zei Jaap, 'daardoor weet ik het.'

Zo raar was dat toch niet? Dat moest ik ook op het toneel en na een première liet ik het dagen zitten...'
'Je zal het eraf moeten likken.'
Nee, daar moest ik ook niet aan denken.

Jaap gaf me een stevige hand toen we bij de spoorlijn afscheid van elkaar namen. Een echte mannenhand.

Het was nog niet al te laat toen ik thuiskwam en ik belde Mart meteen op. 'Kan ik vanavond bij je langskomen?' vroeg ik. 'Ik moet je spreken.'
Hij klonk nogal verbaasd want op school trok ik nooit met hem op.
'Kan het niet morgen?'
'Nee, het is dringend. Alleen jij kan me helpen.'

Hijgend stond ik voor zijn deur. Te snel gefietst, het zweet gutste langs mijn rug. Zoveel bellen en bordjes had ik nog niet bij elkaar gezien. Er hing een vuil gordijn voor het ruitje in de deur en er brandde een peertje zonder kap in de hal, te zwak om de namen te kunnen lezen. Mijn moeder en ik woonden schoner.
Ik drukte op goed geluk op de onderste knop. Ramen knarsten boven mijn hoofd open, zware stemmen schalden door het huis. O god, onder elke bel zat een man. Wie zou mij naar binnen trekken? Ik voelde een zenuwnies opkomen... waterig zag ik iemand achter het ruitje naar de deur lopen. Neus ophalen en vriendelijk kijken... was het Mart wel? Hij leek nog dikker geworden, zijn buik hing over zijn riem. Hij riep iets naar boven.

Ik keek mee omhoog, recht in het peertje... en nieste toen hij opendeed.

'Gezondheid,' zei Mart door een kier. Pas toen hij met één voet de op de mat opgehoopte rommel opzijschoof, ging de deur helemaal open. Hij gaf mij een klamme hand en ik keek onbeschaamd naar zijn dikke puisten-kop, snuivend en wel – maar het was te schemerig om iets verdachts aan hem te zien. 'Weet je hoe de Fransen een niesbui noemen?' zei hij terwijl hij me voorging door een gang van opgestapelde dozen. 'L'orgasme du pauvre.'

Ik kon nog terug.

Binnen in de kamer was de chaos compleet: de vloer was bezaaid met boeken. Jee, wat had die jongen er veel! En overal boekenkasten, geen wand onbedekt, al was de helft van de planken leeg. In het midden stond een grote eettafel waarop ze in stapels lagen uitgestald. Er was geen stoel meer vrij, het rotanzitje in de erker werd in-genomen door stapels kranten. Mart liep naar het raam, nam twee stoelen bij de rug en kiepte de lading op de grond. 'Ga zitten,' zei hij, 'we zijn net op orde... in twee dagen zesduizend boeken van boven naar beneden ver-huisd.'

'Met je moeder?' Ik verzette voorzichtig mijn stoel om hem goed in het licht te krijgen.

'We verhuren het nu boven.'

'Aan Fransen...'

'Nee, Turken.'

'Goh,' zei ik beduusd.

'Zoek je een kamer?' Hij tastte zijn broekzakken af naar sigaretten en moest zijn benen strekken om erbij te kunnen – zijn hakken trokken een spoor door de rommel. 'We zijn helemaal vol.'

'Nee, ik zoek een kamer in Amsterdam... daar kan ik mezelf zijn.' Dat laatste zei ik met nadruk, maar Mart reageerde niet. Hij viste een geplet pakje sigaretten op en bood me er een aan. Bij het vuurtje keek ik onder de vlam naar zijn gezicht, zo moest ik het toch kunnen zien; als hij zich opmaakte, dan wel heel dun. Mart blies me terug in mijn stoel – zware tabak. Ik klemde mijn sigaret tussen pink en ringvinger – mijn rooksignaal. 'Ik ga naar de Toneelschool,' zei ik koket.

'Dat zat er dik in,' zei Mart.

'Kon je het aan me zien?'

'Je valt graag op.'

'En wat dacht je toen?'

'Dure kleren.'

Ik lachte bitter.

'Ik geef er niet om.' Mart haalde zijn schouders op.

'Maar je leest veel, dus je geeft wel om mooie dingen.'

'Mooi? Mooi verveelt zo gauw... Ik lees alleen wat me interesseert.'

'Maar we zijn toch gevoelig?'

Hij tikte geërgerd zijn as af en ging verzitten, alsof hij een eind aan het gesprek wilde maken.

Ertegenaan: 'Blijf jij bij je moeder wonen?'

'Ik heb hier een goed kosthuis.' Mart trommelde op zijn pens. 'Lezen en eten, wat wil een mens nog meer.'

'Is zij alles in je leven?'

'Gewoon.'

'Wij zijn niet gewoon.'

Hij keek me vragend aan. En ik hem. Twee open monden... wat ons met woorden niet lukte... Maar hij bukte voorover, trok een stapel kranten naar zich toe en begon erin te bladeren. Pas toen kon ik het zien: er liep een roze rand achter zijn wangen – zijn nek was bleker dan zijn gezicht. Jaap had gelijk: hartstikke opgemaakt.

'Jij durft tenminste,' zei ik.

'Met de Turken erbij moet het lukken.'

'Vindt je moeder het goed?'

'Beslist, ze juicht het toe.'

'Met Turken?'

'Nee, boeken. Ze heeft haar hele leven verzameld en gelezen. Het antiquariaat is háár plan. Volgende week gaan we open.'

'Maar jij bent toch homo?'

'Ik? Wat heeft dat met boeken te maken. Hoe kom je daarbij?'

'Waarom maak je je dan op?'

Hij veegde met zijn vingers over zijn wang en rook eraan. 'O, dat is de zalf tegen mijn puistjes – ben ik al maanden voor onder behandeling.'

Ik wreef over mijn eigen wangen. 'Vind je mij een homo?'

'Moet je mij niet vragen, dat weet je zelf het beste.'

'Dan moet ik eerst met een man naar bed.'

'Ja... dat zal wel...'

'Ik ken niemand.'

'Die Turken boven ons doen het met elkaar.' Mart stond op en begon tussen een stapel boeken te snuffelen. 'We moeten er ergens iets over hebben.'

'Graag.'

Hij boog voorover en ik zag zijn enorme achterwerk. Ik stelde me de Turken voor, die treurige mannen met snorren en mutsen die 's zondags zo verloren door de stad liepen. Zou ik die moeten aanspreken? 'Weet jij wie ik het vragen moet?'

'Hier,' zei Mart, 'dit is misschien wat... het levensverhaal van Max Heymans, een modeontwerper. Vraag het hem.' Op het omslag stond een foto van een vrouw met een bonthoed. 'Of haar.' Ze had ook nog handschoenen aan en een stola om. Net mijn moeder op de boot naar Indië, alleen veel meer opgemaakt. *Knal* heette het boek.

'Twee vijftig,' zei Mart.

Ik betaalde en hij stopte het geld met een knipoog in zijn kontzak.

'Wil jij het niet een keer met me doen?'

'Ja zeg, mijn moeder ziet me al aankomen.'

'Heb je het wel eens met een jongen gedaan?'

'Nee, natuurlijk niet. Hou nou toch eens op... ik moet er niet aan denken.'

Mart hielp me snel de kamer uit. Ik moest zelf mijn weg door de donkere gang vinden.

Boven klonk gestommel.

Diezelfde nacht las ik *Knal*. Prachtig vond ik het. Dus dat deden ze in de grote stad: feesten en dansen tot het ochtendgloren, met mannequins en actrices aan de rol en daarna in de armen van acteurs en schrijvers aftuffen – wat dat ook inhield –, dineren met buitenlandse prinsen, achtervolgd door een schuldeiser of twee. Het leven draaide om de schoonheid en al wie lelijk was lachten we uit. Er stonden foto's in het boek van mensen die brutaal in de camera keken. Mooie mensen, in mooie kleren, in mooie decors. Grote spiegels, schilderijen, gouden stoeltjes... alles heel, nergens een jusvlek op het behang. Geen spoor van 'eerlijk metselwerk' en betonnen trappen. Max hoefde zich niet met opgetrokken knieën in een bedompt lavet te baden, moeders corselet druppelend boven zijn hoofd.

Ik stapte de foto's binnen... adieu ratelende schuifdeuren – rode lopers werden uitgerold, het marmer glom, kroonluchters verlichtten mijn stap, duizend lichtjes vielen op mijn polkadotdas en *smashing* sokken. De couturier kon me ontvangen. Hij nam me van top tot teen op – ik hield mijn buik in –, hij liep om me heen en zei: 'Wie zich zo kleedt, mag mijn wereld binnen. Deze jongen is knal.'

'Dank u, ik ben een verkleedkunstenaar. In dit jasje kan ik dichten en zingen.'

'Doe maar uit.'

'En deze sokken – niet rood zoals een kleurenblinde dokter in het Gooi ooit meende, maar cyclaamroze – *Turnbull and Asser, Jermyn Street...* staat erin geweven.'

'Hou maar aan.'

'De hertog van Windsor koopt daar ook. Een erfstuk.'

'Van mama?'

'Nee, vader.'

'Kind toch...' Max vond niks raar. De volgende dag kon ik beginnen. Ik kreeg meteen een lap stof in de hand geduwd. Toon wat je kan. Spelden in de mond en uit de losse hand een avondtoilet om een pop draperen. Beeldig! Een natuurtalent. We zouden mijn model wereldwijd 'diffuseren' en om het te vieren gingen we naar het Leidseplein, drinken, eten in de luxerestaurants. Max had zich opgemaakt en iets denderends aangetrokken. Als de mensen ons aanstaarden, hieven we ons hoofd op en lachten we ze uit. Ik was niet bang voor vrouwelijke mannen. Zelf droeg ik een gouden ketting onder mijn open overhemd. We dansten tot diep in de nacht en ik vroeg iedereen ten dans, duwde mijn knie tussen vreemde benen... onderlijf tegen onderlijf. Dat was nog eens leiding nemen.

Schaamte kende ik niet. Ik was al een ander geworden.

In Amsterdam, stad van de vrijheid... en dat zocht hij: niet een vriend of een vrouw, maar vrijheid. Hij was een man zonder familie. Hij plantte zich liever voort in de kunst. Een paar ruwe lijnen geschetst en daar dansten de jurken op papier. De modehuizen vochten om zijn ontwerpen. Kunst, zeiden zijn bewonderaars. Maar voor hem was het geen kunst te weten wat een vrouw wilde dragen – hij had lang genoeg naar ze gekeken – al haalde hij vroeger de woorden jurk en rok door elkaar, maar dat hoefde niemand te weten. Er bestond geen vroeger meer, alleen een zelf te verzinnen verleden en een zelf te spelen toekomst. Hij was een waarlijk vrij man. Spelden in de mond, kom maar op.

•

Elke andere rol was mogelijk. Hoe had ik het publiek niet verbaasd doen staan op de jaarlijkse interscolaire in het Gooi. Ik droeg een verhaal voor over een zwarte Amerikaan, een werkloze, gediscrimineerd en veroordeeld tot een gettoleven. Het stond in *Meesters der neger-vertelkunst*. Ik werd die neger op het toneel: een man in de bus, die zich schaamt voor zijn armoe en die verwonderd naar de rijkdom om zich heen kijkt. Er stapt een blanke in, goedgekleed, hij sleept een grote boodschappentas met zich mee. Bij de volgende halte verlaat hij de bus weer, zonder tas. Het is een duur ogende, luxe tas. Wat zou erin zitten? Mooie kleren voor mijn vrouw, cadeautjes voor mijn kinderen... eten? Goed en kwaad vechten in mijn hoofd. Eerlijkheid wint: ik besluit de tas bij het dichtstbijzijnde politiebureau af te geven. Als ik wil uitstappen slaat een passagier alarm. Politie erbij: open die tas. Er zit een babylijkje in. De zaal huiverde.

Eerste prijs voordrachtskunst... op z'n minst. Tot een van de juryleden ontdekte dat ik het verhaal helemaal niet uit mijn hoofd had geleerd – geen zin letterlijk. Dit was geen voordragen, maar liegen! Ik werd publiekelijk gediskwalificeerd.

Begrepen die mensen niet dat je door een verhaal een ander kon worden? Gingen ze niet naar de bioscoop? Je had er niet eens veel tekst voor nodig, als je maar in de acteurs geloven kon. Duizenden levens lagen voor het grijpen. Bestond er een grotere vrijheid? Geen grenzen meer... de wereld lag voor je open. Je las een boek en je werd modeontwerper. Even maar. Maar maakte een boek je ook homoseksueel? En was dat voor altijd?

Ik moest er meer over te weten komen. In de bibliotheek kon ik weinig over homo's vinden en ik durfde er niet openlijk naar te vragen. Seksuele voorlichting was een mager plankje. *Jongens vragen* en de gedegen *Huwelijksschool* hadden erg met 'dat soort mensen' te doen. De encyclopedie toonde niets dan zweren en ellende. Ik zocht de trots van *Knal* en belde Mart of hij nog zo'n boek in de aanbieding had. Hij wees me op de brievenboeken van Van het Reve: *Op weg naar het einde, Nader tot U,* Baldwins *Giovanni's Room* en Genets *Dagboek van een dief.* Waarom wist ik van het bestaan van die boeken niet af?

Op school waren we met 'de stof' tot net na de oorlog blijven steken. Wat niet fatsoenlijk was, sloegen we over. Kloos hoefde niet omdat een letterkundige had ontdekt dat deze dichter ook liefdessonnetten voor mannen schreef. Sinds zijn ontmaskering kon onze leraar Nederlands ze niet meer lezen, laat staan behandelen. Streep maar door. Weer een viezerik minder.

Er bestonden dus schrijvers die zich niet schaamden.

Wat ze ook deden of dachten, we mochten het weten, we mochten het zien. Ze schreven zich de wereld in. En hoe prachtig deden ze dat niet. Stijl was hun wapen. Ik vrat hun woorden op, ze gaven me kracht. Ik leerde hele bladzijden van hun boeken uit mijn hoofd. De boze bladzijden. Deze schrijvers tutten niet over mode – hoe leuk dat ook om te lezen was – ze bespotten juist de nuffigheid, míjn nuffigheid. Een homoseksueel hoefde niet vrouwelijk te zijn, hij kon zelfs grof zijn, of een immorele schoft. Deze schrijvers maakten zich niet mooier dan ze waren. De een at het liefst bokking uit een ouwe krant, de ander verkocht zijn vaselinereet in het donker bij de haven en Giovanni – een Italiaanse gastarbeider en net als de zwarte Baldwin een outcast in Parijs – kon oprecht liefhebben, ook al was hij een moordenaar en bedroog hij zijn vrouw.

Het ging me niet om homoseksualiteit of heteroseksualiteit, maar om de durf je ware aard te tonen – wat dat ook was. De homo's uit de boeken leken me sterker, moediger dan al die hetero's om me heen. Ze mochten dan overgevoelig zijn en voor eitje of doetje worden uitgemaakt, een homo die voor zijn geaardheid uitkwam had meer lef dan alle brommernozems bij elkaar. Hij was nóg vrijer. Homo's naaiden zich niet vast, stichtten geen gezin. Hoog of laag – ze hoorden nergens bij. Ze zochten hooguit steun bij elkaar. Van hen kon ik veel leren. Meer dan van de zegelringmeisjes uit het Gooi.

Ik nam meteen een vakantiebaan – tuinen schoonmaken, grind aanharken; zodra ik genoeg geld had verdiend zou ik een nacht naar Amsterdam gaan en de wereld van die schrijvers persoonlijk ontdekken. Ik wist nu waar ze bijeenkwamen: Van het Reve noemde de kroegen bij naam. Het waren vrijplaatsen, en daarbij dacht ik niet aan vrijen. De gedachte mannen te zoenen stond me zelfs tegen. Vrij zijn, dat was de kwestie, en zonder vrees. Mijn omgeving benauwde mij, ik telde daar niet. Ik stond op het punt een wereld te betreden waar naar mij geluisterd zou worden, waar ik op waarde zou worden geschat. Als dichter! Aangemoedigd door de schrijversstemmen in mijn hoofd had ik een nieuwe toon gevonden: brutale rijmen waarin ik schaamteloos de herenliefde prees, pen en pik vloeiden samen... de mensen moesten van me schrikken, ik was meedogenloos, de inkt spatte op het papier. Maar na een paar bladzijden kwam er niks meer. En wat met de waan van eeuwigheid werd opgeschreven, belandde in de prullenbak. Wacht maar, eenmaal opgenomen in de kring van verfijnde zielen zou ik een dichter vinden die mijn pen vasthield.

Alle schroom viel van me af. Omringd door het schone wist ik mij verzekerd van een nieuwe moed en kracht. De acteur in mij speelde zich de liefde in. Mijn grootste rol moest ik nog vervullen: alle harten breken. Met Amsterdam als decor, de schijnwerper op volle sterkte.

Ik kon geen aanspraak op een oorlog maken – geen Jap, geen marteling, geen heldendom zoals mijn vader

– maar dat ik vechten kon, zou ik bewijzen. Het verzet riep. Nog even en ik sloeg de stolp waaronder ik was grootgebracht in duizend stukken. Halfstad schrok zich een beroerte. En nooit, nooit meer liet ik me van het grindpad sturen.

Ik weekte mijn tuinhanden in het lavet, de duurste zeep moest mij zachter maken. Ik waste me vol verwachting. Ik droogde me anders af – mijn lichaam zou opnieuw worden verkend...

De handdoek kruipt tussen mijn billen en ik voel een warme adem in mijn nek. Vader doemt op uit de beslagen spiegel, hij ruikt naar paard en rost mij af. Zo doen we dat in de tropen. Hard wrijven. Het bloed moet stromen, onder je vel zit een schoner vel, zonder jeuk en bulten.

'Lekker?'

Ik huiver. De handdoek bijt. De handdoek bloedt. Vader zakt door zijn knieën, tot we even groot zijn en onze hoofden naast elkaar in de spiegel passen. Klik. Samen op de foto. We kijken strak voor ons uit. Onze ogen zien onze handen niet. Zijn vuisten gloeien. Ik knijp mijn pijn in de rand van de wasbak. Alleen de foto huilt...

Ik veegde de spiegel schoon en keek lang naar de nieuwe jongen die daar stond. Bevrijd van de harde hand. Het verleden was een vuile lap.

•

Mijn onderbroeken waren plotseling te groot, moeders borstel en het eeuwige gedruppel boven het lavet hadden ze gelubberd. Ik stal een mooi witzijden broekje uit de kast waarin mijn zusters hun spullen voor het weekend bewaarden. Niet om vrouw te zijn, maar om een verleidelijk mooie man te zijn. Een witte punt verborgen onder grijs flannel, de kasjmier blazer aan, een wit gesteven overhemd, geen das, de kraag moest open want ik had andere plannen... ik had genoeg verdiend om een gouden ketting te kopen. Bij een juwelier niet ver van de hoerenbuurt, een morsige winkel waar de trouwringen aan een draadje in de etalage hingen, verpand door dronken huisvaders. Slierten goud gingen door mijn handen, de haartjes op mijn arm schoten recht overeind. 'Het is voor mijn moeder,' zei ik tegen de verkoper, bang dat hij mijn opwinding zou zien. We kozen een lange dikke uit, er hing een oog met drie bedeltjes aan: een kruisje, een hartje en een anker. Mijn moeder had een anker in haar familiewapen. Dit was voortaan mijn zegelring – *mijn talisman.* Ik nam mij voor de ketting trots te dragen.

Buiten deed ik hem om, in een donkere steeg. Eén overhemdknoopje los, nog een... er tikte een vriend tussen mijn tepels. Door goud gestreeld: rijk, brutaal, een playboy. Talisman zou me tot de liefde leiden. Naar het hart van het havenkwartier, tussen de kerken, waar de hoeren zaten. Maar die ging ik voorbij, ik zocht een café waar mannen voor de mannen kwamen. De eigenaresse was een vrouw: Bet van Beeren, geliefd bij schrijvers en artiesten, ze reed in een leren pak op een Harley-Davidson over de Wallen en knokte voor haar rechten. Bij haar voelden lesbische vrouwen en homoseksuele mannen zich thuis. Schaamte werd er niet getapt – had ik allemaal gelezen.

De rosse buurt was bekend terrein. Al wist ik niet dat het er op een zomerdag zo stil kon zijn. Het carillon van de oude toren sloeg vier uur en in de stegen brandde hier en daar een rode lamp. Aan de gracht zaten twee hoeren wijdbeens op de stoep te zonnen. Ik hoorde ze over hun klanten praten – die lagen op Zandvoort – maar ik keek keurig de andere kant uit. Naar een man die voor een open raam stond te gapen. Net wakker zeker, wie hier woonde leefde 's nachts. De man gooide de inhoud van een prullenbak uit het raam, papier waaide langs de gevels... kapotjes en flessen dreven in de gracht. De man bleef er dromerig naar kijken. Hij droeg een dikke gouden ketting. Een pooier. Ik deed weer één knoopje dicht.

Een paar minuten later liep ik op de Zeedijk. Hier moest Bet van Beeren ergens wonen. Maar hoe kon ik haar café herkennen? Elk huis was een café, uit alle deuren klonk muziek. Ik zag vrouwen zitten aan de bar en mannen in- en uitgaan. Wat moest je bestellen als je daar binnenkwam en wie begon? Ik las de namen op de ramen... geen Bet van Beeren te zien. Twee keer op en neer gelopen, niet te vinden. Aan wie moest ik het vragen? Die grote Surinamer dansend voor een open deur, de Chinese restauranthouders achter hun ramen met lekkende rode kippen? De zon wees me de weg. Halverwege een hoek, waar het late middaglicht plotseling de gevels op deed lichten, zag ik haar naam, heel klein maar toch. Vergunning: Bet van Beeren. Ze bestond dus echt. Al stond er op het raam een andere naam geschilderd: Café Het Mandje.

De glasgordijnen waren dicht. Ik drukte mijn gezicht tegen het raam en zag een vaag schijnsel door de vitrage: een rood-witte klok, een glimmende bierpomp en een grote bos rozen... verder kon ik niet veel zien. Wacht, daar bewoog iets... twee ruggen smoesden met elkaar. Diep ademhalen. Talisman, open die deur. De geur van bleek en bier sloeg me tegemoet. De ruggen draaiden zich om – twee mannen aan een tafeltje. Ik groette en terwijl ik het interieur bekeek, liet ik mij door hen bekijken. Er lag vers gestrooid zand op de houten vloer, het biljart zat onder een groene plastic hoes en tegen de muur stond een jukebox zonder licht. Achter de tap was een vrouw glazen aan het spoelen. Ze knikte me vriendelijk toe en schoof onmiddellijk de vaas rozen opzij om meer plaats aan de bar te maken. Het was duidelijk dat ik bij haar moest gaan zitten, in het licht van de Amstelbier-klok. Dat was dus Bet, de eerste lesbienne in mijn leven. Zwarte rok, witte blouse, doorrookte stem... Toen ik aanschoof, bonkte mijn hart. Ze hield een druipend leeg glas op, hand aan de bierpomp.

'Nee, wijn graag,' zei ik, rode, zoals de schrijvers dronken.

Ze rommelde tussen de flessen, hield restanten tegen het licht. 'Met deze warmte wordt er weinig rood gedronken.' Ze trok een nieuwe fles open.

Ik had me een mooier café voorgesteld – parket, gouden stoeltjes. Maar de barkrukken waren met skai be-kleed en de twee mannen aan het tafeltje droegen slor-dige kleren. Pas toen mijn ogen aan het schaarse licht gewend waren, zag ik dat ik onder een woud van afge-knipte dassen zat, er hingen zelfs een corselet en een bh boven mijn hoofd. Bezoekers uit alle windstreken had-den hier iets achtergelaten: een wand vol visitekaartjes, foto's, vaantjes, bierviltjes, treinabonnementen, bankbil-jetten. Grieken, Zweden, Arabieren... van alles was hier geweest. De homo's hadden hier plezier.

Ik nam een slok, leunde met mijn ellebogen op de tap en deed mijn hemd verder open. Talisman tikte op mijn borst, gelijk met de secondewijzer. Een wc werd doorge-trokken, de houten vloer trilde. Een oude man in een regenjas kwam van achteren naar de bar geslopen. Hij droeg er geen overhemd onder en ook geen onderhemd; grijs borsthaar piepte tussen de knopen naar buiten. De man ging in een hoek bij de rozen zitten. 'Greet, doe mij een pilsje...' Greet?

'Is Bet er nog niet?' speelde ik de vaste klant.

'Dat zal moeilijk gaan.'

'O.'

'Zeker lang niet geweest.'

De man in de regenjas schoof de vaas rozen opzij. Hij keek naar mijn ketting. Ik draaide van hem weg. De twee aan het tafeltje vielen stil.

Ik bestelde nog een glas wijn. Betalen kon later, Greet schreef alles op een bonnetje. Bij het derde glas streek haar vinger even langs de binnenkant van mijn kraag.

De man in de regenjas schoof naderbij. 'Mooie ketting,' zei Greet. Ik bloosde, peuterde aan een knoopje, maar ze trok de ketting uit mijn hemd en hield de hanger in haar hand: 'Geloof, hoop en liefde.' Zeelui droegen het. Ik was geen zeeman, dat kon ze wel zien.

'Nee, ik ben aan het toneel.'

'Waar sta je in?'

'Ik breng poëzie.'

'Breng?'

'Ik ben voordrachtskunstenaar.'

Ze spoelde lang hetzelfde glas. 'Als het maar niet te zwaar is.'

Het werd drukker. Mannen die van hun werk kwamen en met de tas tussen hun benen even een biertje dronken. Ze praatten, maakten plezier, maar niet met mij. Ik probeerde ze af te luisteren. Liefde, schoonheid... nee, voetbal. Waar bleven de kunstenaars? En de lesbiennes? Twee mannen kusten elkaar vluchtig op de wang. Niemand droeg roze, niemand riep: 'Knal.' Alleen de regenjas achter de vaas kon zijn ogen maar niet van mij afhouden. Rozig van de wijn keek ik naar de afgeknipte dassen. Niet de kwaliteit die vader gewend was. Hij zou hier trouwens naar zijn klewang hebben gegrepen en meer dan dassen hebben gehakt.

Greet had de stekker in de jukebox gestoken en mannen wisselden kwartjes bij de bar. De liedjes kraakten: *Was wissen Männer, ja, Männer von Liebe*. De hele tent zong mee. Buiken en ellebogen drukten me tegen de bar, lekkende glazen bier werden over mijn schouders aangereikt. Het werd warm in Het Mandje... tot de deur openzwaaide en het onrustig werd bij de ingang. De zon viel binnen. Een goudblond kapsel deinde boven alle hoofden uit. 'Sally!' Iedereen leek haar te kennen. Ze draaide in het rond, showde haar goudglimmende rok en stak haar wang uit naar een groepje mannen. Anderen deden een stap opzij, alsof ze een hoepelrok door moesten laten, maar het was haar pruik die respect afdwong. Sally was een man, overduidelijk, geen vrouw liep zo vrouwelijk. Ze kwam naast me staan, glimlachte naar me. Ik rechtte mijn rug voor haar schaamteloze ogen.

'Greet, waar heb je dát gevonden?' vroeg ze met een knik naar mij.

'Jaaa... daarvoor moet je naar het toneel,' zei Greet. 'Première!'

'Hallo stuk.' Sally liet twee wimpers klappen.

'Goedemiddag.' Ik stond op om haar mijn kruk aan te bieden.

'Ik hang liever,' zei Sally en ze liet beide ellebogen op mijn schouders ploffen. Ik draaide naar haar toe. God, wat keek ik koel. Dat deed mijn talisman, die was brutaler dan ik.

Was wissen Männer von Liebe werd weer gedraaid. De derde keer. Sally moest er even op dansen.

De man in de regenjas zag zijn kans schoon. 'Ze valt op je,' zei hij naar mij overleunend. Sally bleef mijn kant uitkijken. De regenjas ging open, twee vingerhoedgrote tepels staken naar voren. De man trok eraan. Ze waren rood ontstoken. 'Jas dicht, ouwe tietenvrijer,' riep Sally. De plaat kraste en ze hing weer op mijn schouders: 'Hebben we geen dorst, schat?'

Een knalrode duimnagel volgde de revers van mijn blazer... 'mmm...' zei ze... langs de knoopjes van mijn overhemd, lager, tot aan mijn riem. Mijn zijden broekje knelde. Ik keek naar haar fijne hand... Dit was een vróuw die mij wou. Maar ze wou eerst champagne. Voor ik het kon bestellen knalde de kurk al van een piepklein flesje. Sally doopte het voetje van haar glas in mijn wijn. Ik telde mijn geld in mijn binnenzak. Hoeveel glazen kon ik haar aanbieden?

De deur ging open, een luidruchtig gezelschap kwam binnen – jongemannen, ze hadden heel lang haar en tochtlatten; geen nozems, kunstschilders misschien, een beetje ordinair, eentje droeg een paarsfluwelen broek en een soepel leren jasje. Ze gingen in een hoekje sigaretten zitten rollen en keken giechelend naar de bar. 'Hé, Sally-kindje,' riep een van hen, 'een trekje?' Hij hield een brandende joint voor haar op. Sally liep met uitgestrekte armen op hem af. 'Lekker ding van me!' Ze inhaleerde diep, hield de rook lang binnen en wiebelde op haar hoge hakken toen ze weer uitblies. De sigaret werd met haar lipafdruk doorgegeven.

'Haar mond staat ernaar,' verzuchtte de tietenvrijer.

Sally dwarrelde langs de nieuwkomers. Meer babycham werd uitgeschonken. De ouderen behandelden haar met egards, maar de jongeren waren handtastelijk, één kneep in haar borsten. 'En voor wie zijn die vanavond?'

'Schorem.'

Sally was van iedereen.

Mijn overhemd plakte op mijn vel, ik was te dik gekleed – uit die blazer en mijn gezicht opfrissen. Ik duwde me los van het gewoel aan de bar en liep naar de wc. Bezet. Een man stond voor de deur te roken. Hij keek me met een verontschuldigend lachje aan. Twee mannen kwamen naar buiten. Ze gingen zwijgend uit elkaar. De wachtende liet me voorgaan. Toen ik het haakje erop wou doen, zat zijn schoen tussen de deur. Moest-ie nou of moest-ie niet? 'Ik moet plassen,' zei ik. Talisman trapte zijn voet terug. Het closet lekte. Ik wikkelde een halve rol af om de vloer te deppen. Het stonk enorm, ik snoof de pisgeur op... Er stonden telefoonnummers en namen op de muur geschreven. *Piet zuigt hier om acht uur.*

Weg hier en zo snel mogelijk. Dit café was veel te lawaaiig voor een goed gesprek. Bij het verlaten van de wc botste ik tegen twee jongens. Ze gaven elkaar kleine zoentjes op de mond, kroelden met hun handen in elkaars haar. Net een film: natte lippen, gelispel, speekseldraadjes... Ik keek te lang, ze staken hun tong naar me uit.

Betalen graag. 'Nou het gezellig wordt, ga je weg,' zei Greet toen ze mijn streepjes optelde.

'Eén pils nog,' zei een beschaafde stem achter me. Een aardig gezicht, getaand, wat ouder al, wit overhemd, spijkerbroek, peau-de-suèdevoet – geen echte homo zo te zien. Hij stak twee vingers op en terwijl ik naar woorden zocht om zijn aanbod af te slaan, werden er twee druipende glazen aangereikt. Ik durfde niet te weigeren en proostte. Hij doopte de bodem van zijn glas in mijn schuimkraag, ook hij.

'Ik heet Piet, en jij?' Zeven uur zag ik op de klok. Ik besloot te blijven. Als het dan toch moest, dan maar vanavond.

Sally zat achter een tafeltje haar buste te repareren, een van de jongens had de vulling eruit getrokken. Ze kreeg een babycham tegen de schrik.

We zaten op het biljart en dronken. Bier viel beter dan wijn. Ik werd er baldadig van en wilde dansen, maar Piet vond dat 'rellerig'. Shakespeare voordragen dan, of Rilke, boven op het biljart? Ik was tenslotte van het toneel... Piet bestelde leverworst. Hij was een mannelijke man, gespierd en bruin, archeoloog van beroep. Elke zomer maakte hij een verre reis, binnenkort zou hij weer naar Jeruzalem vertrekken om de Klaagmuur verder uit te graven. Ik fantaseerde een tegenleven. Hij vroeg er niet naar.

We vergaten de tijd. Het Mandje liep alsmaar voller. Piet kende heel veel mannen. Ik kreeg de ene pils na de andere aangeboden en moest steeds vaker plassen... telkens weer langs de plakkers bij de wc. De hasjrokers hadden er ook hun hoek gevonden, ze staarden me wazig aan; Talisman kon niet nalaten even wazig terug te kijken. 'Trekje, trek je?' riepen ze. Ze moesten erg lachen.

Piet haalde zijn schouders op. 'Mafkezen. Ze verpesten het voor ons allemaal.' Bet had ze zeker weggestuurd, die hield niet van dat soort fratsen. Maar ja, de buurt verloederde. Straks werd het knokken en moesten we schuilen onder het biljart. Voor wie? Matrozen, dronken kerels die dat soort langharige flikkers wel eens een lesje wilden leren. 'We moeten niet te ver gaan.'

Hij zei *ons, we*. Ja, we moesten naar buiten toe één front vormen, als het erop aankwam waren we één familie. Zoals toen Bet doodging en Greet haar in het café had laten opbaren, hier op dit biljart, tussen de lila bloemen, onder de afgeknipte stropdassen. Twee dagen lang brachten honderden klanten haar een laatste groet: rondje om het lijk en een pilsje ten afscheid. Mooi was dat, solidair, daar moest je zuinig op zijn.

... Maar hoorden die van de wc dan niet bij ons? En Sally, en de tietenvrijer? Ik keek nog eens goed naar ze. Ze wenkten.

Piet wees me op een foto achter de bar. Dat was nou Bet, een kleine dikke vrouw in een kaki stofjas. Ze bewoog... ik moest in het biljart knijpen om haar recht te houden. Ik werd ineens misselijk.

Naar buiten.

Ik dacht maar aan één ding: niet op mijn ketting kotsen. Hand tegen mijn borst en vooroverleunen. Hoerenlopers deden een stap opzij. Iets ijskouds druppelde in mijn nek, langs mijn rug. Het was Piet, met een hand vol ijsblokjes. 'Diep ademen,' zei hij, 'een beetje frisse lucht zal je goeddoen.' Hij sloeg een arm om me heen.

'Mijn blazer.'

Hij sloeg hem om mijn schouders en we liepen samen weg.

'Ik moet nog betalen.'

'Al gedaan... Gaan we naar mij of naar jou?' vroeg Piet.

Ik voelde een heup tegen mijn heup schuren, de heup van een man en een stevige arm... ik liep met een homo... gearmd over straat... twee flikkers! Iedereen kon het zien. Brrr... 'Ik moet naar de trein,' zei ik.

'Het is één uur, er rijdt niks meer. Kom, we gaan naar mijn huis.'

'Maar... ik heb het nog nooit gedaan,' stamelde ik.

'Ja, ja.'

'Nee, echt.'

Hij trok aan mijn arm, ik rukte me los. Onze voetstappen galmden over de gracht. We liepen in de maat.

'Hoe oud ben je?'

'Achttien,' loog ik.

Hij keek me verbaasd aan. 'Ik had je op vier-, vijfentwintig geschat.'

'Ik zoek een kamer.'

We passeerden een groot hotel waar obers het ontbijt indekten. Ik moest goed onthouden waar ik liep, maar na drie dwarsstegen had ik geen idee meer waar ik was. 'Wat dacht je toen je me zag?' vroeg ik.

'Corpsbal.'

'Ik?'

'Ja, een deftige nicht.'

Corpsbal... had Talisman zijn werk zo slap gedaan? Zou hij hem hebben gezien? Onderweg moest ik drie keer plassen, Piet plaste broederlijk mee. In de haast sloeg ik niet goed af en lekte in dat verrot kleine zijden onderbroekje. Er liep een brandende druppel langs mijn dij.

Het huis van Piet was een zeventiende-eeuwse bouwval. Er blafte een hond achter de voordeur. Het beest stormde ons tegemoet. 'Af Bas, af, lig.' Bas stonk, het hele huis stonk. De zwarte ribfluwelen bank in de kamer zat onder de hondenharen – alleen al van de aanblik begon mijn neus te jeuken en ik proestte de laatste resten kots uit mijn buis van Eustachius. Bas werd in de keuken opgesloten, we namen pils uit de ijskast mee en met knikkende knieën liep ik achter Piet aan de trap op... op elke tree een stapel ongeopende post.

De slaapkamer was een leeshol, met een matras op de grond, overal lagen opengeslagen kranten en boeken, de lakens zagen er grijs van. Piet trok zijn hemd uit en gooide het zonder te kijken op de grond, tussen de halfvolle asbak en een kom met gestolde yoghurt. Ik deed mijn blazer uit, zag geen stoel of haakje en legde hem zorgelijk op een opengevouwen krant. Mijn hemd uit... ik aarzelde bij de knoopjes. Wat zou hij van mijn ketting vinden? Voor zulke vragen had Piet geen tijd, hij drukte zich tegen me aan, kneedde mijn gulp en ik deed wat hij deed. Hij maakte mijn broek los en ik probeerde het bij hem. Maar ik was te zenuwachtig voor de rits. Toen mijn broek op mijn knieën hing en hij het zijden broekje begon af te stropen, durfde ik hem niet meer aan te kijken. 'Malle nicht,' zei hij. Het elastiek rolde zich vast, Piet zette zijn voet tussen mijn dijen en trapte het broekje op mijn enkels. Ik keek naar de grond, maar Piet pakte me bij de slapen, wreef met zijn twee graversduimen de angst om mijn mond weg en stootte ruw zijn tong tussen mijn lippen. Mijn eerste mannenzoen. Hij zoog zich aan mij vast, zijn nachtbaard raspte tegen mijn kin, ik snakte naar adem... een tong duwde me naar de rand van zijn bed... pootje gelicht en daar lag ik. En hij op mij. Zijn haren roken naar drank en rook. 'Kan dat af?' zei hij met een vies gezicht naar mijn hangertje wijzend, 'het prikt.' Hij trok de ketting over mijn oren en gooide hem in een hoek. Ik wilde erachteraan, maar Piet zette zijn knieën op mijn bovenarmen en begon mijn spieren te kneden.

'Zo, vertel eens: wat moet er gebeuren?'

Geen idee, iemand moest de leiding nemen. Ik was bang een fout te maken. Piet draaide me om en ik speelde de opwinding... tot ik een verschrikkelijke pijn voelde en het uitschreeuwde. Ik dacht aan de zee, net als bij de tandarts, en hoopte dat het allemaal gauw voorbij zou gaan.

De zon maakte me wakker. Het was stil in huis. Ik draaide me op mijn zij, zover mogelijk van de slapende Piet vandaan. Eén voet uit bed en hij greep me bij mijn middel – weer die tanden in mijn nek, dat kloppende houweel in mijn rug, die graafhanden waarvan er een mijn pik kneedde en de ander naar sigaretten zocht. Onder het vuurtje rukte ik me los, graaide mijn kleren bijeen en vluchtte naar de badkamer. Die belachelijk veel te kleine onderbroek met urinevlekken, maar ik had niets anders. En mijn ketting, waar was mijn talisman? Ik sloop op mijn sokken terug naar de slaapkamer en begon te zoeken. Piet lag slaperig te paffen: 'Wat doe je allemaal?'

'Ik moet naar huis, niemand weet waar ik ben.'

'Gaat er op zondagmorgen zes uur al een trein?'

'Sorry, het spijt me.' Een raspende zoen, een telefoonnummer. 'Het was heerlijk, ja... nee, we hebben thuis geen telefoon.' Maar waar is die ketting nou? Ik keek onder een paar ouwe kranten, achter een stoel, onder het bed, graaide in vlokken stof. Als hij tevoorschijn kwam, zou Piet hem komen brengen. Een adres? Ja... een vals adres. Wat moest ik ermee? Ik zou toch nooit meer een ketting dragen... het hoorde niet bij me. Piet liet me gapend uit. De hond had in de keuken een drol gedraaid.

Het was stil op straat, en kil, ondanks de ochtendzon. Ik sloeg de as van mijn blazer, veegde een kotsvlek van mijn schoen en probeerde te kijken alsof het doodnormaal was zo vroeg door Amsterdam te lopen. Mijn spieren deden pijn, vanbinnen en vanbuiten. Als je het maar niet aan me kon zien. Straks zou ik die stad van me af wassen en de nacht, en ik zou hard werken, naar Laurence Olivier luisteren, me op mijn toelatingsexamen voor de Toneelschool concentreren... mooie zinnen, mooie woorden, alleen de schoonheid kon me redden.

Waar lag het station? Achter de huizen kraste een tram. Ik liet me door mijn oren leiden en kwam uit op een brede weg, daar liepen twee sporen in het asfalt en ik volgde ze op goed geluk. Even later rook ik de zilte lucht van het IJ en zag ik de leien daken van het station tegen de blauwe lucht schitteren.

De spreeuwen kwetterden in de bomen voor de ingang. De eerste reizigers stapten uit een tram. Tegen de buitenmuur, in de zon, leunde een stel zwervers. Ze dronken bier uit flessen en riepen schunnigheden naar voorbijgangers: 'Hé jongens, daar loopt een hoer die de hele nacht niets heeft verdiend, die ken je naaien voor een knaak.' Ook ik moest eraan geloven. 'Hé, heb je een knaak?' Ik liep ze straal voorbij.

'Ken je niet beleefd groeten?'

'Goedemorgen, heren.' Bekakter kon niet.

Een man kwam met een fles in zijn hand op me af. Had ik misschien een rokertje? Ik liep zonder te reageren de hal in, naar de loketten, maar de man kwam bedelend achter me aan. De kaartjesverkoper zat guldens uit een rol te pellen. Ik tikte gehaast tegen het glas. Het bordje 'gesloten' klapte voor mijn neus.

De zwerver trok aan mijn jasje. 'Student zeker?' Mijn zwijgen beviel hem niet. 'Pardon,' zei ik en wilde naar de treinen rennen. Hij hield me tegen. Een duw, zijn bierfles viel op de grond... schuim en vloeken. Zijn vrienden kwamen op het geluid af. 'Ken je wel, klootzak!' Ik rende naar het laatste perron, het vaste spoor voor Halfstad. Een bierfles zeilde tussen mijn benen. Voetstappen weerkaatsten in de tunnel.

Ergens moest toch een conducteur zijn? Mijn achtervolgers schreeuwden steeds luider. Daar spatte nog een fles. Ik stoof de trap op, goddank, een gereedstaande trein, en mensen op het perron, eindelijk, een man en een vrouw in knickerbockers, schoudertas voor op de buik. Ze deinsden achteruit toen ze me aan zagen stormen, de man keek me aan of ík de boef was. Er stond één coupédeur open. 'Hola, kijk uit!' riep een keurige stem. Ik sprong naar binnen en voelde een fles langs mijn dijen schampen.

'Wat zijn dat voor manieren, hé, dat gaat zomaar niet...'

Snel de wc in en slot erop. Ik luisterde aan de deur. 'Alles in orde?' vroeg de stem. Iemand morrelde aan de klink, maar ik hield me stil. Scherven werden bijeengeveegd. Hijgend stond ik voor de spiegel en ik keek geschrokken naar mezelf... zo grauw... de kraag van mijn overhemd was vuil.

'Bent u daar?'

'Ja, dank u.' Mijn kin was rood en rauw, er zat een paarse zuigvlek in mijn nek. Zelfs met de bovenste knoop dicht kon je hem zien. Ook met wrijven ging hij niet weg.

De trein zette zich in beweging. De conducteur klopte op de wc-deur. 'Uw plaatsbewijs alstublieft.' Ja, ze waren weg. Nee, ik had nog geen kaartje.

De conducteur stond me met een loper in de hand op te wachten, in een plas bier, hij veegde met zijn voet de laatste scherven weg. 'Een enkel Halfstad, eersteklas,' zei ik arrogant. Ik wou zacht zitten na zo'n nacht.

Maar het groene pluche was niet zacht genoeg, er prikte iets. Ik betastte de zitting, het kleefde... bloed. Getver, ook aan mijn broek, onder aan mijn bil. Ik wrong me in allerlei bochten... Nog een souvenir? Ik liep terug naar de wc en draaide me voor de spiegel. Er zat een scheur in mijn broek. Pas toen ik de rafels zag, voelde ik de pijn.

De perrontrap van Halfstad kwam ik nauwelijks af. Mijn broekspijp koekte van het bloed. De taxi wilde me niet meenemen. En als ik nou eens op mijn jasje ging zitten? Oké, maar dan wel voor dubbel tarief.

Toen ik de sleutel in de buitendeur stak, had ik geen idee wat voor smoes ik binnen moest verzinnen. Mijn moeder was al op en redderde in de keuken. Ik sloop naar de badkamer. 'Waar kom jij vandaan?' riep ze. 'Ik heb je vannacht niet thuis horen komen.' De badkamer was bezet. Saskia zat erin, ja, de meisjes waren er. We ontbeten zo. Maar wat zag ik eruit!

Ik hield mijn hand voor mijn hals. De zoen, ze mocht zijn tanden niet zien.

'Je zit onder het bloed, je schoenen, het kleed, hè get, kijk toch uit. Saskia, doe open, geef de dweil aan. Hè, kijk nou toch uit, allemaal bloed op de vaste vloerbedekking.'

Saskia kwam met een handdoek de badkamer uit.

'Hij bloedt,' riep mijn moeder.

'Laat zien,' riep Saskia. Ze trok aan mijn jasje en draaide me een kwartslag rond. 'Uit die broek. Waar is de jodium?' Ik rolde mijn broekspijp op, maar kwam niet verder dan mijn knie. 'Andere kant,' snauwde Saskia en ze trok aan mijn riem.

Ik hinkte naar de keukenstoel. 'Laat me nou. Het is niets.'

'Echt bloed,' zei mijn zus. Ik ging zitten en haalde diep adem.

'Trek zijn schoenen uit,' beval mijn moeder. 'Nou loopt hij het daar ook nog in.' Ze rende de badkamer in en vulde een emmer.

Ik verzette me niet meer. Mijn zus bukte zich om mijn veters los te maken. 'Er zit geloof ik een stuk glas in mijn dij.'

'Doe je broek uit,' zei ze.

Halverwege mijn rits voelde ik plotseling de zachte zijde van haar onderbroek. 'Nee,' zei ik, 'het doet te veel pijn.'

'Uit.'

'Nee.'

'Je moet. Mam, bel de dokter.'

'Het is maar een schram. Ik heb me aan het glas van een bushokje opengehaald.'

'Bus?' riep mijn moeder. 'Waar kom je vandaan?'

'Laat me nou.'

'Hij ruikt naar bier.' Mijn zus boog zich over me heen en begon aan mijn broekspijpen te trekken. 'Nee, nee.'

'Stel je niet aan.' 'Ga weg, ga weg.' Mijn andere zus, Ada, stak haar slaperige kop buiten de logeerkamer. 'Zeg, ik kom hier om uit te slapen.' Wat deed iedereen thuis?

'Wat heb je uitgespookt?' vroeg mijn moeder.

'Amsterdam.' Biecht het maar op, dacht ik, vertel het ze. Jaag ze de stuipen op het lijf. De kraan liep, mijn handen werden met een lauwe theedoek schoongewreven... de rits ging open, mijn broek gleed van mijn benen. Ik trok mijn overhemd over mijn kruis.

Saskia pakte me bij mijn schoen en tilde mijn been omhoog. Mijn billen schoven naar voren. 'Wat!' riep ze, 'wat heb je daar aan, van wie is dat? Nee! Godverdomme, dat is van mij, míjn slipje! Vieze vuilak, je draagt mijn slipje.' Ik bedekte mijn schande, maar ze scheurde mijn overhemd bijna van mijn lichaam. 'Het is van mij, van mij,' gilde ze, 'ik heb er de hele morgen naar gezocht.' Ze sjorde aan het elastiek. 'Kijk nou eens, het is kapot. Dat zal je betalen, rotjoch.'

'Laat me los, stomme trut.'

Ze deed een stap naar achter, zette haar handen in haar zij en keek me met de grootst mogelijke minachting aan. 'Ik zal het je moeder maar eens vertellen. Dan hoort ze eens wat voor smerige zoon ze heeft. Ik weet het allang hoor en Ada ook. Iedereen weet het, behalve je onnozele moeder.'

'Saskia, hou op,' suste mijn moeder.

'Hij is een flikker.'

'Stil, Saskia!'

'Je zoon is een vieze vuile gore flikker.'

Stilte. Alleen de dweil in moeders hand drupte. De haat tussen broer en zuster etste zich in. We lieten het zuur op ons inwerken. Voor altijd.

'Het zou heel erg zijn als het waar was,' zei mijn moeder. Daarna ruimde ze zwijgend de sporen op.

Saskia liep snikkend naar de logeerkamer. 'Ik kom hier nog eens,' zei Ada.

'Uit dat broekje,' zei mijn moeder. Ze bekeek het als een ervaren wasvrouw en gooide het met een licht schouderophalen in de vuilnisemmer. 'Toneelstuk voorbij.'

II

Un acteur réussit ou ne réussit pas. Un écrivain garde un espoir même s'il est méconnu.

ALBERT CAMUS, *Le mythe de Sisyphe*

Een vliegtuig vloog laag over, de ruiten trilden. Ik keek naar buiten en kon het toestel duidelijk zien; het cirkelde boven de stad, de motoren brulden, het leek recht op ons af te komen...

'Ga weg van het raam,' riep ik. De mensen om mij heen keken me aan of ik gek was. Jongens voetbalden op straat, de bal stuiterde tegen onze muur. 'Die jongens lopen gevaar,' zei ik, 'we moeten ze binnenhalen.' Geen reactie. Ze negeerden me, ze hielden zich doof voor de buitenwereld en dat terwijl de stopverf uit de sponningen spatte. Een jongen met cowboylaarzen over zijn broek stak zijn handen in zijn zakken en keek dromerig naar het plafond. Wat als het vliegtuig straks zijn geschut op ons zou richten, was de school met het opvallende torentje niet een gemakkelijke prooi? We moesten dekking zoeken. Maar nee hoor, de dames en heren gingen er rustig bij zitten.

Een late augustuszon kleurde de hemel, lome dagen lagen achter ons, het leek allemaal zo vredig en toch wisten we dat het vliegtuig zou overkomen. We waren gewaarschuwd! En het bleef niet bij één vliegtuig, de lucht vulde zich met donkergrijze kruisen. Vreemd hoe mensen op onheil reageren. Een meisje in een Indiase jurk haalde een papieren zak uit haar tas en begon op haar dooie gemak een keiharde haverkoek op te peuzelen. Alsof ze het gevaar buiten met het geraas in haar mond wilde verjagen.

Beseften ze wat een laag overvliegend vliegtuig in een mensenleven kon betekenen? Stel dat ik me vergiste, dat het hier een vriendschappelijke missie betrof, dan zouden we toch met z'n allen de straat opgaan en zwaaien? Maar ze verzetten geen poot. Hoor nou toch! De parachutisten landden op de pannendaken, de eerste paratroopers omsingelden de school, ze zouden ons gevangennemen en in kampen opsluiten. Zo ging het dus in de oorlog, geen verzet, maar overgave.

Maar mij kregen ze niet... Ik kroop over het kurkzeil en probeerde de kelderdeur op de gang te bereiken, de geur van duizenden gymnastiekvoeten kruidde mijn herinnering: de tropen, de zweetcel... marteling. Een hete wolk wierp me op mijn rug, twee sterke handen keelden me, ik trok mijn das los, rukte mijn overhemd open, drukte mijn gezicht in de voering van mijn jasje – vaders jasje – en schreeuwde, schreeuwde... zo hard dat ik zíjn stem in mijn stem hoorde.

'Maak niet zo'n lawaai,' zei het meisje in de Indiase jurk met volle mond. Een neerstortend vliegtuig was voor haar een vuiltje aan de lucht, maar een stemverheffing ging haar te ver. De jongen met de cowboylaarzen keek me meewarig aan. Wat moest ik verder nog met deze mensen?

'Je speelt je emoties,' klonk het kil van de zijlijn.

Het duurde even voor het tot me doordrong. 'Maar ik ben toch bang?' zei ik.

'Voor een vliegtuig?'

'Het is oorlog.'

'Als je ons per se de oorlog wil laten zien, moet je eerst uit die situatie stappen.'

Er lagen twee overhemdsknopen op de grond, mijn jasje zat onder de vlekken.

Ik stond in het voorportaal van de roem – de gymnastiekzaal van de Toneelschool. Wij waren met z'n allen voorwaardelijk toegelaten en dat was heel bijzonder want het aantal inschrijvingen was overweldigend groot geweest. Onze groep moest zich eerst bewijzen op een voorbereidingscursus, slechts de helft zou definitief worden toegelaten. Ondertussen kregen we twee avonden in de week les. De docent was een adept van het Nieuwe Toneel en liet ons uren improviseren; hoe de opdracht ook luidde, het ging erom de 'Vervreemding' te laten zien. Onze houding moest 'kritisch' zijn, ook al vlogen de bommen je om de oren.

'Je leek wel dronken,' zei een plat pratende jongen die op de eerste cursusavond al om zijn naturel geprezen werd. 'Het volkstoneel is er niks bij.'

'Ik liep door een verwoeste stad,' zei ik, met de handen omhoog, als een beeld van Zadkine. 'De mensen struikelden over het puin.'

Ze lachten en liepen terug naar de banken tegen de muur.

'Je hebt het niet echt in je,' zei de docent.

Misschien had ik me maar wijsgemaakt dat ik talent had. Het was nooit een vraag geweest wat ik later zou worden. Zodra ik poederdons en wenkbrauwpotlood in de badkamer had ontdekt, wist ik het. Handdoek om je hoofd gewikkeld en je was een herder uit de kinderbijbel. Een ander nadoen, je in een stem of kledingstuk verstoppen, daar was ik goed in. – *Kijk, ze moeten om me lachen, ze luisteren naar me.* – Alle ogen op mij gericht en er toch niet zijn. Zolang ik me kon herinneren, had ik me daar veilig bij gevoeld. Als talent iets was wat je zomaar aanvloeide, dan borrelde ik ervan over. Nooit minder dan een hoofdrol – opgeklommen van kabouter tot jeune premier, elk jaar de held van de grote schoolvoorstelling. Kerstspel, paasspel, alleen daarom bleef ik zo lang lid van de Vrijzinnig Christelijke Jeugd Centrale: voor het toneel. Maar in de omgeving van echte acteurs knaagde ineens de twijfel.

Misschien hoorde ik niet bij de moderne tijd. Ik was de enige die voor het toelatingsexamen 'oude' teksten had ingestudeerd. Oud... volgens een docent van de Toneelschool. Lag het aan Rilke? Was een gedicht uit het begin van de twintigste eeuw al oud? Of kwam het door de titel: *Archaïscher Torso Apollos*. Ik had uiteindelijk voor Rilke gekozen omdat ik veel te lijdend keek als ik Baudelaire voordroeg. De gedachte aan Apollo, de god der kunsten én de beschermheer van de poëzie, gaf mij meer glans. Bovendien ging Rilkes gedicht over schoonheid, een schoonheid die je bij je lurven greep... de grote eis! Zijn voorbeeld is een antieke torso waarvan de ogen hem toch aankijken. Zo groot was de kunstenaar, zo dwingend zijn hand, dat het beeld zonder hoofd hem van alle kanten maant: *Du mußt dein Leben ändern!* Ook ik moest mijn leven veranderen, ook ik voelde een paar afwezige ogen in mij branden en ik droeg het vers zeer betrokken voor... Te ouderwets, vonden de gecommitteerden. Ik had maar niet gevraagd wat ze van François Villon vonden, of van Jeanne d'Arcs monoloog op de brandstapel – pure Middeleeuwen, al liet Bernard Shaw haar nog zo modern praten. Zij won het na een zomer lezen van Shakespeare. Ik wilde ál mijn kanten laten zien: komisch en dramatisch, man – vrouw. Bovendien had ik een zwak voor iemand die stemmen hoorde. Moeders speciaal voor de gelegenheid gebreide maliënkolder mocht ik er niet bij aan: 'Het is hier geen verkleedpartij.' Shaw moest op eigen kracht, al wist ik bij Villon in het vuur van het spel toch mijn pens te ontbloten, want ik speelde een kanunnik die 'uitgezakt en vet, met de minnares Sidoine aan zijn zijde, zich naakt tegen naakt vermaakte in een amoureus duet'. Een beetje achterhaalde keuze, vond de commissie al met al. Maar vooruit: ik mocht me op de cursus revancheren.

– Hebben jullie het al gehoord: ik ben toegelaten, ik word een echte toneelspeler. –

En nou bracht ik er verdomme niks van terecht.

Het Nieuwe Toneel wil dat het publiek zich verwondert en dat gebeurt door de vervreemding van het vertrouwde. De docent had het me al een paar keer uitgelegd: 'Geen identificatie, maar een kritische houding. Afstand.' Wat bedoelde hij nou precies? Ik voelde toch heus echt stof opwaaien, de straalmotoren pijnigden mijn trommelvliezen, ik hoorde wrede stemmen buiten de martelkamer, was dat niet vreemd genoeg? En hoezo kritische houding? Mijn spel was een protest tegen de oorlog. Mijn ouders aten geen haverkoeken in het kamp!

'Je moet proberen alles op een nieuwe manier te laten zien. Doe alsof je van een andere planeet komt.'

Ik stelde het me voor: Monus, de man van de maan, ziet vliegtuig in gymzaal.

Brecht, Ionesco, Beckett, die kende ik toch wel? De modernen toonden ons het absurde van het leven. 'Gek doen heeft niets met absurditeit te maken,' zei de docent tijdens de evaluatie, een opmerking die iedereen naar mij deed kijken.

'Maar in het echt zou ik ook zo hebben gedaan,' wierp ik bedeesd tegen.

'Je bent een eeuw te laat geboren,' zei de jongen met de cowboylaarzen.

Misschien kwam mijn liefde voor het toneel beter tot haar recht als ik me in de theorie zou verdiepen, opperde de docent voorzichtig na de vijfde les. Dramaturgie, was dat niet iets voor mij? Eerst een taal studeren en me daarna op academische wijze met theater bezighouden. Ja, dat leek iedereen het beste: ik moest toneel studéren in plaats van spelen. Ik, kampioen zittenblijven, die in zijn schooltijd alleen op de planken excelleerde, had plotseling geen talent, maar was wel slim genoeg voor de universiteit. Over vervreemding gesproken!

Als aansporing gaf de docent een paar artikelen mee die ik thuis maar eens in moest kijken: *Kleines Organon für das Theater* en *Dramaturgische Blättern* van Bertolt Brecht. Volgende keer een praatje over houden. De anderen zouden zich mentaal voorbereiden op een improvisatie over Uitbuiting, ze moesten allemaal een zwarte maillot meenemen. De docent zou voor de hoge hoed van de kapitalist zorgen.

Het 'epische spel' toont de verhevigde antiwerkelijkheid, dit in tegenstelling tot het 'dramatische spel'. Bij het epische spel is de mens voorwerp van onderzoek, bij het dramatische spel wordt de mens als bekend verondersteld. Bij het epische spel bepaalt 'het maatschappelijk Zijn het denken', bij het dramatische spel bepaalt 'het denken het Zijn'. Het epische spel genoot de voorkeur.

De door Brecht vereiste vervreemding was na bestudering van zijn theorieën totaal. Ik begreep er niets van. Eén ding was duidelijk: hij koos de kant van de arbeiders. Vreemd dat Schütter hem niet had behandeld, die hield toch zo graag linkse praatjes? Maar misschien was Brecht één brug te ver, mijn oude school hield de arbeiders liever buiten de deur. Kinderen uit ongeschoolde milieus werden er zelfs niet toegelaten – tenzij ze door uitzonderlijke intelligentie niet tegen te houden waren (en werden ze toegelaten, dan detoneerde die hockey-klem zo akelig op hun fiets).

Thuis begroette mijn moeder elke overall aan de deur met de vraag: 'Wilt u een kopje koffie?' En gelijk had ze: want hoe spannend ik arbeiders ook vond, en hoe schaamteloos ze er naar mijn idee ook op los neukten, hun ongepolijste manieren boezemden me ook angst in. Vooral de jonge arbeiders konden in Halfstad behoorlijk tekeergaan – elke zaterdagavond een rel –, en als je te arrogant naar ze keek, had je zo een blauw oog. Ook knalpotten ze steevast door onze toneelvoorstellingen heen. Dus koos ik voor de houding: wees vriendelijk, maar blijf uit hun buurt. Neem de andere kant van de stoep als je er meer dan één na middernacht tegenkomt en laat ze in godsnaam lang leren. Tem ze met kennis. Alle arbeiders tot hun dertigste naar school.

Brecht wou dat ook. Als het de arbeiders ergens aan ontbrak, was het aan inzicht in hun eigen situatie. Ze waren geneigd hun onrechtvaardige positie gewoon te vinden – en dat terwijl ze werden uitgebuit. Alleen door *Verfremdung* konden ze hun lot veranderen. Ze moesten de absurditeit van hun bestaan beseffen. Het was onze taak – 'de maatschappelijke verantwoordelijkheid van de toneelspeler' – de arbeiders aan dat inzicht te helpen.

Jammer dat ik niet mee mocht spelen, want ik was het volkomen met Brecht eens. Als ik door een maillot aan te trekken onrecht kon bestrijden, dan stond hier zijn man!

90

'De arbeiders moeten meer naar het toneel,' begon ik enthousiast mijn praatje op de eerstvolgende les, 'en de toneelspelers meer naar de arbeiders. Alleen zo kunnen we ze met de kunst in contact brengen. We moeten ze verheffen.'

Mijn medecursisten hadden zich net verkleed en keken me strijdlustig aan.

'Verheffen tot wat?' vroeg de naturel, die er de hoge hoed bij had opgezet.

'Tot de schoonheid,' zei ik ferm.

'Schoonheid!' Algehele verontwaardiging.

'En wie bepaalt wat daartoe behoort?' De naturel keek me vuil aan bij die vraag.

'Ja, wat versta je daaronder?' vroeg een ander. Legde ik de arbeiders niet mijn bekrompen kapitalistische schoonheidsidealen op? Ook de docent wilde wel eens weten waar Brecht dat had geschreven.

Ik had in mijn leven niet eerder zulke discussies gevoerd. Maar er moest toch zoiets als een universeel idee over schoonheid bestaan? 'Schoonheid is een soort godsdienst,' opperde ik voorzichtig, 'iets dat groter is dan wijzelf en dat verenigt.'

Wat nou schoonheid? De meeste mensen hadden niet eens genoeg te vreten! *Erst kommt das Fressen...* weet je wel.

'*Schoonheid heeft haar gezicht verbrand,*' declameerde de jongen met de cowboylaarzen, en hij draaide een venijnige kras in het zeil.

'*Schoonheid, o gij wier naam geheiligd zij...*' Perk, de

billenmaat van Kloos. Ja, ik kende mijn op school verboden dichters. 'Een verbrand gezicht kan onverwacht mooi zijn,' zei ik, 'of de verweerde hand van een arbeider.'

'Dat zeggen alleen mensen die zelf geen eelt of littekens hebben,' luidde de repliek. Schoonheid was geen wapen in de klassenstrijd. Als ik vies werk mooi vond, moest ik maar eens op het abattoir gaan kijken.

'Zelfs in het slechte schuilt schoonheid,' hield ik vol.

'Heb je daar soms ervaring mee?' vroeg de cowboylaars.

'Jean Genet,' zei ik, maar het waren mijn eigen woorden en ik schrok ervan. Wat ik wilde zeggen, was dat schoonheid geen moraal heeft. Het oordeelt niet – het staat op zichzelf en daarom kan het verbroederen, het reikt over alle rangen en standen heen. Je moest er alleen oog voor hebben.

En ik praatte en pleitte en zei: 'Wat is er tegen schoonheid op het toneel? Waarom die kaalheid en dat diepzinnig zwijgen? Soms moet je overdrijven of schreeuwen om iets duidelijk te maken. Ik houd van dramatische schoonheid. Verheviging is de essentie van alle kunst. Lees Rilke. Toneel is per definitie onecht. Je sterft er in volzinnen en na het applaus sta je weer op. Je kan er met geleende moed een held zijn. In het spel zeggen we dingen die we in het dagelijks leven niet durven. Ja, waar in het echte leven wordt gezwegen, praat het toneel – Camus heeft er in *De mythe van Sisyfus* op gewezen. We houden van het toneel omdat ons daar zoveel levens worden voorgehouden, we vereenzelvigen ons met andermans woorden en daden, zonder de bitterheid ervan te ondergaan. Waarom lezen we romans of kijken we naar schilderijen? Om een ogenblik groter te zijn, rijker, slimmer, of kleiner en slechter voor mijn part. Buitenissige kleren dragen in een vreemd decor, met vlijmscherpe dialogen of poëtische monologen jezelf en het publiek boven de beperkingen van alledag uittillen – is er een betere manier om de lelijke, onrechtvaardige werkelijkheid te bestrijden? Met passie en vakmanschap, niet met afstandelijke cynische onverschilligheid...'

Mijn stem sloeg over. De anderen zaten stomgeslagen op hun stoelen. Ik zei wat ik meende – al speelde ik de acteur zoals die mij voor ogen stond, anders had ik het niet gedurfd. 'Ik kom uit een familie die over alles zwijgt,' zei ik, 'en nou moet ik weer mijn bek houden.'

Ik had me te veel laten gaan – en raakte verlegen.

'Je bent gewoon bang.'

'Wie zei dat?'

'Ik,' zei de naturel, die achteraan was gaan zitten en op de hoge hoed trommelde. 'Wie schreeuwt is bang.'

Bang? En ik had bij de laatste kerstmiddag op school nog bijna naakt op het toneel gestaan. In een zwarte maillot, net als zij, maar dan niet met zo'n slobberkruis. Ik speelde een zoekende Adam en had mijn mannelijkheid er flink voor in het verband gewikkeld; je moest Gods boetseerwerk laten zien. De rector had me direct na de voorstelling een week van school gestuurd. Wie was er bang?

Dit keer stuurde ik mezelf weg. En met rechte rug.

•

Wat moest ik nu worden? Het was duidelijk dat de Toneelschool er voor mij dat najaar niet inzat. Mijn enige
zekerheid viel weg. Waar elders kreeg ik applaus voor
mijn gebreken? Goed, ik was vaak bang, maar nou juist
niet op het toneel. Alleen daar durfde ik iemand te zijn,
mijn hele toekomst was erop gericht. Ik liep als een acteur, sprak als een acteur, sloeg mijn sjaal los over de
schouders... als de acteurs die ik in Halfstad de radiostu-
dio's zag binnenschieten. Hoe vaak had ik vroeger niet
voor die grote glazen deuren gestaan. Daarbinnen gebeurde het... daar declameerden ze verzen voor de mi-
crofoon en verdraaiden ze hun stemmen in hoorspelen.
Ik kende hun gezichten, zag ze wel eens uit een taxi
stappen, ze wisten zich bekeken, maar ze keken niet
terug... Die minzame lach, schichtige blik... ja, dat was
de roem, die zeker en onzeker maakt.

Liep daar niet Cruys Voorbergh? De beroemde acteur
die onlangs op de televisie zijn kostuumverzameling
mocht tonen? Dat arrogante hoofd, die zilvergrijze manen, de adel van zijn stem, hij kon zelfs de t achter de d
uitspreken! Was hij zelf niet van adel, had ik dat niet
ergens gelezen? Acteur tegen de wens van zijn familie
in. Er was moed voor nodig om voor de schoonheid te
kiezen. Wie was er bang? *Das Leben ist ein Ding des
Übermuts.*

Als eersteklasser had ik Cruys Voorbergh zelfs een
keer durven aanspreken, voor de KRO-studio op een

94

druilerige middag op weg van school naar huis. Ik stapte af en complimenteerde hem met zijn prachtige rol in *De rechter en zijn beul*. 'Kijk aan, dank u,' zei hij en nam zijn hoed voor me af. In de regen, voor mij en hij zei u, dat had nog nooit iemand tegen me gezegd. Hij speelde toneel voor mij alleen... terwijl hij op een taxi wachtte. Zo elegant als hij gekleed was: schoenen met kwastjes, een jas met zwartfluwelen kraag, en ik in mijn poncho met een plas water tussen fietsstuur en buik. Capuchon naar achter, hij moest mij helemaal zien, kijk, hier sta ik, meneer Voorbergh. 'Ik wil toneelspeler worden,' zei ik.

'Dan wens ik u veel succes.'

'Ik heb me voor een declamatiewedstrijd ingeschreven.' Declamatie – dat woord gebruikte ik speciaal voor hem.

Hij draaide zich naar me toe en keek me met een scheef hoofd aan. 'Wat ga je doen?'

'Misschien *De rechter en zijn beul*,' zei ik.

'Allebei?'

'Uw rol,' zei ik – al had ik geen idee. Ik was nog een kind en had maar een klein stukje op de televisie mogen zien; ik kende zijn naam vooral als klank op moeders lippen. Cruys Voorbergh kwam ook uit Indië.

Hij lachte. 'Doe eerst wat aan je stem, die is te hoog voor zo'n zware rol.'

Mijn schouders dampten.

'Ik gebruikte mijn stem vroeger ook verkeerd,' zei hij. 'Te vrouwelijk.' Hij gaf me een knipoog. De schaamte trok naar mijn hoofd en toen ik verlegen wat druppels van mijn poncho sloeg, pakte hij me bij mijn kin en streek met zijn koele zegelring langs mijn keel. 'Je adamsappel ligt diep, heel sierlijk, maar daardoor hebben je stembanden te weinig body.' Hij had als jongeman met hetzelfde probleem geworsteld en een jaar lang elke dag een uur met een pollepel tegen zijn adamsappel moeten tikken. 'Probeer het eens,' zei hij. 'En je praat ook te bekakt. Dat is nergens voor nodig.' De taxi reed voor. 'Tot ziens, jongeman, mag ik u in de toekomst als vakbroeder omhelzen?'

'Graag,' zei ik glunderend.

Dat was tenminste een advies waarmee ik aan het werk kon. De toon van mijn moeder en zusters moest uit mijn keel. Daarom zei iedereen ook 'mevrouw' tegen me als ik de telefoon opnam. Ik had te lang naar de verkeerde stemvork geluisterd! Wilde ik een vakbroeder worden, dan moest ik de weekheid uit mijn strot slaan en voortaan plein tegen *pluin* zeggen en een *golden* gewoon een gulden noemen – al was dat nog zo'n bewijs dat je bij de betere kant van het Gooi hoorde. Een goed acteur stond boven de partijen.

Thuisgekomen ging ik meteen met een pollepel voor de spiegel staan tikken, elke avond voor het slapen, tot mijn adamsappel rood naar de oppervlakte trok – aaaoo-ooeee – en ik misselijk mijn valse deftigheid uitkotste. Mijn stem moest ver reiken – boven geslacht, plek of klasse uit – héél ver.

Toen ik mij een jaar later bij de Lyceumtoneelvereniging

aanmeldde, zei ik met de zwaarst mogelijke stem dat Cruys Voorbergh mij persoonlijk had aangemoedigd. Ja, hij zag veel in me. 'Ik mag een keer zijn kostuumverzameling komen zien.' Niets dan bewonderende blikken van mijn mededingers.

'Pas maar op,' zei meneer Schütter, 'straks sluit hij je nog op in zijn klerenkast.'

'Kent u hem?'

'Ach jongen, de wereld van het toneel is zo klein.'

•

Wie moest ik nu worden? Alsnog de mode ingaan? De toneelspeler zoals ik me die voorstelde, hield van verkleden. Je kon veel binnenkant aan de buitenkant tonen, dat bewees de hoge hoed van de kapitalist. Ook ik had mijn kostuumverzameling, drie klerenkasten vol. Daar hing de man voor alle seizoenen: de dandy in zijn vergeelde linnen pak – onder de roestplekjes maar trots gedragen omdat Indië nog in de zomen zat; de flaneur in een witte regenjas van Egyptisch popeline – met een plaatje van een man met een fez binnen in de voering; de wandelaar in wintertweed; de zwarte ruiter in suède rijbroek, voorzien van passende rijschoenen – onder geen beding laarzen, dat vond hij absoluut *not done*. En vergeet de ballroomdanser niet – in krijtstreep of prince-de-galles; de flirt op adelsokken, de edelman in zijn damastzijden kamerjas – donkerblauw met hoge kraag en ingeweven vruchten. De huismus in zijn sjamberloek. En de dassen, de hemden, de riemen, de schoenen, de hoed... De garderobe van the perfect gentleman. Wie zich opvallend kleedt, hoeft verder niks te zeggen. Man zonder werk en status, ja – maar hij maakte wel overal indruk. Ook mijn vader speelde zijn rollen. Hij waande zich een beter mens in het beste, duurste, hoogst exclusieve – al was het noodgedwongen tweedehands of uit de mond gespaard. Hij kon niet in minder lopen.

Ik deed er jaren over om naar dat erfgoed toe te groeien. Niet alles bleek te passen, de hemden waren te wijd, de broeken al gauw te kort, maar moeder was een groot versteller. Ze waren zo anders die kleren, zo ongewoon voor een scholier dat je, wilde je je schaamte overwinnen, er wel in spelen móést. Zijn garderobe stuwde me naar het toneel.

Het lyceum bood alle kansen. Onze toneelvereniging kampte met een kastekort en meneer Schütter moedigde het om die reden aan zoveel mogelijk zelf de kostuums te verzorgen. Ik bracht behalve een naaigrage moeder mijn koffer met kleren in.

Er was op school maar één jongen die me daarin kon overtreffen, en dat was Werner Trip. Ook zijn neus was te delicaat voor huurkleding. Wat die jongen niet bezat aan jasjes, broeken, hemden, kasjmier truien, overjassen met gewaagde voeringen, alles volgens de laatste mode, dat wel – en soms was dat voor het toneel een handicap – maar hij was er heel vrijgevig mee. In onze *West Side Story* liepen alle jongens in zijn kleren, op één na, natuurlijk. Hoeveel т-shirts had hij wel niet? Het kon niet op. Ik zag hem eens een ketting op een meisjesfiets zetten en daarna zijn vuile handen aan zijn jas afvegen – een camel jas. De volgende dag verscheen hij in een nieuwe, met het prijskaartje nog in de kraag. Zijn vader was directeur van een keten modezaken.

Al bij onze eerste gezamenlijke repetitie keurde hij mijn jasje. 'Goeie snit,' zei hij. 'Handgemaakt?'

'Geen idee.'

Hij duwde zijn pink door een knoopsgat. 'Kijk, daar zie je het aan. Als het knoopje van de mouw erdoor kan, is het echt.'

Ik wist dat niet. Hij wel. Zijn grootvader was kleermaker.

Vooral op het toneel droeg Werner Trip zijn kleren nonchalant, de stijfheid van de amateur was hem vreemd, en hij nam angstig lange pauzes in zijn teksten – waar Schütter hem zeer om prees; dat hij ondertussen zijn hersens afpijnigde voor de volgende claus zag je niet aan zijn gezicht. Hij liep nonchalant omdat hij zijn veters niet vastmaakte, ook niet op het schoolplein. Werner Trip had nooit haast.

We speelden samen vele rollen: in *L'impromptu* – ik het gevoel, hij de materie en we wilden liever ruilen. We waren twee van *De Twaalf Gezworenen*, Danton en Robespierre, broers, vijanden, Griekse helden, gasten op *Het Dievenbal...* allen op schoolse maat geknipt door meneer Schütter. Kortstondige roem met eeuwige figuren. Rivalen dingend naar dezelfde handen: van het publiek, om ons toe te klappen – en van de meisjes, om mee uit dansen te gaan.

Werner won zonder er zichtbaar moeite voor te hoeven doen. Drie keer werd hij tot de beste van de sportdag uitgeroepen en hij bleek te beroerd om zijn medailles op te halen. Hij liep geen meisjes achterna, zij achtervolgden hem – zo superieur was hij. Voor niemand bang. Juiste merk brommer, juiste laan – al wist je niet precies waar, want hij nam niemand mee naar huis.

Hoe meer we met elkaar optrokken, hoe raadselachtiger Werner voor me werd. Vier keer zittenblijven had hem niet onzeker gemaakt. Dat ik elke morgen om zes uur opstond om mijn huiswerk af te maken, vond hij absurd. Schoolboeken keek hij niet in, volkomen oninteressant. Als de stof niet vanzelf bleef hangen, was het de moeite van het onthouden niet waard. Opstellen leverde hij als eerste in en dikwijls bleef het vel even leeg als hij het had ontvangen. 'De heer Trip bespaart ons de moeite van het nakijken,' zei de leraar Nederlands.

'Maar wat interesseert je dan wel?' vroeg ik.

'Mensen die ik niet begrijp,' zei hij.

Maar wij begrepen elkaar toch?

'Nee.'

O... en daar moest ik me gelukkig mee prijzen. Naarstig zocht ik in mijn hoofd naar iets dat ik niet van hem begreep. Ja, wat vond hij eigenlijk interessant aan mij?

'Dat je zulke stomme vragen durft te stellen. Alles wordt zes keer uitgelegd en jij vraagt het voor de zevende keer.'

'Maar dan begrijp ik het niet.'

'Dat je het durft,' zei hij. 'Je bent zo schaamteloos.'

En dat zei híj. De jongen die tergend lui door de gangen liep en leraren met het slome getik van zijn veters treiterde als hij voor een beurt naar het bord moest komen. Wie haalde zijn schouders op als ze er wat van zeiden? Werner Trip, de grootste durfal van de school. Hij spiekte, spijbelde, pikte in de pauze de tas van een leraar om zijn proefwerk met stalen zenuwen te verbeteren, liep tegen de lamp, vaak ook niet, kreeg straf – soms – want het had geen zin om hem te straffen. Werner Trip was onaanraakbaar.

En met die jongen mocht ik lopen.

Zo dichtbij zag ik hem ook veranderen. In het eindexamenjaar begonnen zijn kleren steeds meer sleetse plekken te vertonen – lusjes en knopen ontbraken, zijn zakken scheurden op de naad – maar het deerde hem niet, hij droeg zijn verval met stijl. Hij ging de winter in met een zomerjas. Zijn vader was erachter gekomen dat de modellenkoffers achter in zijn auto wel erg vaak zonder zijn toestemming werden aangesproken en eiste de helft van Werners garderobe terug. De zestig T-shirts voor *West Side Story* waren pure wraak geweest – die bestelling kwam pas na de première aan het licht. Sindsdien had Werner nog meer moeten inleveren. Hij verscheen gehavend op de eindexamenfeestjes. 'Je moeder kan toch wel een knoop aanzetten?' vroeg ik.

'Die is er nooit,' zei hij laconiek. 'Ze vrijt met een ander.'

Mijn moeder was dolblij als ze een knoop kon aanzetten – liefst met mij eraan vast. En vrijen deed ze als weduwe niet, ze wachtte thuis met speculaas bij de thee. Werner moest haar maar eens zien, haar naaidoos kon hem helpen. Al schaamde ik me voor onze buurt, lopen naast een jongen zonder knopen aan zijn jas was ook beschamend. Want we zouden elkaar toch blijven zien, al bleef hij met Maria vrijen? Hij wilde ook naar Amsterdam, misschien konden we samen op kamerjacht gaan. We waren toch geen rivalen meer, maar vrienden?

De speculaasjes waren niet aan te slepen. Een boterham?... drie, vier, vijf. Noten, repen... mijn moeder voederde Werner met zichtbaar genoegen; terwijl zij zijn kleren herstelde, zat hij met een volle mond op de bank, in zijn blote bast.

'Kan je grootvader je niet helpen?' vroeg ik.

'Die is dood.'

'En je vader dan? Zo maak je geen reclame voor zijn zaak.'

Ach, zijn vader... die kon het niks schelen hoe hij erbij liep. Sinds zijn achttiende moest Werner geheel op eigen benen staan. Zo was zijn vader ook groot geworden. Het was nog een gunst dat hij tot na zijn eindexamen thuis mocht wonen. Werner kreeg geen cent meer. Helemaal niks? Nee, al ruim een jaar niet, geen zakgeld, geen geld voor de kapper, geen cadeau voor zijn eindexamen, niets. Hij kon mee-eten en daar hield het mee op, als er tenminste werd gekookt.

Mijn moeder prikte zich van schrik. 'Hoe vaak eet je warm?'

Zolang het broodrooster het deed. Mijn moeder begreep hem niet eens.

Tandarts, nieuwe schoenen, hij moest het zelf bij elkaar zien te scharrelen. Van de kinderbijslag zag hij geen cent. Het schoolfonds bleek hem al jaren boeken te verstrekken. Geen klasgenoot die het wist. 'Maar het is zo oneerlijk,' zei mijn moeder verontwaardigd. Werner zweeg.

'Ik heb ook nog soep,' zei mijn moeder hardop in zichzelf. Ze zette zonder te vragen een pan op, narigheid moest je met eten te lijf gaan.

Vaders... Bij ons thuis stonden ze ingelijst op het dressoir: een vader voor mijn zusters en een vader voor mij. Jong, in oorlogstenue, nog geen vermoeden van hun eigen dood; zo hield moeder ze graag in herinnering. Ik zag Werner naar hun portretten kijken. 'Ben jij al voor de militaire dienst gekeurd?' vroeg hij onder de soep.

'Afgekeurd,' smaalde ik, 'een rondje in mijn onderbroek en ze stuurden me weg...'

'Platvoeten,' zei mijn moeder. Ze was goedgelovig, als het haar uitkwam.

Werner kon ieder ogenblik opgeroepen worden – Defensie wilde een officier van hem maken.

'Fijn voor je,' zei mijn moeder terwijl ze in het knopendoosje graaide. 'Daar leren ze je gelijk hoe je je veters moet strikken.'

Toen ik een paar uur later met een aangenaaide Werner naar zijn brommer liep, liet hij de motor brutaal voor onze deur ronken. Hij reed weg en krijste. Zijn stem kaatste tegen de flatgebouwen. Gordijnen bewogen, balkondeuren gingen open. De gek zag het, keerde om, krijste nog harder en reed een ererondje.

'Merkwaardige jongen,' zei mijn moeder.

Behalve met naald en draad was er nóg iets waarmee ik Werner aan me kon binden: geld. Niet dat zijn vriendschap te koop was, maar hij hield ervan om getrakteerd te worden. Bioscoop, theater, snoep, een tropenoverhemd voor de warme lange zomer – hij nam het zonder schroom aan, het kwam hem toe. Mijn moeder had toch geld? Nee, niet veel, maar ik maakte tuinen schoon in de vakantie. Dan deed ik maar een extra tuintje. Werner weigerde voor zijn zakgeld te werken, daar was toch de kinderbijslag voor? Wat je niet kreeg, mocht je pikken. Jammer dat de modellenkoffers tegenwoordig van dubbele hangsloten waren voorzien. Laatst was hij nog een ritje met de Mercedes gaan maken, om ergens op een verlaten bospad de koffers open te breken. Niet dat hij een rijbewijs had, maar hij kon prima sturen. Wel was hij al eens voor joyriding gearresteerd. Dit keer werkten de spoorbomen niet mee en reed hij de hele zooi in de kreukels – vier dagen op het politiebureau vastgezeten. Zijn ouders wilden hem niet komen ophalen. Er waren wel meer van die dagen dat Werner plotseling uit zicht verdween, en als hij dan later bleekjes in de schoolbanken schoof en iemand vroeg waar hij was geweest, zei hij laconiek: 'Op Zandvoort.'

Verdomme, hij moest geld hebben... zo kon het niet langer, de langste zomer van je leven en geen cent te makken. Zijn mond kreeg een bittere trek – tandpijn, zei hij, al twee jaar niet naar de tandarts geweest – en hij spuugde op de geluksvogels in onze omgeving die na hun examen met cadeaus werden overladen: platenspelers, zeilboten, buitenlandse reizen. En wat gaf mijn moeder mij niet allemaal: een verzilverd bestek, servies, glazen, een kant-en-klare uitzet met koffiebonnen en kruidenierszegels bijeengespaard. Werner had nog niets voor Amsterdam.

Ik voelde me schuldig en leende hem geld. Klotevader. Straks liep Werner met lood in zijn voortand, porselein kreeg je niet in het ziekenfonds. Ik kon flink op die man schelden, ook al had ik hem nooit ontmoet. Ik haatte alle vaders die hun kinderen dwarszaten. We lieten ons niet vertrappen.

'Je leeft wel erg mee,' zei Werner.

'Die man moet dood!'

Meneer Trip was gek geworden, zoveel was zeker. Hij weigerde elke medewerking om zijn zoon aan een studiebeurs te helpen en het systeem was niet berekend op bemiddelde, maar onwillige vaders. Ook zijn vrouw moest het ontgelden, hij betaalde tegenwoordig zelfs geen huishoudgeld meer. Werners moeder had een baantje in een winkel moeten nemen. Het nieuwste was dat hij de hele zondag in zijn Mercedes bleef zitten, een millimeter van de muur geparkeerd, zwijgend.

'Om de modellenkoffers te bewaken?'

'Nee, hij vindt dat we hem niet genoeg respecteren.'

En 's avonds zat hij op de piano te bonken, zonder een stom woord te zeggen. Klavarscribo. Of hij ging boven met de werkster vrijen – een heel ander gebonk. Zijn vrouw lag dan beneden met haar moeie voeten op de bank. Ze was al twee keer van hem gescheiden en onlangs voor de derde keer met hem getrouwd. 'Voor ons,' schamperde Werner. Psychologie leek hem wel een geschikte studie, al was het maar om zijn idiote ouders beter te doorgronden.

Maar eerst moest die man dood! Een dode vader gaf tenminste pensioen. Wat was de beste manier? 'Treiteren,' zei ik, 'put hem uit, dag en nacht.' Nee, hij was te sterk en sloeg te hard terug. In een put kieperen, ongebluste kalk erover. We hadden zo'n moord al eens in het Gooi beleefd... maar het was uitgekomen, alles kwam uit. Een pistool tegen zijn slaap en het daarna op zelfmoord laten lijken? Ik kon op de Wallen een pistool gaan kopen. 'De Wallen?' vroeg Werner, 'wie weet daar de weg?'

We fantaseerden. Het ene plan was nog mooier dan het andere. Hoe pleeg je de perfecte moord? Een geënsceneerd auto-ongeluk leek ons tenslotte het beste: remkabels doorzagen. Mocht hij niet direct dood zijn, dan konden we in het ziekenhuis nog lucht in zijn aderen spuiten; we kenden onze detectives.

Zodra zijn vader weer op zakenreis naar Italië was, zouden we toeslaan. Hij vloog meestal op een zondagmiddag, nam dan een taxi naar het vliegveld en liet de auto in de garage achter, gebarricadeerd achter grasmaaier en tuingereedschap. We hoefden alleen maar een ijzerzaag te kopen, geen spoor zouden we achterlaten, tanden op elkaar en wiedewiedewagen... niet helemaal door natuurlijk... hier en daar een keepje, het moest slijtage lijken. Nietsvermoedend reed pa Trip een paar dagen later naar een van zijn zaken, draaide de laan op, die deftige bomenlaan, een bocht en... kladderatsj. De vogels zouden nog lang zijn hersendrab uit de bermen pikken.

De Mercedes open krijgen was voor Werner een koud kunstje, het was verbazend wat je met een verbogen klerenhaak kon uitrichten, maar toen onze zaklamp onder de motorkap scheen, hadden we geen idee waar te beginnen. Hoe zag een remkabel eruit? We hadden de middag voor onze aanslag het dealerboekje zorgvuldig bestudeerd en meenden dwars door het chassis te kunnen kijken. We waren zorgvuldige moordenaars, met leren handschoenen om geen vingerafdruk achter te laten, maar na een paar minuten zat alles onder de smeer.

Het was zo'n gezellige zondagavond waarop half Nederland voor de televisie zat, maar wat wij zagen was oneindig veel spannender: ingewanden die we er zo uit konden rukken, we hadden leven en dood in handen en toch moesten we beheerst te werk gaan. Wat liep naar waar? Werner ging achter het stuur zitten en drukte op de rempedaal. Zag ik iets bewegen? De auto deinde, geen kabel die samentrok. Het had geen zin op goed geluk iets door te zagen, voor je het wist had je de gaspedaal te pakken en kwam die auto de garage niet meer uit. En zonder vaart geen klap.

Werner schoof onder de auto, ik scheen bij. Het was een propvolle garage, je kon er je kont niet keren. Van de zenuwen beefde de lantaarn in mijn hand. Zijn zwarte haar lichtte blauw op tussen de aangekoekte modder en buizen. Zo ernstig als hij daar lag, verbeten. 'Zaag.' Ik gaf aan. Hij zaagde, vloekte en kreeg zand in zijn ogen. 'Bijl,' zei hij.

'Zou je dat wel doen?'

'Bijl.'

Oké. Hij was de chirurg, ik de verpleger.

Werner bikte tot hij zwart onder de auto vandaan kroop. 'Ik heb een begin gemaakt.'

Mooi. Maar waarmee?

Hij blies het zand van de bijl. 'Als het niet lukt, verzinnen we iets anders.'

Het tuingereedschap hing dreigend aan de wand. Waar je allemaal niet mee dood kon! Werner draaide de benzinedop open, knoopte zijn gulp los en piste in de tank. Ik keek stil toe. Hij hield er zijn handschoenen bij aan. Er klonken voetstappen op het grind. Werner schudde tergend langzaam af. Ik boog me over de grasmaaier. De deur ging op een kier. 'Werner, ben jij dat?' riep een vrouwenstem. Het garagelicht floepte aan.

Mevrouw Trip in negligé. 'Wie heb je bij je?' vroeg ze op mij wijzend. Ik had haar nog niet eerder ontmoet –

een rijzige vrouw met een vermoeid gezicht schikte een roze strik op haar boezem. Een hand geven lukte niet over de auto heen. Ze zag mijn vette handschoenen. 'Wat spoken jullie in godsnaam uit?'

'Hij komt de grasmaaier lenen,' zei Werner.

'Op dit uur?' Haar nachtpon was bloot voor een moeder. 'Wat zie je eruit!' riep ze toen ze naderbij probeerde te komen en de vegen op Werners gezicht zag.

'Pas op,' riep Werner, 'het stikt hier van de muizen.'

'Hè, jesses.' Ze draaide zich om en haastte zich naar buiten. 'Kom snel naar binnen. Morgen bel ik de verdelger.'

Het was de eerste keer dat ik bij Werner over de vloer kwam. Op de laan bleek niks aan te merken – grote villa's, losse garages, grindpaden, twee coniferen bij de deur; zo hoorde je te wonen in het Gooi. Maar dit interieur sloeg alles: fluweelbehang met groene lelies, oudroze moquette op de vloer en aan de wand een koekoeksklok die je tegemoet floot. Ik had de smaak van zijn kleren verwacht, dezelfde Engelse kwaliteit of de verfijning van Louis Seize, niet een ingelijst zeegezicht met een koperen lampje erboven. Toen ik me in een trijpen bank liet ploffen, kon ik niet nalaten even met een vies gezicht de fluwelen lelies te aaien.

'Ma, hij vindt het niet mooi,' riep Werner naar de keuken.

Mevrouw Trip kwam met haar handen in de nachtcrème binnen en ik stamelde gauw enige complimenten. 'Ik zie het niet meer,' zei ze.

'Allemaal echt Italiaans antiek.' Werner hield een bibelot tegen het licht en fronste bedenkelijk zijn wenkbrauwen.

Mevrouw Trip giechelde. 'Maak het niet te laat.' Ze trok de roze strik van haar negligé los.

'Gelukkig hoeven we het niet zelf af te stoffen,' zei Werner toen zijn moeder de trap naar haar slaapkamer opliep.

'Gedraag je,' riep ze.

'Mijn moeder was vroeger heel mooi,' zei Werner ernstig toen we haar boven ons hoofd hoorden sloffen. 'Ze was mannequin bij mijn vader, maar denk niet dat hij haar één cent kleedgeld geeft. Ze krijgt dezelfde treurige mond als Jeanne Moreau.'

'Werner?' klonk het van boven. Hij liep de gang op. Stemmen fluisterden onder aan de trap.

Ik nam de kamer in me op – zo kaal als het bij ons thuis was, zo vol was het hier. Voor me, op een barokke salontafel, lagen enkele kunstig versierde doosjes. Ik schoof er een naar me toe en opende het deksel. 'Afblijven,' riep Werner, die op dat moment weer binnenkwam. Maar het kwaad was al ontsnapt... er tokkelde een walsje door de kamer. Werner zette zijn duimen op de tandjes en drukte het mechaniek tot zwijgen. 'Mijn moeder is bang dat je een verkeerde indruk van ons krijgt.'

Ik pakte een ander, nog lelijker doosje; ook daar kwam muziek uit, en zelfs een hertje dat zijn kop opstak en met de maat meeschudde. Werner rukte het beest uit

zijn lijden en gooide het over zijn rug achter de bank.
'Als hij vraagt wie het gedaan heeft, zeg ik de werkster.'
Het signaal was gegeven. De ene snuisterij na de andere hielden we tegen het licht: een barokke sigarettenhouder, lederen sigarenhuls, onyx aansteker, briefopener, we trokken alles open, staken van alles aan. Een in leder gebonden *Divina Commedia* bleek een halfvolle karaf whisky te bevatten. We zetten een plaat op en lieten de malt in ons verhemelte bijten. Het was de eerste keer in ons leven dat we whisky dronken – een plechtig moment.

Toen de karaf leeg was, klopten we nog andere duur ogende boeken af en vonden zowaar een karaf sherry in *Les œuvres complètes de Zola*. 'Het is een belezen man,' zei Werner.

We zakten onderuit, het licht boven het zeegezicht scheen gemeen in mijn ogen. Werner boog de lamp in de verf en we keken stil voor ons uit.

'Zou jij iemand kunnen vermoorden?' vroeg Werner toen hij de laatste druppel Zola uitschonk.

'Je moet het doen om het te weten.'

'Misschien is het heel leuk.'

Werner liet een keiharde boer, we keken giechelend naar het plafond. Het bleef stil boven ons hoofd, en toch hoorden we onze vaders bonken. Werner keilde de stop van de karaf in de hoek, rakelings langs een schemerlamp en recht op een bloempot die in stukken viel... mevrouw Trip sliep overal doorheen. Onze dorst was er niet minder op geworden, we kamden de keuken uit op zoek

naar nog meer drank en keurden de flessen in de voor-
raadkast. Kir, marasquin, advocaat... Werner hield een
fles met gele korsten op. Was dat wat? Mijn oma nam
dat altijd. Hij stak zijn vinger in de fles en liet me proeven. Een warme gloed trok door mijn mond.

De alcohol had ons verhit. Terwijl Werner met kracht
op de bodem van de fles advocaat sloeg om de trage pap
uit de fles te krijgen, zocht ik naar stoffer en blik om de
bloempot van het kleed te vegen. 'Tut,' zei hij.

'Anders krijg je morgen op je donder,' zei ik.

'Nou en?' Het kon Werner allemaal niets schelen, ook
voor de moord op zijn vader wilde hij best een paar jaar
zitten. 'Als ik later maar geen spijt krijg en ineens van
hem ga houden.'

Ja, dat zou tragisch zijn. Spijt was zonde van je tijd.
'Ik heb geen traan om mijn vader gelaten,' zei ik.

'O ja? Was het zo'n klootzak?'

'Een volslagen idioot.'

'Hoe is hij gestorven?'

'Hij kon niet meer, en vooral niet tegen mij. Hij haatte toneelspelen – gewoon, gewoon, gewoon moest ik
zijn.' Mijn stem sloeg over.

'Wat deed hij eigenlijk?' vroeg Werner met een mond
vol advocaat.

'Niets, hij kon niet werken na de oorlog. Hij had het
aan zijn hart. Je moest voorzichtig met hem zijn, heel
voorzichtig. Ach, het is allemaal zo lang geleden.' Alleen
de herinnering maakte me al moe, die man speelde
geen enkele rol meer in mijn leven, nee, ik was hem

totaal ontgroeid... letterlijk, zelfs zijn schoenen werden me te klein. 'Kijk, dit paar heb ik laten oprekken. Maat zesenveertig heb ik al en mijn voeten groeien nog steeds.' Welke maat had hij nu? Even groot? Maar zijn schoenen leken kleiner. We gingen naast elkaar staan, voet tegen voet, en vielen haast om. Er kleefde olie aan onze zolen, nu zagen we het pas, we maakten zwarte vegen op de moquette. Onze enkels schuurden tegen elkaar, we smokkelden, wilden allebei de grootste maat hebben. Zo kon je niet meten, schoenen uit!

Werner liet zich achterover op de bank vallen en plantte zijn voeten wijdbeens op de vloer, er zaten grote gaten in zijn sokken. Ik ging op de grond liggen, op mijn rug, en drukte mijn voetzolen tegen zijn voetzolen. Zijn lenige tenen betastten mijn hielen, hij kon er zelfs mee knijpen door zijn sokken heen. Ik duwde met volle kracht terug, we strekten onze knieën, onze benen vormden een brug, tot Werner een trap gaf en de verbinding verbrak.

Ik moest hem mijn geheim vertellen.

Maar hij zat daar zo hoog en ongenaakbaar. Ik zag zijn hoofd tussen onze knieën grijnzen. We hadden tot nog toe weinig over seks gesproken. Werner vond verliefdheid een waan. Vandaar dat het met die aanstelster van *West Side Story* ook helemaal niets was geworden. 'Ze wilde te graag,' zei hij. 'De meeste verhoudingen zijn ziek.'

Op onze zomerfeesten verkoos hij de vieux boven de meisjes – hoewel hij heel goed met ze danste – en hij kon korzelig reageren als een stel hem te hangerig deed: 'De mensen durven niet alleen te zijn.'

Zou Werner principes hebben? Of was het de drank waar hij zo dwars van werd...

'Werner, we moeten weg.'

'Wacht even.'

'We zijn de laatsten.'

'Nog één slokje.'

'Kom nou.'

Trage Werner wou nooit weg. O wee als je aan zijn arm trok. Hij kon venijnig om zich heen trappen. Met moeite sleepte ik hem naar zijn brommer. En dan reden we slingerend over de hei naar huis – hij naar de villa's, ik naar de flats.

'Ik ben niet zo tactiel,' zei hij. Zo'n woord zocht ik op.

Tactiel of niet, die avond raakten mijn enkels zijn dijen; ik voelde zijn warmte door me heen vloeien. Nú, nu moest ik het zeggen: 'Ik ben bang dat ik heel slecht zou kunnen zijn.'

'Hoezo?'

'Omdat ik al heel slechte dingen heb gedaan.'

'Zoals?'

Ik ging weer rechtop zitten, met mijn rug tegen de bank, zodat ik zijn spottende ogen niet hoefde te zien. 'Denk je dat ik homoseksueel ben?'

'Denk jij dat?'

'Soms... als ik erover lees.'

'Ach, jij bent nou eenmaal makkelijk te beïnvloeden.

Zoals jij naar een film kijkt! Met open mond... je gaat er veel te veel in op en je denkt altijd dat het over jou gaat.'

'Sommige films zijn zo echt...'

De koekoeksklok tikte – te veel, te luid – dat beest moesten we ook de nek omdraaien. En lag er niet nog een stuk kaas in de ijskast? Ik maakte aanstalten om op te staan, maar Werner trok me weer naar beneden. Zijn hand bleef op mijn schouders rusten, kroop langs mijn overhemd in mijn nek. 'Vind je dit lekker?'

'Ja,' zei ik schor. Ik keek strak voor me uit en liet hem begaan.

De hand kroop lager, langs mijn borst. Rillingen schoten door mijn lichaam. 'Dat dat je zo opwindt,' zei hij. Lager ging zijn hand, tergend lager. Tot hij plotseling hard in mijn buik kneep. 'Dat kan er wel af,' zei hij – het vet onder mijn vel schudde ruw op en neer. Au. 'Daar kan je niet mee op de praalwagen.'

Hij duwde zich van me af en stond op. Ik kon naar huis.

'Wat dacht je van een nylondraadje boven aan de trap,' zei ik toen ik mijn brommer over het grind naar de weg duwde.

Hij zou het de volgende dag meteen kopen.

•

Het was maar goed dat we ons hadden beheerst: vriendschap was belangrijker dan seks. Of waren we al te ver gegaan? Werner liet niets meer van zich horen en zelf durfde ik geen contact te zoeken. Misschien was ik door de mand gevallen, begréép hij me en was ik niet meer

interessant. Maar beter ook zo. Ik wist dat ik als homoseksueel met mijn oude vrienden moest breken. Ze vonden het te vies. Waar kon ik nog over praten op hun
feestjes? Het waren ondeelbare gevoelens. Zelfs Jaap
Schouten, bij wie thuis alles mocht, zocht ik niet op; de
enkele keer dat hij me belde, hoorde ik zijn medelijden:
*'Hoe is het nou? Hoe gaat het met je... weet je moeder het
al?'* Ik was geen patiënt. Woonde ik eenmaal in Amsterdam, dan dienden de nieuwe vrienden zich vanzelf wel
aan. Daar zou ik de valse netheid afleggen en bij de eerste kennismaking zeggen waar het op stond. De hele
wereld moest het weten – voor de draad ermee – en als
ze me dan niet bliefden, zoveel te beter.

Ik oefende vast op de werkster. 'Ik ben homo,' zei ik
toen ze mijn bed verschoonde.

'Hè jesses.' Ze liet van schrik de lakens uit haar handen vallen. 'Wil je door mannen gezoend worden?'

'Nee, natuurlijk niet.' Ik trok een even vies gezicht als
zij.

'Nou, wat zeur je dan.'

Het ontbrak me aan ervaring. Ik moest naar voren stappen en zeggen: Hier ben ik! Niet in enge kroegen, maar
bij hoogstaande homo's. Nu de Toneelschool was mis-
lukt, zouden zíj mijn talent ontdekken – de kunstenaars,
de schrijvers. Ik nam me voor Van het Reve te schrijven,
Baldwin, Genet, zij begrepen me... Misschien wilden ze
mijn gedichten lezen. Baldwin moest mijn voordracht
horen. Ze zouden zeggen: 'Waarom heb je jezelf zo lang
verborgen gehouden?'

Maar eerst afslanken. Mager zou ik me zekerder voelen. Op de Toneelschool volgde iedereen het puntendieet, daar had ik nog een stencil van: eten zoveel je wilde, worst, room, kip van het spit, als het maar vet was, jenever en wijn, geen probleem, alleen geen koolhydraten. De kilo's vlogen er gegarandeerd af.

En alles over homo's lezen.

Theoretisch wilde ik mijn mannetje staan. Uren zat ik in de Universiteitsbibliotheek boven artikelen en boeken over homoseksualiteit gebogen. Te lang bleef ik bij de psychiaters hangen die me vertelden dat ik een infantiele puber was met gestoorde ouderbinding, een neuroot, een sociaal onaangepast syndroom. Ouderbinding? Ik was dolblij dat ik van mijn vader af was. Trouwens, moeders werden veel te veel overschat. Maar gevoelig was ik wel, en dan hees ik me weer op aan alle genieën die ook zo waren. Plato, Socrates, Michelangelo, Galilei, Shakespeare, Rimbaud, Kaváfis... er viel nog veel te lezen. Maar las ik over mannen die 'het vrouwtje' speelden en de gorigheid die ze onderling uithaalden, dan vroeg ik me af: Ben ik wel zo? Met knapenschenners die hun slachtoffers na misbruik bij hun perverse wereld inlijfden, wilde ik nog minder te maken hebben. Ik was voor fatsoenlijke homoseksualiteit.

In de leeszaal ontdekte ik dat er een blad was, met een club, er verschenen artikelen, boeken. *Sociologische aspecten van homoseksualiteit. De homoseksuele naaste. Must you conform.* Een paar bladzijden... en ik droomde erboven weg. Ik wilde geen onderwerp van studie zijn, niet met begrip behandeld worden. Iedereen moest domweg van me houden. Als ik die boeken aan de uitleenbalie afhaalde en de bibliotheekwacht stempelde de kaarten, dan keek ik beschaamd van hem weg. Hij keurde het af, ik voelde het. Ze deden wel vriendelijk in je gezicht, maar wat zeiden ze achter je rug? Misschien zou het beter zijn de koninklijke weg te bewandelen: openlijk homo zijn, maar het niet doen. De schoonheid zou mij bevredigen, de literatuur. Hoe gelukkig was ik niet tijdens het lezen van Oscar Wildes *The Picture of Dorian Gray*! Een man die eeuwig jong wilde blijven, bemind, levend voor de nutteloze kunst. En zo gevat. Dorian stond me voor ogen als ik duizelig op de weegschaal mijn vet wegkeek, verliefd op mijn nieuwe lichaam. Het boek was te mooi om uit te lezen.

'Homoseksualiteit is een zonde en een onnatuurlijke zaak,' zei een christelijk afgevaardigde dat najaar in de Tweede Kamer. Ik trok het me aan als ik zoiets in de kranten las – *ze hebben het over mij, dat ben ik: de verstotene.* 'Ze zullen bijten op hun tong in de hel,' dacht een radiodominee hardop tijdens de morgenwijding.

Hoe meer ik las en hoe meer ik hoorde, des te militanter werd ik. In theorie natuurlijk, want het moest wel netjes blijven. Tien procent van de mensen was homoseksueel, waarom had ik dat niet eerder gemerkt? Er had dus nog minstens anderhalve homo in mijn eindexamenklas gezeten! We moesten naar buiten treden, we konden een stad zijn, een macht. Ik zou die dominees en andere zielenmelkers eens wat laten zien: liever een verdoemde dan een rechtvaardige die uit Gods naam napalm op Vietnamezen gooit of Zuid-Afrikaanse zwarten knecht. Homoseksuelen vernederden geen volken – althans niet uit naam van hun seksuele geaardheid –, homo's martelden geen Griekse journalisten in achteraflokalen van de geheime politie. Een homo mocht niet eens kolonel worden! En als er mietjes in het leger zaten – stiekem de flinke vent spelen –, dan niet meer dan tien procent. Godverdomme, als ik niet oppaste werd ik nog links ook.

Tien kilo lichter kocht ik een donkerpaarsfluwelen broek, strak om de kont. Werner zou geen kwab meer kunnen grijpen. Ach Werner... bij de overlijdensadvertenties in de krant zocht ik steeds even naar zijn vaders naam. Misschien was de aanslag onderhand gelukt. Was hij op de vlucht? Nog tien kilo eraf en ik zou een buikdans voor hem doen.

Mijn moeder moest al mijn overhemden innemen. Ja, dat is de mode, mam, de knoopjes strak om het lijf. Doe nou maar, dat hoort zo. Twee coupenaden in de rug en ik wil een gebreid hesje. Echt, dat dragen ze allemaal. 'Ook studenten?' Ja, mam. En moeder breide, naaide en verfde de saaie witte overhemden roze, paars, appelgroen en lavendelblauw. Denderend. En een leren jasje – alleen voor in Amsterdam. Nieuwe kleren voor mijn nieuwe leven. Ik had er heel wat tuinen voor moeten schoonmaken.

•

Ondertussen zocht ik een kamer en die had ik hard nodig om een ander te zijn. Ik was bovendien officieel student geworden, er zat niks anders op. Ik had me in het diepste geheim aan de universiteit laten inschrijven. Nederlands, het vak van de minste weerstand. Niemand van mijn oude school die het weten mocht, bang als ik was om hoongelach te ontlokken. Maar mijn moeder was er dolgelukkig mee. Nu kwam ik toch nog goed terecht: kon ik mooi leraar worden, een beroep met pensioen. Alleen al daarom wilde ze de malste hesjes breien.

Op en neer tussen Halfstad en Amsterdam veranderde ik telkens van uiterlijk. Flannel voor het Gooi – leer voor de stad. Opstandig in Amsterdam – braaf thuis. Verkleden gebeurde in de trein. Het maakte mijn wereld alleen maar groter: ik begon uit steeds méér mannen te bestaan.

Na een week of wat viel het ons op dat er nog een jongen op en neer reisde, we namen dezelfde treinen, deelden dezelfde coupé. Het was een arbeidersjongen in een zwart-witte spikkeljas, het model waar C&A al jaren het herfstbeeld mee verpestte. Zijn broek zat slecht en zijn sokken waren te kort, maar het schaadde hem allemaal niet; zijn schoonheid straalde door de goedkope stoffen heen. Hij had een mager gezicht, ingevallen wangen, hoge jukbeenderen en bijna doorschijnend lichte ogen – hij blondeerde zijn haar. Het was een ordinaire jongen, van het soort dat bij ons thuis op een theedoek moest zitten, maar op een tweedeklas bank kon hij geen kwaad. Ik kon mijn ogen niet van hem afhouden... waarom keek hij nooit eens terug? Het zintuig waarmee je voelt dat een ander naar je kijkt, zat bij hem onder een dikke laag eelt. Misschien was hij ober van beroep, het verklaarde in ieder geval zijn scheefgelopen hakken. Voor ik me op de wc ging verkleden, keek ik vaak even naar hem om, in de hoop dat hij me zou volgen. En als ik dan na een moeilijke dans om mijn sokken droog te houden de coupé weer binnenkwam – paarse broek, paars overhemd (*Le Total Look vient d'arriver*) –, schudde hij nuffig met zijn kuif en keek naar de wei bij Weesp. Ik probeerde zijn blik te vangen, ging verzitten, vouwde mijn benen over elkaar, schreef met mijn nagel invitaties in het fluweel, tegen de vleug in...

Je kon op meters afstand zien dat hij homo was. Maar dat was niet de enige reden waarom ik zijn aandacht wilde trekken. Hij had de volkse trekken van de door mij bewonderde Gerard van het Reve, de schrijver die had geschreven: 'De ergste menselijke zonde is de bereidheid je in een hoek te laten trappen.' Een homoseksueel moest zichzelf aanvaarden en voor zichzelf opkomen; deed hij dat niet, dan zou zijn leven 'verbeurd en zinloos' zijn.

Ik was verliefd op Van het Reve, op zijn stijl, zijn moed. Zijn affiche wachtte al weken in een kartonnen rol onder het bed in Halfstad; zodra ik op mezelf woonde, zou ik hem ophangen: de schrijver in óns leren jasje.

De jongen in de trein had zichzelf bevrijd, aanvaard: hij durfde zich te laten zien. Arbeiders mochten dan een lange weg naar boven hebben af te leggen, ze hadden ook een hindernis minder: ze hoefden geen stand op te houden.

Homo worden was een zwaardere studie dan die der Nederlandse taal. De boeken, de vakbladen, het lidmaatschap – je was er dag en nacht mee bezig. Het zware zat hem in de loden blijheid van de leerstellingen: seks was leuk, homoseksualiteit nog leuker, alles kon, wij hadden ons bevrijd en als je inhibities had, zaten die vooral in jezelf. Tobbers, voorzover ze er nog waren, woonden ver weg in de provincie, die moest men met openhartige coming-out verhalen moed inspreken (onder blanco couvert). In Amsterdam kon je jezelf zijn. Zeiden ze. Schreven ze. Maar dan moest je wel weten waar je stond, zo bleek op de forumavond *Positiebepaling van de homofiele student (na afloop feest tot vier uur)*.

In Het Pakhuis. Onder de mannen. Op een zaterdagavond. Je kon in de stad geen prikbord voorbij of de bijeenkomst schreeuwde je roze tegemoet. Homofiele studenten bekenden kleur, ook in hun uiterlijk: dezelfde bordeelsluipers, t-shirts over ongestreken overhemden met druipkragen of twee t-shirts over elkaar – korte mouw over lange mouw –, Levi's ribbroeken, lange haren en die schichtig verkennende blik. Wat leek iedereen op elkaar. Vrouwen kwamen er niet aan te pas, althans niet op het eerste gezicht. Was dit onze positie? Een jamboree van dubbelgangers? En waar stond ik? In een kring van veel oudere, snorrige, immer glimlachende, alles begrijpende, staalgebrilde polstasmannen. De meesten zagen er te jeugdig uit om jong te zijn, maar misschien deden ze heel lang over hun studie. Zij bleken de ervaringsdeskundigen en hadden een fijne neus voor groentjes die nog moesten ontdekken wie ze waren.

Een snor achter een stalen tafel sprak ons ernstig toe: 'Wij homo's zijn een hetero-uitvinding, door de "normale" maatschappij naar een getto verbannen om daar een kultuur te creëren waarvan de opbrengst volkomen ten goede komt aan de maskuliene kapitalistiese uitbuiters...' Geknik links, geknik rechts en een dwalende hand langs mijn stoel. Ik probeerde zonder te kijken de andere kant op te schuiven, maar daar gloeide weer een dij. We zaten wel erg krap.

'De homowereld is een marionettenteater waarin homo's dansend en springend vertoond worden. En wie trekken er aan de touwtjes?' vroeg de snor retorisch. 'De aandeelhouders van de gevestigde ekonomiese belangen!'

Rumoer in de zaal. Een schande was het, ogen zochten ogen om elkaar dit mee te delen.

'Wij zijn geen dooie poppen zonder zelf... Alleen politieke bewustwording voert tot homobevrijding.'

'Ook in de Sovjet-Unie?' vroeg een jongen achterin.

Twee jongens die de boekentafel beheerden, spiedden door de zaal. De discussie moest gestroomlijnd blijven. De ordedienst beval: 'Kop dicht.'

'Volgens voorzitter Mao bestaan er in China helemaal geen homoseksuelen.' Die jongen was niet solidair... een corpsbal zo te zien. Kots op zijn revers en een clubdas.

De dwaalhand zocht houvast op mijn fluwelen knie.

Ik was de enige in Total Look. Mijn anders onfeilbare gevoel voor 'wat draag ik waar en voor wie' had me in de steek gelaten. Ik liet het wel uit mijn hoofd om in het paars naar college te gaan. Maar hier gingen we toch dansen? En nu bleek: 'De mode wordt door gevestigde ekonomiese belangen bepaald.' Ik had me door de foute bladen laten leiden.

De dwaalhand kreeg een snor met een gezicht, het gluurde. Of er nog vragen waren? vroeg de spreker.

Ja. Ik stak mijn vinger op: Wat vonden ze van Max Heymans?

Verbaasde blikken. De stalen tafel sprak: Ja, dát was nou een stereotype, de homomarionet waarop hij doelde... die man speelde nou precies de rol die de hetero's van hem verlangden. 'Een man die zich als vrouw verkleedt, gelooft in zijn eigen inferioriteit.' De negers werden er als voorbeeld bijgehaald – ook wij moesten ons emanciperen.

De dwaalhand naast me gebaarde om stilte, maakte een vuist en zei: 'Bevrijding.' En toen een lange zin: Marcuse... individu... totalitarisme... eros, Marcuse... de suprematie van de monogame genitaliteit... de bevrijding van de seksualiteit, Marcuse... één-dimensionale mens... repressieve tolerantie... utopies anarchisme. Iedereen viel stil. Het ging over seks, maar er kwam geen drieletterwoord aan te pas. Maar Max Heymans mocht geloof ik toch. De hand ontspande – niemand had van hem terug – en toen wees hij naar mij: 'Je moet jezelf zijn, heel gewoon jezelf.'

Hij bleek van de universiteit te zijn, een krities docent, en was net een weekend in Berlijn geweest. De studenten klommen er op de barricaden, ook daar. Hun strijd was onze strijd: inspraak bracht óók een andere rolverdeling met zich mee. Zachte krachten ondermijnden de strukturen van de macht. En nou had hij een praatgroep opgericht: *Mannen & Wetenschap*. Mannen moesten...

Achter in de zaal viel een stoel om, van verontwaardiging: 'Zeg, wordt er nog geneukt?' Die corpsbal was dronken! De ordedienst sleurde de jongen naar de gang.

'Wij mannen moeten sterk en teder zijn...' De hand had gezegd en ging weer zitten.

Sterk en teder, daar was ik voor. Ik keek dankbaar op. Maar toen de hand weer naar mijn knie dwaalde, trok ik mijn benen op – nee, voor zo'n examen zou ik zakken. 'De suprematie van de monogame genitaliteit'... dat werd nachten woordenboek. Ik was ook te dom gekleed voor een krities geleerde: hij uit de wasserette getuimeld – ik netjes in de plooi. Total Look belemmerde mijn positiebepaling.

Opstaan, stoelen aan de kant, stencils, blaadjes en boeken in de tassen en speldjes in de aanslag. Het feest kon beginnen.

Dansen? Was dat nou geen concessie? Pas nadat de diskjockey de tegenstanders had verzekerd dat Het Pakhuis geen commerciële nichtenkit was, werden de stoelen opzijgeschoven. Wij bonafide homo's mochten gezien worden, de universiteit subsidieerde deze bijeenkomst.

De eerste plaat werd opgezet, The Doors schalden uit de luidsprekers. Hoe vroeg je een man ten dans? Bij de pink pakken en de vloer optrekken? En wie leidde wie? Hoe zou het voelen? De snorren vroegen de snorren en de krullen de krullen, ze deinden op de muziek; het ontroerde me zoveel jongens met elkaar te zien dansen. Voor het eerst van mijn leven. Niet één die zijn partner met zwier tussen de benen nam en optilde. Ze schuurden tegen elkaar waar iedereen bij was. Werd dit gedrag door hetero's opgelegd?

Als ik mee zou dansen, was ik dan mezelf of speelde ik de zoveelste rol? Paste ik me niet altijd aan, deed ik niet precies wat het decor van mij verlangde? Ik had alles afgekeken, nageaapt, uit mijn hoofd geleerd... manieren, mooie zinnen, rake beelden, accenten. Ik kon iedereen spelen. Maar welke homo moest ik zijn: de ordinaire, de corpsbal, de radikalinski? Waarom golden ook hier verschillen? Ik had gehoopt dat homoseksuelen onderling een eenheid vormden – ze kenden immers het gevoel buitengesloten te zijn. Eén levenshouding, als dienaar van de schoonheid opgaan in iets groots. Een soort seksueel communisme: alle standen in één bed.

Ik keek goed om me heen – buik in – klaar om te kiezen, tot de hand die in het debat een vuist maakte mij in een hoek dreef en ik na een ongedanste dans een mond zoende die niks meer zei.

Te voet naar het station, met een stapel stencils in mijn binnenzak. De herfstnacht en de geur van shag en bier laten verwaaien. Ergens iets eten om de smaak van snor te vergeten.

Nee, beheers je.

De automatiek lokt. Een kroketje?

Denk aan je puntendieet. Je wou toch afvallen?

Op het Damrak glipten mannen de zijstraten in. Normale mannen. Kraag op en achter ze aan. Nee, draai je om, je zal de laatste trein missen...

Maar het was al te laat: hij loopt drie keer door dezelfde donkere steeg, versnelt zijn pas bij de lantaarnpalen van de gracht. Het begint te motregenen en zijn leren jas glimt meer dan ooit. Hij gluurt, keurt de vrouwen achter de ramen en na een ronde hanen valt zijn oog op een mooie volkse moeder. Wie zal hij dit keer voor haar zijn? De Noorse zeeman, een vertegenwoordiger in speelautomaten, de bajesklant die zich na maanden droogstaan mag uitleven? Als ze maar niet begint te zeuren dat een jongen als hij toch makkelijk aan iedere vinger...

Haar ring tikte tegen het raam, ze wenkte. Hij stapte haar snoeihete kamertje binnen, schraapte zijn keel en hoorde op van de stem waarmee hij haar begroette. Nonchalant, zonder vrees. Wat kon hij toch vlotjes over het weer praten. Ze gaf hem een handdoek voor zijn natte haren. 'Gure dagen,' zei ze, de vaste klanten bleven weg, einde van de maand en de feestdagen zaten er ook al aan te komen... 'dure dagen.' Omdat hij geen spaarzame burgerman wilde zijn, legde hij ongevraagd het dubbele voor haar neer. 'Ik heb een goeie dag gehad,' zei hij.

'Zo! Dan zal ik je eens lekker verwennen.'

Ze moest hem in haar armen nemen, zoenen mocht voor geen prijs, dat wist hij ook wel, alleen zijn lippen in haar nek. Pas halverwege vond hij de moed te vragen of de radio uit mocht omdat hij zich met de nieuwsdienst aan niet kon concentreren. 'Leg er dan meteen wat bij,' zei ze. Zo goed was zijn dag nou ook weer niet. Na veel moeite lukte het hem toch – 'zeg, we hebben niet alle tijd' – onder het aankleden voelde hij of zijn portemonnee nog in zijn binnenzak zat. Ze zag het en zei: 'Volgende keer beroof je eerst een bank en dan neem je me mee uit.'

'Afgesproken,' zei hij met mijn geaffecteerde stem. Ik durfde haar al niet meer aan te kijken, de lust was weggevloeid, de schaamte won het weer van de geilheid en toch... dit weeë peeshok was míjn plek. Hier kwam het uitschot – kerels die hun vrouw bedrogen, dronkelappen, viezeriken en toch... je hoefde er niet bang te zijn. Hoeren zeiden *ja*, hoe weinig je ook van ze kreeg. Het was een erezaak aardig voor ze te zijn. Misschien moest ik later met een hoer gaan trouwen. Ik zou haar alle grindpaden van het Gooi mee opslepen en de rook zou uit de rieten daken dampen als ze met haar hete kont de cretonnen stoelen schroeide. 'Nee mevrouw, beffe en pijpe koop je niet bij de banketbakker.'

Bij die in het donker hoorde ik thuis.

Maar voor hoelang?

Twee lauwe stationskroketten later zat ik in de voorste wagon van de trein naar Halfstad. Ik had mijn tas met regenjas uit de kluis gehaald en naast me op de bank gezet. Straks zou ik weer een ander worden. Om mijn gezicht niet in de spiegelende coupéruiten te hoeven zien, las ik de stencils over mijn Positiebepaling nog eens door. Het papier rook naar kut, zoals ook de kroketten naar kut hadden gesmaakt; die hoer zat onder mijn nagels. Nog een halfuur sporen en ik kon de hele avond van me afschrobben.

De stencils gaven iedereen de schuld, maar helpen deed het niet. Kon ik iemand anders de schuld geven dan mijzelf? Ik deed niet aan kritiese seks. Ik was een bange modepop, bij mij trokken de hoeren aan de touwtjes. Dat nieuwe leren jasje kon ook niet, leer hoorde niet bij me, er liepen alleen ordinaire types in rond. Door de plee ermee. Een volksschrijver kon het zich misschien permitteren, maar ik moest eerst wat presteren. Pas als ik trots op mezelf kon zijn, zou ik ook meer durven. Voorlopig moest ik dingen dragen die me zeker maakten. Terug naar de witte regenjas en de gaatjesschoenen.

Het leren jasje lag net op de verkleedtas, toen een elleboog me aanstootte. 'Nou da's ook toevallig, toch nog fatsoenlijk volk in de trein,' zei een bekakte stem in spijkerbroek, twinset en collegesjaal. Het was Maud Fannisch ten Cate, een kordaat hockeytype uit de parallelklas van het lyceum. Of ze bij me mocht komen zitten, achterin zaten dronken kerels te klieren.

'Wil je lullen of lezen?' vroeg ze.

'Praten,' zei ik en ik vouwde snel de stencils op.

Ze ging recht tegenover me zitten. 'Ik stoor toch niet?'

'Integendeel.'

'Je kraag zit scheef.'

Ik had mijn overhemd te haastig dichtgeknoopt. Kon ze ruiken waar ik was geweest? Terwijl ik me fatsoeneerde, gleden de stencils van mijn knie. Maud raapte ze van de grond. 'Positiebepaling van de homofiele student!'

'Geef hier.'

'Nee, wacht even, dit is te leuk.' Ze citeerde zinnen die ik nog nauwelijks zelf gelezen had, maar zo keurig als zij over 'geïnverteerde kontneukers' sprak... je zou bijna denken dat het een adellijk gezelschap was. 'Toe maar, je pakt het grondig aan.'

'Doe niet zo flauw.'

'Mooie broek,' zei ze, 'ben je naar een homofielen-feestje geweest?'

'Dat moest voor een toneelstuk.' Ik trok de stencils uit haar hand en voelde een gloed in mijn nek opkomen die met geen mogelijkheid weg te schminken was.

'Het is je gelukt, je zit op de Toneelschool? Dus je bent geslaagd?' vroeg ze enthousiast.

'Ze hebben me aangeraden dramaturgie te gaan doen.'

'Wat speel je nu?'

'O niks, improvisaties...'

'Over homofilie bij studenten?'

'Het *is* voor het studententoneel.'

'Studententoneel?'

In de val. Ja, de Toneelschool had me afgewezen en ik was gaan studeren. En zij?

Na één week MO-Engels was ze gillend van de universiteit weggelopen, stom- en stomvervelende studie, vader woedend, toelage ingehouden, een verschrikkelijke rechtse lul, die vader. Ja, dat kon ik beamen, wie kende hem niet in Halfstad: hij was jaren onze schoolarts geweest en gevreesd om zijn hooghartige houding. Gelukkig nam haar moeder het voor haar op, maar Maud wilde op eigen benen staan en bewijzen dat ze zonder haar ouders' centen kon. 'Sinds een maand werk ik als leerling-journalist bij *De Telegraaf*,' zei ze trots.

'Maar dat is een verschrikkelijk rechtse krant!'

'Nou en of, alleen wel de enige die een vrouwelijke leerling-journalist wilde aannemen. Ik heb alle grote kranten aangeschreven. Ze willen alleen kerels, ze zijn als de dood voor vrouwen.'

Het verbaasde me niets dat Maud voor de journalistiek had gekozen, ze was hoofdredactrice van onze schoolkrant geweest. Zou ze ooit geweten hebben dat ik haar kopijbus met mijn gedichten bestookte? Onder pseudoniem natuurlijk; ook toen ze er een paar had afgedrukt, durfde ik me niet bekend te maken... ze stond als erg kritisch bekend. Het jaar voor het eindexamen had ze nog een rel veroorzaakt door de rector te dwingen het spijkerbroekverbod voor meisjes in te trekken. Ze had zelfs een open brief aan de gemeenteraad geschreven en de rector moest toen bakzeil halen. Maud was een telg uit een oud geslacht, maar ze liet zich nergens op voorstaan. Ze blaakte van zelfvertrouwen. Misschien waren we daarom allemaal een beetje bang voor haar.

'Ik wil van niemand afhankelijk zijn,' zei ze, 'en in geen geval van mijn familie. En jij, woon jij nog thuis?'

'Ik zoek een kamer.'

De trein reed Halfstad binnen.

'Ik woon in de Plantagebuurt,' zei Maud, 'vlak bij Artis. Ik weet misschien iets voor je. Ik heb een heel bovenhuis gevonden, via iemand van de krant, maar ik verdien te weinig om de huur in mijn eentje op te kunnen brengen. Ik denk eraan twee kamers onder te verhuren. Je moet alleen wel de keuken en de badkamer met me delen.'

Ze gaf me haar telefoonnummer op de krant en ik beloofde gauw te komen kijken. Ik pakte mijn tas, maar durfde mijn leren jasje niet in haar aanwezigheid aan te trekken. Wie wou nou met een ordinaire vent in één huis wonen?

We liepen de stationstrappen af. 'Je mag je vriendje meenemen, hoor,' zei ze iets te luid terwijl we een uitgelaten groep feestgangers passeerden.

'Hoe bedoel je,' zei ik.

'Nou, je bent toch homofiel.' Haar stem denderde in de spoortunnel.

'Doe niet zo idioot,' fluisterde ik.

Haar moeder wachtte boven bij de klok, een plooirok- en parelkettingmoeder. Ik werd meteen als potentiële kamerdeler voorgesteld. 'Wil je meerijden?'

'Nee. Het is maar een klein stukje lopen.' Ze zou verdwalen in zo'n flettenbuurt.

'Trek je jas aan,' zei Maud, 'het regent buiten.'

'Nee, ik heb het warm.' Mijn kop was zo paars als mijn kleren. De eerste prullenbak die ik tegenkwam mocht het jasje in ontvangst nemen.

Ik moest weer zuiver worden.

•

Het puntendieet werkte. Ook zonder me er streng aan te houden vloog het puppyvet eraf. Vaders kleren zaten weer ruimer, zelfs zijn rijbroek paste me weer, toch schoot zijn garderobe steeds vaker tekort. Amsterdam vroeg andere vermommingen: sobere voor de universiteit, spannende voor de jongens en artistieke voor mijn theaterbezoek. Het kostte handenvol geld. Ik was al aan mijn derde gouden kettinkje toe, de zoon van Errol Flynn zeurde er telkens om. Wist hij me te verleiden, dan gooide ik het na verzadiging weer weg, om mezelf af te straffen (doorverkopen mocht niet, het waren offerandes aan de zuiverheid).

Kleren hebben een persoonlijkheid – niet ik, zíj maken wie ik ben: een das voor de rijkeluiszoon die een nieuwe bankrekening kwam openen en betaalcheques aanvroeg, en snel weer af als de student naar college moest – de demokratisering droeg een open kraag. Vermommingen horen bij je of niet – dat moest je uitproberen. De modieuze man wilde altijd hebben wat een ander droeg; hij kocht het blind en als hij zich dan later in de spiegel zag, bleek hij helemaal niet op die ander te lijken.

Alleen verkleed kon ik iemand zijn.

Mijn toelage was niet genoeg voor zoveel levens. Ik had bij drie verschillende banken rekeningen lopen. Geld storten, cheques aanvragen, verzilveren en daarmee weer een nieuwe rekening openen, weer cheques aanvragen, enzovoort. Rood stond ik, driemaal rood. Waar haalde ik het geld voor een eigen kamer vandaan? Ik kon de verhuizing niet eens betalen, laat staan de huur. Moeder had me al het nodige voorgeschoten en wou me geen cent meer geven. Gooise tuinen vielen er in de winter niet schoon te maken en studentenbaantjes leverden te weinig op. Ik had al van alles gedaan: passerende auto's geteld op kruispunten, zilveruien in potten gestopt. Ik had zelfs op een visfabriek in IJmuiden gewerkt: kabeljauw in moten snijden, in dozen stoppen en in vrieshuizen duwen... tot ik de chef van mijn afdeling, tijdens schafttijd, achter het gordijn van zijn glazen hokje, met een opengesperde kabeljauwbek op zijn gulp betrapte. En ik kon nog zo begripvol kijken, de volgende dag had de fabriek me niet meer nodig. Wat ik verdiende ging op aan de stomerij. Het was goed om te weten hoe arbeiders leefden, maar het hield me wel van de studie. Waar bleef de hand op mijn schouder? Ik moest mijn talent te gelde maken.

Van de Oudemanhuispoort op weg naar het station liep ik vaak door de Damstraat, langs het Leger des Heils –

mijn pensioenverzekering voor als het allemaal mis met me mocht gaan. Een paar gevels verder, in een sjofel pand, bevond zich een fotostudio. Daar lag in een verveloze etalage, uitgewaaierd op stroken stoffig crêpepapier, de laatste lichting jongensbladen: *Marcel, David, Binky* en alles wat de zedenpolitie verder door de vingers zag. Jongensbladen voor heren. Scharminkels stonden er op het omslag, kouwelijk gekleed in zwembroekjes. Ik treuzelde wel eens voor die etalage, eventjes maar en dan liep ik snel weer door: de jongens op de foto's keken me te treurig, verwijtend bijna – de armoe zat in hun smoeltjes gekrast. Ik treuzelde vooral omdat er een geheimzinnig kaartje in de hoek van het venster geplakt zat: Modellen Gezocht.

De middag nadat drie banken me tegelijk hadden gemaand de tekorten aan te zuiveren liep ik anders langs de fotostudio. Ik had me ook anders gekleed die dag. Een stem had mij 's ochtends voor mijn klerenkast aangesproken. Ik moest me niet terneer laten drukken en er een sportieve dag van maken. Strakke kleren aan die mijn afgeslankte lichaam beter deden uitkomen: zeegroene broek en zeegroene coltrui – le dernier cri uit de herenmodebladen. Zwembroek mee, nieuw gouden kettinkje om, een heel dun – soort van beschaafd. Op naar het college *Hoe maak ik mijn geschriften leesbaar.* Marcel en David en Binky keken me spottend aan op weg naar zoveel geleerdheid. Zij hadden vaak gespijbeld in hun jonge leven, kon je zo zien – vragende mondjes, lege blik. *Uitslover, slijmerd, kom 'ns binnen als je durft...* je hoorde het ze zeggen achter hun raam. Moest je die jongens toch zien zitten. Wijdbeens, verongelijkt, het schrompelde tussen je benen als je die ellende zag. Slechte acteurs.

Ik liep door, keerde terug... hield stil voor de vensters van de boekhandel van het Leger des Heils. Ook daar lagen blaadjes, ook daar stonden mensen met treurige gezichten op het omslag: dronkaards die hun zonden beleden en troostende heilsoldaten in kamgaren uniform. Ook zij waren lelijk en arm. Dat zag je wel meer bij gelovigen, vooral op de zondagochtend als de televisiecamera's langs de kerkbanken zoemden: rijen zuinige monden, veel brillen ook, scheve scheidingen en de bange sporen van een kam in hun haar – de mannen onwennig in hun kistkleren, de vrouwen opgebonden in korset. God hield van lelijke mensen.

Ik staarde in gedachten verzonken naar een fotoreportage van een Leger des Heils' Gebedsdag. Veel hoeren die het onfatsoen uit hun longen zongen, de handen onwennig gevouwen. Je voelde de angst die achter hun blijheid zat... Hé, wie stond daar tussen twee heilsoldaten ingeklemd? Bet van Beeren. Handen op haar rug, hoofd klaaglijk opzij, ogen vol tranen: Bet belijdt haar zonden. Een zwak moment van onze heldin, voor eeuwig vastgelegd. Ik vloekte, namens Bet. Als ze nog leefde, zou ze die foto eigenhandig uit de etalage hebben gehaald... of misschien ook niet, een mens is eenzaam en zoekt steun en is blij ergens ingelijst te mogen staan.

Liever slecht dan hypocriet, dacht ik, en voor ik het

wist stond ik weer oog in oog met Marcel en zijn vrienden. Achter de deur van de fotostudio hing een aantal blaadjes aan wasknijpers. Met de juiste lichtval kon je een glazen toonbank zien staan, voor een grote spiegelwand, met in het midden een zwart gordijn. Ik keek schuin die donkere ruimte in en zag mijn gezicht tussen de jongens spiegelen. Zat mijn haar goed? De deurknop knarste. Was dat mijn eigen open mond, mijn eigen hoofd? Kon je zien wat het dacht, waar het vandaan kwam, heenging, dat het lichaam daaronder te koop was? De hand op de deur werd een andere hand, de hand van een beduimeld model... vreemde ogen keurden hem, hielden zijn lichaam tegen het licht, enge mannen wezen naar hem, bespraken hem als een aanbieding uit een catalogus – wat een sensuele lippen, wrede mond, geile blik! De deur van de studio zwaaide open... Hij zag zichzelf in de spiegel naderbijkomen en liep zijn eigen reportage in.

Waar was de fotograaf? Werkte er wel iemand in dit uitgewoonde hok? Geen zucht te horen achter het zwarte gordijn, dat op handhoogte met kunstleer was verstevigd. Onder het gebroken glas van de toonbank lagen foto's van blote jongens met afgeplakte pikken. De vloerbedekking was versleten en een wand die je vanbuiten niet kon zien, hing vol met gespierde jongens: in kleur, rafelig uit tijdschriften gescheurd, de meeste in piepkleine zwembroek, haren nat achterover, vaak niet meer dan een handdoek om hun schouders, zo uit het bad, happend naar lucht. Naaktheid droeg je als een vis.

Dit was geen studio, maar een verlopen winkel, warm en benauwd. Hij keek gespannen naar het gordijn. De warmte herinnerde hem aan de Hunkemöller-Lexiswinkels die hij als kind aan de hand van zijn moeder en zusters bezocht had. Even zag hij de verkoopsters weer voor zich... ze hielden bh's tegen hun eigen bustes, gluurden ongeduldig tussen de gordijnen van de verkleedhokjes en duwden hun vuist in lege cups om de vorm soepel te kneden. – *U vult hem niet helemaal uit.* – Diezelfde geur van bloot, diezelfde onderklerenwarmte. De broekjes van de jongens op de foto's waren ook niet groter dan een vuist.

Het gordijn bewoog en er kwam een slanke lange man achter vandaan, zwarte trui, zwarte broek, naar voren gekamd zwart haar, rafelig langs de slapen, zoals je wel bij Franse zangeressen zag. Zijn ogen lichtten groen op. 'Jaaaa,' kraakte het boven de toonbank, in zijn rechterhand zwaaide een monocle die aan een leren veter om zijn nek hing.

'Zoekt u nog steeds modellen?'

De fotograaf keek hem nuffig aan. 'Je weet dat het naakt is?' Hij knikte naar de foto's tegen de muur.

'Ja.'

De monocle ging voor het kattenoog en gleed langs zijn kruis. 'Werk je bij Staatsbosbeheer?'

'Nee, ik studeer nog.'

'Die kleren kunnen echt niet hoor.'

Hij keek geschrokken in de spiegel. Groen was de mode volgens *L'Uomo.*

'Ik doe alleen naakt, niet halfnaakt.'

'Dat is goed.'

'Nou, laat maar eens zien wat je in huis hebt.' De fotograaf schoof het gordijn opzij en maakte een uitnodigend gebaar. De stof viel als een stola over zijn schouder. De doorgang was nauw en hij deed geen stap opzij. Hij droeg een brede zwarte riem en daaronder kwam alles adem tekort.

Hij aarzelde.

'Jeugd gaat voor,' zei de fotograaf.

De riem schuurde in het voorbijgaan tegen zijn heupen. De ruimte achter het gordijn was nog armoediger dan de winkel. Een verveloze pianokruk, witte muren broos van de punaisegaten en een rol grauw decorpapier. Het fototoestel op het driepotige statief zag er gewoontjes uit.

'Kleed je maar uit,' zei de fotograaf.

Hij draaide van hem weg.

'Als je er niet tegen kan dat ik kijk, kan je er maar beter niet aan beginnen.'

Hij hield zijn onderbroek aan... De gouden ketting drong zich op. Met of zonder? Toch maar af. Die schaamte kon hij niet delen.

De fotograaf draaide de kruk omhoog, trok aan de poten van het statief en knikte naar de onderbroek. 'Uit.'

'Ik heb een zwembroek bij me.'

'Zie jij een zwembad?'

De onderbroek ging uit. Zijn pik klopte tussen zijn benen... hij probeerde hem klein te kijken. Hij was een model, een model, een model.

'Zo kan ik je niet fotograferen,' zei de fotograaf. 'Stijf mag ik je niet verkopen.'

'Het zakt wel,' zei hij schor.

'We hebben geen eeuwen de tijd. Volgende keer eerst maar even naar de sauna voor je hier komt.' De fotograaf liep naar voren en kwam terug met een krant. 'Hier, lees maar effies, dat brengt je op andere gedachten.'

Hij ging op de kruk zitten en sloeg *Het Parool* open. 'Opnieuw studentenonlusten in Berlijn.'

'Hou je hem d'r wel voor?'

De pik tikte tegen de binnenpagina's.

De fotograaf keek door zijn camera. 'Zeg, kan je die krant stilhouden?'

Tik tik, ging het papier. Hij vouwde de krant tot één pagina en hield hem voor zijn hoofd. Buik in. Archaïscher Torso Apollos. De fotograaf drukte af. 'Hoofd hoger, boven de krant uit. Ja, leuk zo, nou de krant hoger... ietsjes hoger. Tik tik, zei de pik. De fotograaf draaide een nieuw filmpje in. Hij las de kleine advertenties. Geen enkele kamer in de aanbieding. Wel een rij die zocht. Een vetgezette regel sprong eruit: 'Werner zoekt een kamer.' Gevolgd door een nummer met een hem onbekend kengetal. 'Lach nog effies boven de krant... Ja, hoger, nog een stukkie hoger.'

Klaar.

Afgewend aangekleed.

De fotograaf wilde het resultaat eerst zorgvuldig bestuderen. 'Kom volgende week maar 'ns langs.'

Moest hij zijn naam achterlaten?

'Nee hoor, we verzinnen wel iets voor je. Wat dacht je van Sacha?'

Sacha... buiten proefde hij de naam. Twee straten verder gooide ik hem weg.

III

Dat verlangen nu, dat jagen naar het hele,
wordt liefde genoemd.

PLATO, *Symposium*

Zij puzzelde. Deksel op schoot, sigaret in haar mond-
hoek en zoeken naar het juiste stukje lucht dat boven de
toren paste. 'Venetië,' zei ik.

'Het is een kerk,' zei ze.

'Het Dogenpaleis.'

'Ik moet zo'n blauw stukkie hebben.' Ze hoestte en
zonder me aan te kijken hield ze een poppetje met wijde
armen en dikke beentjes op.

'Wat een werk,' zei ik.

'Ben er al drie dagen mee bezig.' Ze krabde haar geta-
toeëerde armen, het deksel schudde op haar knie. Haar
lichaam was een versierde zak vlees. Ik stond zwijgend
in de deur en zij zat wijdbeens op de bank tegen de salontafel aangedrukt, uitkijkend op het Dogenpaleis in
aanbouw. Ze tipte haar as af in een bord met etensresten dat naast haar op de bank stond. De kamer stonk
naar ui en sudderlap. De vrouw was niet van plan me
aan te kijken – eerst dat blauwe stukkie lucht. Mijn ogen
werden brutaler en ik volgde de tatoeages op haar armen
en benen. Het waren rozentakken, ze kropen onder haar

tentjurk en staken naast een jusvlek tussen haar borsten de kop weer op. Ze droeg een tuin. En ze hield ook van dieren: het rieten ezeltje op de televisie keek met een scheve kop naar de wand met puppyfoto's, en de kast vol teddyberen in de open keuken stond naast een vuile vaat. De vrouw knorde, liet een kreunende wind – het was een hond onder tafel.

'Het kamerverhuurbureau zei dat de zolder een eigen opgang heeft,' probeerde ik zakelijk.

'Ben je al wezen kijken?'

'De man buiten zei dat u de sleutel had.'

'De hufter, de hele dag onder z'n auto leggen en mijn het vuile werk laten doen.' Ze zette het deksel naast het bord eten op de bank en zocht in haar zakken. Zakdoek, uitgeknipte koffiebonnen, een flesopener, geen sleutel. In haar kous misschien? Ze stroopte haar rechterkous af die onder haar knie door een stuk elastiek werd vastgehouden, pelde een paar bankbiljetten los. 'Nee, ik heb hem niet,' zei ze, haar kous terugrollend. Het been was blauw, gezwollen en er kwam een vreemde geur van af. Ze boog voorover en haalde een fles jenever onder de tafel vandaan: 'Ik ontsmet enkelt me bloed ermee, hè, dat is toch goed?' De hond gromde toen ze zich met bevende hand een glas inschonk, de jenever lekte op zijn kop. Hij wreef met zijn poot over zijn snoet en likte hem af. 'Hij heet Cruyff, gaat achter elke bal aan,' zei ze. 'En hij pakt ze hè, hij pakt ze.' Cruyff trommelde met zijn staart.

'Misschien is het boven open?'

'Je ben hier volstrek vrij,' zei ze, 'een mens moet zich vrij kennen voelen.' Ze probeerde overeind te komen en duwde de tafel voorzichtig naar voren. 'Moet je nou eens kijken hier op mijn heup hè, daar heb ik een soort bobbel, het lijkt wel een los stukkie bot.' Ze tilde haar rok op en toonde me haar rechterbovenbeen. Striae, gebarsten vet onder een doodse huid. Ze kneep in haar dij. Hebbes. 'Gek hè?'

'Doet het pijn?'

'Enkelt als ik wandel.' Ze tikte ertegen. De bobbel trilde. 'Ik zal toch niks hebben?'

'Geen idee.'

'Wat ben jij voor een dokter?'

'Ik ben geen dokter.'

'Je bent toch student?'

'Ik studeer Nederlands.'

'Nederlands? Kan je dat dan nog niet? Als je maar geen lawaai boven ons hoofd gaat zitten maken want daar houwen we helemaal niet van.' Ze schommelde naar voor, naar achter, tot ze vaart genoeg kreeg om zich uit de bank op te werken. Drie, vier... en daar stond ze, nee, ze viel terug, nog een keer... ze schoot weer overeind, botste tegen de salontafel en stootte op haar roze pantoffels door naar de keukenwand. Venetië beefde.

Haar man kwam de trap op, een kat achter hem aan. Ik deed een paar stappen de kamer in. 'En wat vindt u van de kamer?' vroeg hij. De kat sprong op de bank en begon het bord schoon te likken.

'Hij heb hem nog niet gezien,' zei de vrouw, die met

haar rug naar ons toe iets in een keukenla stond te zoeken.

'Eerst een hartversterking,' zei de man. Hij haalde twee glaasjes uit het kabinet en zette ze op de puzzel. 'Die kamer loopt niet weg.' Hij schonk in en schoof een jenever naar me toe. 'Daar ken je beter van piese dan van een stuk brood.'

Vooruit, een klein slokje.

Mevrouw liep terug naar de bank. 'Ik ben een stukkie kwijt, heb jij d'ran gezeten?'

'Vraag je dat aan mij?'

'Ja, aan wie anders.' Ze liet zich in de kussens zakken. De kat blies.

'Ik zou de kamer graag even willen zien.'

'Het is drie maanden huur in 't vooruit.'

'Misschien zit de sleutel in de deur?' opperde ik voorzichtig.

'Nee, hij moet hem hebben.'

'Ik moet alles hebben: stukkie puzzel, de sleutel...' zei haar man.

'Weet je wat jij bent?'

'Ik kom een andere keer wel terug,' zei ik.

'Te beroerd om te werken, dat ben je,' zei de vrouw.

'Het is anders een prima woning.' De man boog voorover om zich nog eens in te schenken. Zij hield de fles tegen haar borst. 'Geef hier.'

'Nee, laat los,' riep ze, 'kijk uit, je knoeit. Wat ben je nou voor een zeikerd.'

'Vuile tyfushoer.'

Ik knoopte mijn jas dicht en wilde opstappen, maar hun geschreeuw trok me bij mijn oren en dwong me om te blijven kijken. Ook haar man zat onder de tatoeages en hij keek even beschaamd naar me om, verwond... maar zijn dorst was sterker. De fles schoot los, dop eraf, een scheut over de bank. De poes sprong op de puzzel. De man liep met de fles naar de keuken. De vrouw greep de kat bij zijn nekvel en gooide hem kwaad naar haar man. Pootjes wijd door de kamer.

'Ken je wel, dierenbeul.'

Het Dogenpaleis gleed van tafel. Ze probeerde een taai stuk puzzel op te vangen. Het brokkelde. Ze jammerde.

Hij deed de televisie aan. Sneeuw. 'Kom morgen maar terug,' zei hij.

Het viel niet mee om een kamer te vinden.

De volgende morgen tekende ik het contract van het kamerverhuurbureau. Tweeënhalf bij zes meter, met een aparte, eigen keuken. Waar vond je dat? Vierhoog achter in de Eerste Jan Steenstraat, een paar passen van de Albert Cuypmarkt, de buik van de stad. Ik zou voor het eerst van mijn leven zelfstandig gaan wonen, bevrijd van moederlijke regels. Alleen voor de wc moest ik bij mijn hospita beneden zijn, als ze met haar zatte kop de deur tenminste niet op het nachtslot had gedaan. Maar mijn gootsteen liep goed door en bij hoge nood kon een vork uitkomst bieden.

Mijn straat kwam uit op een park, het enige groen in

de rijen boomloze straten. De buurt was bezaaid met autowrakken en als daar in het weekend geen mannen onder lagen, vertimmerden ze op hun vrije dagen wel hun kolenzolders tot studentenkamers. De man van mijn hospita had op een of andere manier de hele zolder ingepikt.

's Avonds, als het uitzicht op grauwe daklijsten vervaagde, zag ik aan de overkant, in een andere straat vierhoog achter, een meisje in het licht van een schemerlamp aan tafel werken. Wat een ijverig meisje was dat. Ze schreef, ze bladerde in dikke boeken en ging op tijd naar bed; dat meisje zou er wel komen. Sprong er maar iets van haar ijver over de daken. Werkte ze ook maar voor mij, zoals je ook voor een ander kunt bidden. Die eerste weken op mijn kamer voerde ik niet veel uit. Sinds ik ontsnapt was aan de liefde van thuis, lag ik voornamelijk op bed.

Mijn kamer was wit, het plafond en de muren stonden strak van de plamuur, dagen had ik staan kwasten om het vuil van mijn onderburen uit mijn ogen te duwen. Het affiche van Van het Reve hing trots aan de wand, en aan het eind van de kamer, aan de donkere kant, hing een grote spiegel, om nog een beetje licht in mijn pijpenla op te vangen. De foto van Baudelaire kreeg daar een plek. Ik was hem weer gaan lezen – mijn held van onmatigheid en lust – en hij boorde steeds dieper, maar als ik voor de spiegel stond, herinnerde zijn portret me juist aan het temmen van verlangens: Werner en de slanke lijn.

Alleen de gehorigheid van mijn kamer viel niet weg te smeren. Er kraakten vier families op de trap, een verveloze koker waar geen licht brandde omdat niemand voor de stroom op wou draaien; de hospita kijfde door de vloer heen en naast me woonde een Surinaamse familie met wie ik de zolder deelde – vrouw, man en kind, ook op tweeënhalf bij zes.

'Die buurman is een kwaadaardige man, hoor.'

'Wat heeft die jongen jou gedaan, dan?'

'Nee, die van hier beneden. Die saka saka zegt dat wij in die wasbak poepen. Die morserij ziet hij zo uit de doucheput komen.'

'Baja, laten we de huurcommissie erbij halen, hoor. Want je weet het nooit met deze Bakra's.'

'Die man van de sociale dienst heeft gezegd dat we gewoon recht op een eigen wc hebben.'

Mijn buren deden het op een chemisch toilet. Ik moest ze wel aardig vinden, ze woonden een halve centimeter naast me.

Als de hospita en haar man hun roes uitsliepen en de Surinamers met hun kind de deur uit waren, lag ik op bed naar de wolken boven de gammele goten te staren en liet ik me door het gesuis van mijn butagaskachel verdoven. Het kreng lekte, om de week moest ik de fles vervangen, maar de kans op vergiftiging was gering, daarvoor tochtte het te veel. Ik kon niet achter mijn werktafel zitten zonder een deken om mijn benen te slaan, een reden te meer om nog langer in bed te blijven en met opgetrokken knieën Baudelaire te lezen, want

voor het eerst zolang en zoveel alleen, bracht alleen híj
een *explosion de chaleur, dans ma noire Sibérie.*

Ik las, dacht na, en vaak zelfs dat niet, dan vrat ik een
zak chips leeg. Wat had het voor zin je te beheersen,
mijn vet was een hemd tegen de kou en een mooi
lichaam bracht je maar in moeilijkheden. Zo slank als
Werner werd ik toch nooit. Nog een zak chips... tot het
buiten donker werd en ik naar de eerste voorstelling van
de zoveelste film vluchtte.

Na afloop telde ik mijn geld. Vooruit, één glas wijn
met gratis nootjes bij De Griek, een betegelde woonka-
mer op de hoek bij het park, waar gastarbeiders en een
enkele Amsterdammer elkaar troffen. Ik kwam er graag
en vaak, vooral als mijn hospita haar deur weer eens had
gebarricadeerd en ik er van de wc gebruik kon maken.
De Grieken hadden me tot vriend verklaard omdat ik
hun in een steelpan opgewarmde koffiedrab zonder vies
gezicht opdronk en de kunst verstond bezinksel en
vocht in één teug te scheiden – vader zette zijn Indische
koffie net zo. Ik kon er uren op één kopje zitten en achtergelaten oude kranten lezen; het was er warm, al hielden de meeste Grieken binnen hun muts op. Nergens
bleef de keuken zo laat open en zodra de vroege eters
vertrokken waren – meestal een paar Hollanders die
boven de moussaka vakantiefoto's uitwisselden – zetten
de habitués hun zelf meegebrachte plaatjes op, maar
wat ze ook draaiden, een populaire Zorba-deun of een
langdradig lied, het klonk treurig, omdat de ogen onder
die mutsen zo treurig keken. Veel bezoekers zaten er op

werk te wachten, ze hadden zich ooit in hun armoe laten ronselen, een tijd in Duitse of Belgische mijnen gewerkt en daarna hun geluk hier gezocht, hoestend, drinkend, zingend en spelend met hun kralenketting, de zorgenkrans waarmee de dagen door hun vingers gleden... hoe lang al, hoeveel nog... nog een zomer en ze gingen naar huis. De oliekachel werd nog maar eens hoger gedraaid en de affiches met witte stranden en ruïnes rilden onder het plakband.

Sommigen zochten al vroeg troost in wijn of oúzo. Ik had de eerste weken veel vreemde smaken uitgeprobeerd en het sprak vanzelf dat ik hun retsina lekker vond. Ik speelde de Griek als ik daar zat, al kon ik nauwelijks met ze praten. Ze hoefden me ook niks te zeggen, nee, liever niet, de smaak van harswijn was genoeg om hun levens te verzinnen.

Behalve mannen met mutsen, die net als ik lang over één drankje deden, bezochten ook mannen met hoeden het lokaal. Grieken die hun camel jassen losjes over de schouder droegen. Zij deelden het werk uit, zij namen de nieuwste langspeelplaten mee, die de obers gedienstig voor ze opzetten, zij boden de mutsen drankjes aan. Hun dikke ringen glommen in het lamplicht, ze hadden de terugtocht in hun hand en méér: een huis op het eiland waar de familiekapel stond en een vrouw hier en daar. Sommigen waren spion, althans dat fluisterde een enkele muts. Je hoefde geen Grieks te spreken om te merken dat hun gemeenschap was verdeeld in voor- en tegenstanders van het kolonelsregime dat ginds de dienst uitmaakte. Maar achter de tafeltjes keek iedereen naar de rijke bazen op.

Ook ik liet me door die dure jassen paaien: drankje voor meneer de student en nog een... tot ze me vroegen een of ander stompzinnig formulier te helpen invullen en ik dat niet meer kon weigeren. De heren wisten waar het geld te halen viel. Mijn sympathie lag bij de mutsen, die de mazen van de wet slechter kenden, niet omdat ik een romantisch beeld had van de armen – alsof op een houtje bijten een beter mens van je maakte – en ook niet uit schuldgevoel, maar omdat ik bang was zelf zo te worden. Hun armoe vloekte en stonk. Ik rook het aan de jonge Griek die dag in dag uit om werk kwam bedelen maar het niet kreeg. Ik wist niet precies waarom... dronk hij te veel, was hij een verrader? Hoe dan ook, hij werd door de andere mannen verstoten en keer op keer naar buiten gestuurd omdat hij zich niet aan de huisregels hield. Maar hij drong telkens weer naar binnen en keek ons met smekende ogen aan. Eén keer liet ik hem aan mijn tafel toe – hij heette Zisis, was lastig, zijn broek glom, zijn nagels scheurden van het vuil, maar ik snoof het op, om te weten hoe een outcast rook. Zijn armen zaten onder de korsten, hij bleek te spuiten en hij was alleen maar uit op mijn geld. Ik gaf hem een tientje en stelde voor met hem de stad in te gaan, om te zien hoe dat ging... de riem om de arm, de naald, de lepel: ik wilde in Zisis' kop kruipen, weten hoe het was om slechts één ding te willen: het volgende shot, de hemel onder je hersenpan. In een ander opgaan, ook al was het maar voor even – ik wilde niets liever. Op het toneel was het niet gelukt, misschien lukte het in het echte leven. Maar Zisis kocht een fles vieze cognac voor zijn tientje. We proostten zwijgend. Naast zijn armoe werd ik een rijkaard... het lukte me maar niet één te zijn.

Hoe vaker ik kwam, des te vertrouwelijker de Grieken met me werden. Ze lieten me foto's van hun vrouw en kinderen zien – het gezin gevat in een boog van ingekleurde rozen – en ze hoorden me uit of ik nou wel of niet een vriendinnetje had. Ja, er ging niets boven een lekkere vrouw... *duim tussen twee vingers*... en ik?... *knipoog knipoog*. Wat wilden ze van me? Als ze te veel gedronken hadden werden ze aanhalig. Zoals op die avond toen ik nog laat licht bij de Griek zag branden en ik ze achter de bewasemde ramen hoorde zingen. Ik keek even om de deur: de tafels waren opzijgeschoven, er was geen Hollander meer te bekennen, truien en jasjes hingen over de stoelen... de mannen dansten met elkaar – de bazen met de knechten. Ze hielden elkaar met één gestrekte arm vast en knipten met de vingers van hun andere hand op de maat van de muziek. Ze knipten alle vrouwen uit hun leven. Ik voelde mij te veel en wilde de deur weer dichtdoen, maar Costas, de ober, had me gezien en trok me naar binnen. Hij zette een fles retsina voor mij neer, een hele fles voor mij alleen. Om me los te maken voor de dans. De geest van Plato danste tussen ons. Plato, die Aristofanes in *Symposium* laat vertellen dat er vroeger drie geslachten waren – een mannelijk, een vrouwelijk en een androgyn, dat uit allebei bestond.

Het mannelijk geslacht stamde af van de zon, het vrouwelijk geslacht van de aarde en het geslacht dat met beiden te maken had ontsproot aan de maan. De mensen waren toen rond, zoals afstammelingen van zon, aarde en maan betaamt, maar nadat ze zich door hun hoogmoed de toorn van de goden op de hals hadden gehaald, werden ze allen doormidden gekliefd en sindsdien zocht ieder naar zijn passende wederhelft, om zijn menselijk tekort te helen. De van oorsprong androgynen zochten naar hun mannelijk of vrouwelijk deel; dat zijn de heteroseksuelen van vandaag. De vrouwen die uit het oude vrouwelijke geslacht waren gesneden, maalden niet om mannen, zij voelden zich alleen tot vrouwen aangetrokken; zij zijn de lesbiennes. En de mannen uit het oude mannelijke geslacht zaten andere mannen achterna. Ze vonden het volgens Aristofanes heerlijk om met een man te dansen en door een man omhelsd te worden. Van nature voelden deze mannen en vrouwen niets voor trouwen en kinderen krijgen, al deden de meeste het uiteindelijk wel, omdat ze er door de moraal toe gedwongen werden.

De moderne Grieken dachten er nog steeds zo over: homoseksuelen werden in hun ogen niet door schaamteloosheid gedreven, maar door moed en de wil om hun passende helft te vinden. En áls je die gevonden had, dan zou niemand zeggen dat het om de seks was dat je zo gretig naar elkaar verlangde, nee, het waren oerzielen die elkaars gezelschap zochten.

Het was een troostend verhaal van Plato, dat ik tijdens

mijn leestocht over homoseksualiteit was tegengekomen. Het dansen met deze mannen troostte mij echter niet. Ze wilden me de passen leren, maar hoe ik ook mijn best deed, ik verstijfde in de ijzeren greep van hun gestrekte armen. Deden ze dit thuis ook met hun vrouwen? – *Haal die loden hand uit mijn nek, blijf van mijn riem af, en lach niet zo vals met je gouden hoektand* – Ik moest de hele tijd aan hun familiefoto's denken.

Een van de Grieken tilde een stoel met zijn tanden op, de anderen moedigden hem klappend aan. En ja hoor, ze gingen ook nog met de borden smijten. Dat bracht geluk. Hoe meer scherven, hoe meer kerel. Ze maakten veel stuk. Als de praktijk van de Griekse beginselen hierop neerkwam, dan moest ik er weinig van hebben. Waarom die overdreven mannelijkheid? Waren ze bang voor hun zachte kant? Ze stampten zo verbeten dat ze dezelfde tronies kregen als de kolonels die je dagelijks op de foto's in de Griekse kranten zag staan, dezelfde beulen die protesterende Griekse vrouwen bij de hekken van de concentratiekampen lieten wegsleuren. Hoorde ik niet veel meer bij die vrouwen? Misschien was ik van vóór de godensplitsing, of misschien was het de wijn, maar die avond voelde ik me niet doormidden gesneden als een platte tarbot, beide helften zaten nog steeds in mij, ik was rond. Man én vrouw gingen in mij samen, net als bij het oude Maangeslacht. Ik liet me niet in één rol duwen: ik kon allebei zijn.

Een tweede fles werd naar mijn tafel gebracht, een behaaglijke dronkenschap vloeide door mijn lichaam.

Het halve servies ging aan diggelen en ik haatte alle manlijke mannen. Ik wilde zacht zijn, dansend zacht met vrouwen zijn, en ik wandelde naar de binnenstad en onderweg zag ik overal mooie vrouwen: winkelmeisjes in de tram. Opgedirkte vrouwen op het Rembrandtplein, die bil aan bil met mannen aan de bar zaten. En studentes in sta-cafés, kletsend met jongens in open winterjassen. Ik liep er binnen, maar ze waren me vreemder dan de in het zwart geklede Grieksen op de foto's. Zoals ze daar uitgelaten in groepjes stonden te praten... zo makkelijk, waar kenden ze elkaar allemaal van? En dan die artistieke vrouwen met roodgeverfde lippen en donkere punten in de hoeken van hun mond... van de aangekoekte rode wijn; ze hingen aan mannen die niet eens naar hen keken. Al die vrouwen zochten hun manlijke helft. Maar wat zocht ik bij hen? Ik was de maan, ik was in harmonie. O god, die ene vrouw lachte al een hele tijd naar mij en ik had teruggeknikt, nu moest ik haar trakteren, maar mijn geld was op.

Gauw naar buiten en verder dwalen door een nog te ontdekken stad. Een achterafstraat in, waar donkere hoeren tegen de gevels leunden, de ogen op mij gericht als getemde tijgers. En ik haatte alle mannen die daar langzaam in hun auto's voorbijreden. Langs het Singel, waar jongens om de piesbak wiegden... welke helft boden zij? Door de Leidsestraat, waar de winkelruiten spiegels waren, voor vrouwen én mannen. Op het Leidseplein ging de bel voor een laatste ronde. Nozems stonden in de rij voor de dancings; bij het Lido morrelden corpsballen aan de sloten van hun fietsen, luid in gesprek over een verdomd gezellige avond. Aan de overkant liepen de zonnebrildragers met gekromde ruggen naar hun jazz-club. Max Heymans zag ik niet, niemand die bevallig met een stola of bontmuts langsliep, hoewel het er wel weer voor was. Bij de schouwburg laadden ze de decors weer in – bij welk gezelschap hoorde ik thuis?

Bij Werner. Want als ik dronken en alleen was, moest ik vaak aan hem denken. Maar dacht hij wel aan mij, waar-om liet hij niets horen? En als hij zoveel voor me bete-kende, waarom belde ík hem dan niet? Hij adverteerde nog steeds in *Het Parool*. Waar haalde hij het geld van-daan? Week in week uit dezelfde regel: *Werner zoekt een kamer*. En telkens sloeg ik die pagina snel om. Er was al zoveel tijd verstreken, hij was vast boos. Het moest zo langzamerhand toch opgemerkt zijn, draaide dan nie-mand dat vreemde telefoonnummer? *Werner zoekt een kamer*. Ik las het hardop, en nog eens en nog eens en zijn noodkreet werd een gedicht.

Ik moest een smoes verzinnen.

Misschien kon ik zeggen dat ik een kamer voor hem wist. Maud zocht nog steeds iemand. Zelf had ik haar aanbod kort na onze ontmoeting in de trein afgeslagen, zonder de kamer zelfs maar te zien: ik kon geen deftig-heid meer velen en bleef liever zover mogelijk uit zicht van het Gooi. Werner kon daar beter tegen.

Ik belde hem meteen op. Als ik nog langer wachtte was ik te vet om hem onder ogen te komen. Hij zou me knijpen en voorgoed afkeuren...

'Koning Willem III-kazerne,' baste een mannenstem aan de andere kant van de lijn. 'Trip? We geven geen telefonische inlichtingen over dienstplichtigen.'

'Zit hij dan in dienst?'

'Geen informatie aan derden.'

'Maar ik ben geen derde, ik ben zijn vriend.'

'Dan moet u het schriftelijk aanvragen.' De man gooide de hoorn erop.

Ik nam me voor Werner nog dezelfde dag een lange brief te schrijven, maar eerst moest ik Maud bellen. De verdieping was nog steeds vrij, maar haar hoofd stond er niet naar om zelf een huurder te zoeken. Te druk, dag en nacht op pad. Ze kende Werner wel, al waren ze geen klasgenoten geweest. 'Dat is toch die mooie jongen van het toneel? Is dat je vriendje?' Ze was ook zo verdomde nieuwsgierig. Ze giechelde om mijn heftige ontkenning. Maud deed erg makkelijk over moeilijke dingen – typisch *Telegraaf*. Toch veroordeelde ze me niet. We spraken af samen naar het toneel te gaan. Wanneer? Daar moest ik nog een keer over bellen, ze had vaak avonddienst. De eerste twee weken kon ze in ieder geval niet. Ik altijd. 'Luie student,' zei ze. Ja, ik had tijd voor mijn vrienden. Alle tijd van de wereld. Nog geen drie maanden student en ik hoefde me zelfs niet meer op college te vertonen.

•

Neerlandici eisen beter onderwijs. Dreigende staking bij Neerlandistiek. De banieren aan de gevel van ons instituut haalden alle kranten. Mijn studierichting was landelijk bekend. Een jaar daarvoor hadden studenten het Maagdenhuis bezet en nu dreigden wij ons eigen instituut te bezetten. Wij waren het linkst van allemaal. We hadden eigenhandig de hoorcolleges afgeschaft, de professoren zaten duimendraaiend thuis. Een aula vol pennende studenten paste niet meer in deze tijd van inspraak en discussie. We schreven niet meer klakkeloos op wat autoriteiten dicteerden. De stof moest kritischer, relevanter, de confrontatie tussen marxisme en burgerlijke wetenschap mocht niet langer uit de weg worden gegaan.

Hoe anders was de universiteit dan school; er liepen communisten onder de studenten rond, en dat waren geen arbeiderskinderen maar lui die zich voor de rijkdom van hun ouders schaamden. Je kon met stencilen punten voor een tentamen verdienen en de docenten stonden achter ons – of ze wilden of niet. We staakten voor verandering en we kregen onze zin, we vroegen te veel en de docenten konden het niet meer aan en daarom besloten we plenair een deel van onszelf één trimester lang naar huis te sturen. 'Uitschalen' noemden we dat. Ik zat in de eerste lichting. Het was raadzaam die tijd te benutten om boeken te lezen voor de grote literatuurlijst. De meesten gingen ook naar huis, een enkeling op reis; ik bleef in de stad. Thuis, daar deed ik niet meer aan.

En toen kwam de leegte, het lange liggen zonder moeten, chips eten, slapen zonder wekker en de verlokking van nog meer Griekse wijn. Ik nam me van alles voor en deed geen donder. Zelfs de brief aan Werner schreef ik niet. Wel in mijn hoofd, een meesterlijke brief natuurlijk, o, ik kon zo goed schrijven zonder een pen op te pakken. En er was ook niemand die me tot de orde riep. Ik kende nauwelijks studenten, was nergens lid van, en zeker niet van een vereniging. Ik beschouwde mezelf helemaal niet als een student, ik spéélde de student, gebogen boven de boeken, pluizend in fichebakken van de bibliotheek, maar binnenkort viel ik vast door de mand. Bovendien hoorden studenten zich niet van de maatschappij af te zonderen, vond ik zelf. De corpora waren rechts, zei iedereen. Ik moest het met neerlandici doen, eeuwig vergaderende en stencilende neerlandici.

Om de uitgeschaalden niet geheel aan hun lot over te laten richtten enkele revolutionaire ouderejaars leesgroepen op. Hun grenzen gingen verder dan de eigen taal, zij wilden de wereld veranderen en lazen ook buitenlanders: de Frankfurter Schule, de Derde Internationale, de Oost-Berlijnse Brecht en voor de doorbijters de in Californië docerende Duitser Marcuse. Ik meldde me meteen aan. Uit verveling en omdat ik nog niks van de revolutie snapte. Ik wilde leren over grotere dingen dan mezelf te kunnen praten, zoals de studentenleiders deden. Ze waren zo bevlogen, ze geloofden oprecht in een betere wereld – het rechtvaardige, hogere, zuivere... wie streefde dat niet na? Ik schreef me in bij de strengste groep, opgericht door een notarisdochter met rode hennaharen, woordvoerster op alle plenaire vergaderingen: *'Voorzitter, ik wil wel stipuleren, alvorens we de notulen arresteren'* – niemand beheerste het jargon beter. Ze werd bijgestaan door een jongen in een Afghaanse jas. Hij mocht haar tas dragen, en aan de stand van zijn mond kon je aflezen dat plezier een vorm van verraad was. Beiden waren zuiver in de leer en vaal van het nachtelijk studeren – hun ijver zou me in het gareel houden.

We kwamen bijeen op een woonboot aan de Amstel, waar de notarisdochter met een docent bleek samen te wonen; aangemoedigd door de democratisering was hij aan een tweede jeugd begonnen – bevrijd van vrouw en kinderen kon hij zich eindelijk in de theorie van zijn vak verdiepen. Het vrijblijvend lezen was hij beu. Romans waren voor de romantici, niet voor onze kritische tijd. En poëzie? Waarom zou je hinken als je ook kunt lopen? Het woord 'mooi' mocht je niet gebruiken. Je zei 'indringend'. Literatuur? Ga dat eerst maar eens definiëren! Voorlopig noemden we alle leesstof: tekst. Eén avond per week analyseerden we onder zijn leiding de moeilijkste teksten bij een suizende gaslamp. Sommige waren in een duister Duits geschreven, maar we gaven de moed niet snel op: we trokken de zinnen uit elkaar, sneden ons aan de woorden en dachten diep over veel onbegrijpelijks na.

Ik beet potloden stuk boven de door Marcuse beschreven behoefte aan zelfontplooiing, zo wezenlijk voor de meerdimensionale mens. Soms zagen we even het licht: we moesten wakker worden, voor onze idealen opkomen, de gevestigde orde bestrijden en de geketende mens bevrijden. Maar hoe deed je dat? Door de revolutie uit te roepen, in de fabriek te werken of met *De Waar-heid* te colporteren?

Mijn medestudenten waren bedachtzaam en besloten nóg meer te lezen. Ik deelde hun ernst, want ik was bang voor de opstand die in míj woedde; ook ik snakte naar bevrijding, al wist ik niet waarvan, maar we mochten het pas na elven over onszelf hebben, eerst het lijden van de massa's. Dat was allemaal de schuld van het kapitalisme natuurlijk. Amerika was de grote vijand en niet alleen vanwege de oorlog in Vietnam: Hollywood, de multinationals, de maanlanding – het was allemaal één groot rechts complot waarbij duistere krachten en CIA-agenten de heersende klasse in het zadel hielden. En ook het huwelijk deugde niet, de jongen in de motorjas was van plan in een commune te gaan wonen. Hij zocht de bevestiging in het staalwolproza... hij had gelijk en ongelijk. Ik wipte op mijn stoel en vrat de stopfles dropjes leeg.

De notarisdochter hield ons allemaal streng in de gaten, ze corrigeerde ons taalgebruik, controleerde onze belezenheid en keurde onze interesses. Het woord deugen lag haar voor op de tong... die film deugde niet, dat boek deugde wel. Het grootste compliment dat je kon krijgen was zélf te deugen. Ik deed erg mijn best om bij haar in de smaak te vallen. Maar helaas, bij het graaien in haar stopfles zag ze mijn dunne gouden kettinkje in het licht van de gaslamp schitteren, en ik had het nog wel zo goed onder T-shirt en kraag verstopt. 'Alleen pooiers en industriëlen dragen dat,' zei ze. Ik kreeg een kleur omdat ze het zo deftig zei. En de Grieken, dacht ik – maar die droegen het met trots. Ik ging naar de wc om het af te doen.

De dozen wijn kwamen op tafel en ik dronk me moed in om het over mezelf te hebben. Over de vrijheid, de persoonlijke vrijheid. Was al het persoonlijke niet politiek? Moesten we niet eerst onszelf bevrijden voor we anderen konden bevrijden?

'Hoe stel je je dat voor?' vroeg de docent, die zijn stencils opschudde.

'Gewoon je hart volgen.'

'Hoe stel je je dát voor?' vroeg de notarisdochter.

'Door jezelf een doel te stellen: dat te doen wat je het liefste wilt.'

'En wat wil je dan het liefste?' vroegen de anderen in koor.

Dat wist ik niet... 'Gelukkig worden,' zei ik zacht.

Gelukkig worden? De ene verontwaardiging buitelde over de andere.

Ja, was die ouwe Marx eigenlijk wel gelukkig geweest...? vroeg ik me voorzichtig af. We keken allemaal even naar de poster tegen de schrootjeswand. De betweter keek op ons neer. We schoven ongemakkelijk op de harde keukenstoelen. Kon je lekker lang zoenen met zo'n baard? Arme mevrouw Marx. Was hartstocht niet belangrijker dan theorie? Zolang we niet voor ons eigen geluk vochten, konden we ook niet voor het geluk van andere mensen opkomen.

'Geluk? Jee, wat ben jij burgerlijk-romantisch,' zei de notarisdochter, die al vele hoofdstukken verder was.

'Wil jij dan niet gelukkig zijn?'

'Mijn geluk is te privé om het onrecht in de wereld op te heffen.'

'Wat is je definitie van geluk?' schoot de Afghaanse jas haar te hulp.

'Totale overgave,' zei ik spontaan.

'Je opofferen?'

'Nee, jezelf vergeten.'

'Jij en jezelf vergeten?' zei de notarisdochter, 'jij praat alleen maar over jezelf.' Ze glunderde. De Afghaan lachte – ik wist niet eens dat hij tanden had.

Godzijdank kwamen er pinda's op tafel. Hoe later het werd, hoe ongeduriger ik op mijn stoel zat te wippen, dwars tegen de deining van de Amstel in. Nog een doos Pinard en de baldadige jongen zou zich opdringen, de gangmaker die de boel op stelten zette, eerst vrolijk en brutaal, maar dan steeds grimmiger. 'Laten we de stad ingaan,' zei ik. Wat ik daar op dat uur zocht? wou de docent weten.

'Met je handen in je broekzak langs de kroegen zwieren, één met de winkelmeisjes, gastarbeiders, dronkelappen, hoeren.'

'Hoeren?' De notarisdochter fronste haar wenkbrauwen.

'Ja, gewoon, met z'n allen naar een bordeel en dan binnen op elkaar wachten.'

'Waarop?' vroeg de notarisdochter.

'Tot we klaargekomen zijn.'

'Wij ook?' Ze wees naar de meisjes in onze groep.

'Allemaal.'

'Die vrouwen worden vreselijk uitgebuit.'

'Niet door mij, ik ben homo.'

Een zucht van verlichting deed de gasvlam sidderen. Ze waren gerustgesteld. Mallerd die ik was... en het kettinkje mocht ineens ook. Lef en laf gingen weer hand in hand. Als minderheid kreeg je begrip, maar ik was geen minderheid: ik was iedereen. Hoer en hoerenloper, uitbuiter en uitgebuite, links en rechts. 'Eén met het volk,' zei ik.

'Je bent een onverbeterlijke romanticus.'

Romanticus... ik meende wat ik zei! Als ze dat woord nog één keer gebruikten, haalde ik mijn pik uit mijn broek: de stormram waarmee ik de Bastille zou afbreken. Maar ik deed niks en hield mijn mond, bang dat ik zou worden opgepakt door de revolutionaire brigade.

Nadat we het laatste karton wijn hadden uitgeknepen, schoven we wankel de loopplank af. Mijn leesgenoten fietsten naar hun verre kamers. Ik was een wandelaar, te voet kon je beter kijken, ving je nog een woord op, kon iemand zijn hand op je schouder leggen. Warm in een winterjas van mijn vader trok ik mijn bontkraag op en dook de nacht in. 'Een sigaar in je mond en je ziet eruit als een negentiende-eeuwse kapitalist,' riep de notarisdochter me uit het roefje na. Zij kon het weten. Die jas moest van voor de oorlog zijn – *Heavy Duty Savile Row* stond erin, maar het label was van een winkel uit Sydney; uitgedeeld aan oud-krijgsgevangenen uit Indië op weg naar het koude Noorden.

Vader wandelde mee in mijn ooghoek, het was per slot van rekening zijn jas, een onverslijtbare visgraat waar hij geen afscheid van had kunnen nemen. Maar ik tartte hem, zoals ik hem ook tijdens zijn leven had getart. Ik telde het geld in mijn zak... en liep richting Nieuwmarkt, langs Bet van Beeren, even door de vensters loeren, luisteren naar een dommer Duits: *Was wissen Männer, ja, Männer von Liebe.* Een briefje van vijfentwintig opgevouwen en in de punt van je jaszak gestopt. Portemonnee veilig weg en de rode lampen langs. Ik had het tijden gelaten, maar het was sterker dan ik.

Als ik op mijn zeventiende Jaap Schouten niet in vertrouwen had genomen door hem te vertellen dat ik geen meisjes durfde zoenen, zou ik de Wallen niet hebben gevonden.

'Ook nooit aangeraakt?' vroeg hij bezorgd, 'dan moet je gewoon een keer naar de hoeren.'

'Ben je daar dan wel eens geweest?'

'Mijn vader en ik zijn er samen langsgelopen.' Nee, Jaap had ze niet nodig, die kreeg de meisjes in zijn schoot geworpen. Zijn vader had een documentaire over hoeren gemaakt, hij was er zelfs voor naar Japan geweest. 'In Spanje nemen vaders hun zoon mee naar het bordeel,' wist Jaap. Zo werden katholieken ingewijd.

•

De eerste keer ging het niet. Ze was blond en las een boek en ik dacht: Dat is een fatsoenlijke hoer. Ze kwam uit Halfstad, zei ze, nadat ik had gezegd ervandaan te komen. En o, zij vond het er ook zo vreselijk, ze vond eigenlijk alles wat ik vond: het weer zat niet mee, het regende al weken. Nee, geef mij de zomer maar. De herfst? Hou jij daar ook zo van, nou ik ook. Twee zielen één gedachte en dat voor vijftien gulden. Het kwam er niet van met al dat gepraat, het kwam er niet uit. De tijd was op en ik stond weer buiten.

Jeetje, ik kon het niet. Hoe moest dat verder?

Jaap Schouten vroeg: 'Had je je van tevoren afgetrokken?'

'Ja.'

'Hoe vaak?'

'Vier, vijf keer.'

'Verkeerd, je moet voorraad hebben.'

Een week kloosterregime en opnieuw naar de Wallen. Ze zat er weer, nog steeds in haar boek verzonken. Wijzer geworden nam ik er een die naar buiten keek en lonkte, een die er zelf zin in had. Haar buurvrouw, een dikkerdje met paardenstaart. Ze wreef zich al in de handen toen ik binnenkwam. 'Wat een weertje hè? Ik heb de kachel gezellig aan, hierbinnen zal je er niks van merken. Trek je broek maar helemaal uit, want ik kan die kou niet op me hebben...Wat doe je nou?... Nee, je sokken en hemd aanhouden.' Bloot, daar viel niet tegen op te stoken. Zij hield alles aan.

'Ga je vaak naar de vrouwen?' vroeg ze toen ik naast haar lag.

'Ja.'

'Hoe oud ben je?'

'Zeventien.'

'O, maar dan mag ik je helemaal niet binnen vragen.'

Dat hielp, ik steigerde.

'Ben je al voor militaire dienst gekeurd?'

'Nee, ik moet nog, maar we zijn op school wel al voorgelicht. Ze willen me misschien bij de militaire politie hebben.'

'MP? Dat moet je nooit doen. Dan verlink je je eigen soort. Me broer, nou die rotzooit natuurlijk wel eens wat en die hebben ze erbij gelapt toen hij buiten de kazerne op de hei lag te donderjagen.'

En toen kwam het. Ja, ik rilde, bibberde, beefde en vloog eventjes boven mezelf. Ik zag de hielen van mijn sokken. En niet eens gezoend. Maar ik durfde het niemand te vertellen, zelfs Jaap niet, ook niet achter de coniferen. En later zou ik het ook nooit aan een meisje kunnen vertellen. Ze zou me vies vinden, voor altijd te vies.

Wie die zeventienjarige scholier toen was? Geen idee.

·

Ook die uitgeschaalde winter liep er weer een vreemde langs de ramen. Geen geile schooljongen meer, maar Nachtman, een deel van mijzelf dat alleen na middernacht naar boven kwam. Die jongen van toen was bang in het donker, Nachtman zocht de angst juist op, al verkoos hij de maan als gezelschap, want dan had hij aanspraak aan zijn schaduw.

Nachtman hield ervan zonder doel het duister in te

lopen, op verboden terreinen te zwerven waar auto's verdacht langzaam reden en de politie met zwaailicht de kades afzocht. Vooral bij de pieren was het een komen en gaan. Daar kwamen auto's met gedoofde lampen van de weg gereden en zochten elkaars gezelschap op, in het oranje schijnsel van de vrieshuizen. Er werden sigaretten opgestoken, autoramen besloegen... een Porsche gierde in de bocht, onrust trok langs de geparkeerde auto's; geschud, slaan van portieren, een snelle start – vals alarm, ook de zilveren Porsche schoof aan en doofde zijn lichten. Geen politie, de kalmte keerde terug en twee hoofden werden een. Niet lang: een man stapte uit de Porsche, tierend, scheldend, hij trapte tegen het portier, trok iemand achter het stuur vandaan... een vrouw, een man schopte een vrouw, trok aan haar haar, ze wankelde, gilde, begon te schelden, te huilen. Ik had haar in mijn armen willen nemen, op mijn rug naar huis willen dragen, maar Nachtman haalde zijn schouders op voor wat hij in het duister zag gebeuren. De ruziemakers stapten trouwens snel weer in, naast elkaar, en schoten de weg op... hun zilveren Porsche botste bijna op een grote Amerikaan die voor een groen stoplicht stond te wachten. De Amerikaan trok niet op – groen, oranje, rood, groen – hij bleef breed op de weg staan. Meer auto's moesten remmen en toeterend uitwijken om het stilstaande gevaar niet te raken. Nachtman liep op de auto af en keek naar binnen. Er zat een man achter het stuur te slapen. Hij klopte op het raam; geen reactie. Nachtman opende het portier, de bestuurder schrok wakker en keek hem met een flauwe glimlach aan. De alcohol sloeg hem tegemoet, de man was stomdronken, wreef zich in de ogen en haalde het sleuteltje uit het contact. 'Breng me naar huis,' zei hij, 'jij moet chaufferen.'

Hoe startte je zo'n vette slee? Ik had een rijbewijs, maar sinds mijn rijexamen niet meer achter een stuur gezeten. 'Wacht, ik duw u naar de kant.'

'Nee, je moet rijden, ik betaal d'r voor.' De man haalde een portefeuille uit zijn binnenzak en zwaaide ermee. De portefeuille viel uit zijn hand, honderden briefjes gleden op de grond. Ze lagen voor het oprapen, in één klap uit de zorgen... ík overwoog het, Nachtman wilde het. Wat kon het ons schelen, niemand die het zag. Dit was onze kans. Pak dat geld, laat die kerel barsten, smeer hem. Ik duwde de man opzij, kroop achter het stuur en startte de auto.

Nachtman kende geen angsten, hij stuurde, zette de automaat in de juiste positie en reed koel en behendig naar een veilige plek tussen de vrieshuizen. De man dommelde weer in. Nu alleen nog het geld van de mat rapen. Nee, zei ik. Ja, zei Nachtman. Maar ik stapte uit en liep weg... Nachtman wilde terug. En juist op dat moment flitste een zwaailicht. Politie, twee agenten sprongen uit hun auto. 'Goedenavond, meneer. Hoort u bij deze auto?'

'Goedenavond agent, goed dat u er bent... Ik heb deze meneer veilig aan de kant gezet, ik vrees dat hij dronken is.'

'We hielden hem al een tijdje in de gaten. Deze man heeft zojuist een ernstig auto-ongeluk veroorzaakt.'

'Zijn portefeuille ligt op de grond,' zei ik. 'Heeft u mijn naam nodig?'

'Nee, u kunt gaan.'

Mijn knieschijven rilden. Nachtman vloekte.

•

Met die poen hadden we natuurlijk een mooie bijdrage aan de bevrijding van Griekenland kunnen leveren. Het idee eerlijk te stelen stond me wel aan. Verzet kon van dieven helden maken. Ik had de Griekse zaak tot de mijne gemaakt, de bordensmijters waren zo kwaad nog niet als ze nuchter waren. De koppelbazen hoefden hun hielen maar te lichten of de verhalen kwamen los, dan werden er brieven van de achtergebleven vrouwen voorgelezen. Uren drabkoffie en klaagzangen over vertrapte vrijheden hadden me bij de Griekenlandgroep doen aansluiten. Op de protestbijeenkomsten ving je algauw een paar woorden modern Grieks op, ik leerde dat *eleftheria* vrijheid betekent; nog even en ik kon de mannen met de mutsen in hun eigen taal moed inspreken.

Na het zien van een film over het Griekse verzet was de vonk pas echt overgeslagen. Mensen werden daar gemarteld, vermoord, vrouwen van verzetshelden door soldaten verkracht, schrijvers en journalisten monddood gemaakt; het parlement was afgeschaft, rechters en hoogleraren ontslagen, de concentratiekampen puilden uit... Ik mocht er mijn ogen niet voor sluiten: *het gebeurde in mijn tijd en ik wist het.* Dit keer werd er niet gezwegen. Eindelijk kon ik een standpunt innemen waarbij geen twijfel paste. Griekenland was overzichtelijker dan Vietnam, waarvan ik de voorgeschiedenis op school had gemist – zoals zoveel onder de stolp Halfstad aan mij voorbij was gegaan; in Griekenland voltrok zich een strijd waar ik bij kon horen.

De revolutie op mijn eigen instituut had een andere wending genomen. De helft van mijn leesclubleden had zich na een winter tekstanalyse opgegeven als lid van de communistische partij en moest nu bewijzen hoe snel je van een bourgeoisverleden kon losraken. Ik deelde hun verlangen naar gelijkheid, maar het stond me tegen daar zegels voor te moeten plakken. Ik had al een paar keer meegemaakt dat op de vroege avond bij een van hen werd aangebeld en een vrouw met ingebakken permanent naar boven kloste om de wekelijkse partijcontributie op te halen. Kwartjes in ruil voor hamer-en-sikkelzegels. Ze sprak met een rauwe tong. Mijn revolutionaire vrienden plakten zich reepje na reepje de betere wereld in. Die vrouw wierp ook een streng oog op de boekenkast en als ze vertrok, rook de hele kamer naar haar stinkende zegels. Was dat de tol voor het paradijs? Goedkope beenderlijm en een beduimeld partijboekje? Nee, dan liever de Grieken, die stonken ook, maar die gooiden in hun armoe tenminste nog hun servies aan scherven. Niet lijmen, maar breken. Elefthería!

Al op school voelde ik me tot het filhellenisme aangetrokken, want hoe dapper stond Lord Byron niet in onze *Highroads of English Literature* afgebeeld – witte plooirok, witte maillot en bonnet met pompoen. Als je ten strijde trok, dan zo: *'The mountains look on Marathon – And Marathon looks on the sea; And musing there an hour alone, I dream'd that Greece might still be free.'*

'Byron was a man of violent emotions and of a rebellious disposition, who loved to shock people,' luidde het bijschrift; ook dat klonk als poëzie en bleef hangen. In zíjn geest had ik op ons instituut geld voor ondergedoken schrijvers opgehaald – onze strijd, internationale solidariteit. We dansten op de in Griekenland verboden muziek van Theodorakis voor de etalages van Olympic Airways en schreven in groepsverband beschouwingen over de voors en tegens van een vakantie naar Griekenland. *'Ga deze zomer nu eens niet naar Dachau: dat is een museumstuk geworden, het heeft iets mufs, bloed en lijken zijn er netjes opgeveegd. Op het eiland Léros daarentegen ademen de concentratiekampen nog de frisheid van het aktuele. Terwijl u daar aan het strand bakt, trekt de Griekse Gestapo in haar martelkamers de nagels van de communisten uit.'* De dagen kregen toch nog nut.

We bedachten een plan, een meesterlijk plan dat de Griekse zaak onder ieders aandacht zou brengen. Hoogst geheim, maar eerst moesten we de publieke opinie bewerken. De grond vruchtbaar maken en dan toeslaan. We zouden de kranten met informatie bestoken, óók *De Telegraaf.* Diende niet juist het klootjesvolk te worden aangesproken? Ho ho, dat ging zomaar niet. De rechtse pers? Voor je het wist werd je ingekapseld en kreeg je zelf vuile handen. Maar ik kende daar iemand! Persoonlijk? Vast fout geweest in de oorlog. Iemand van mijn leeftijd? Hoe kon het, o... een meisje, een dom meisje zeker. We gooiden het in de groep. Het mocht, maar ik moest wel oppassen.

Ik belde Maud Fannisch ten Cate, de verraderlijke cel met wier hulp ik het bolwerk van rechts Nederland kon ondermijnen. 'Kan ik je gauw zien?' fluisterde ik door de telefoon. Ze had het druk, kende haar dienstrooster niet... Nee, het toneel kon wachten, dit was belangrijker: 'Ik heb een primeur!' Het schikte nog dezelfde avond, we spraken af in restaurant Alleman: tientje heel menu.

Maud kwam opgewonden binnen, een halfuur te laat. 'Sorry, sorry, het is ook niet te doen, ik heb het zo idioot druk'... elke dag een stuk voor de stadspagina. Ze stak een sigaret op, dronk mijn glas leeg en pafte er driftig op los. Het menu interesseerde haar niet, de omgeving evenmin, 'even snel iets eten en dan moet ik er weer vandoor,' zei ze. Achter een beer aan, er zou een loslopende beer in de haven zijn gesignaleerd. Ze had al de godganse middag op haar solex de kades afgespeurd.

'En?'

'Geen spoor.' Brandweer, politie, dierentuin, circus, kledingverhuurbedrijven, niemand die iets had gezien of gemist, maar haar chef was onvermurwbaar: een goede journalist komt met een verhaal thuis. Voor tien uur vanavond moest ze het doorbellen.

'Verzin het,' zei ik.

Nee, dat mocht niet. Je loog niet in een krant.

'O... Ook niet in *De Telegraaf*?'

'Juist niet in *De Telegraaf*.'

'Maar hoe krijgen jullie hem dan vol?'

'Lees je die krant wel eens?'

'Soms, in een café, alleen de koppen.'

'Ja ja, dat zeggen ze allemaal,' zei Maud bitter, 'de grootste krant van Nederland en niemand die hem leest. Ach, het is ook een rotkrant... ik wil er weg, maar er werken ook aardige mensen die...'

'... allemaal fout in de oorlog waren.'

'Ach, dat modieuze geklets... er werken ook oud-verzetsstrijders en joden.'

'Dat verbaast me niks. Koude-oorloghitsers die ze uit schuldgevoel hebben aangetrokken, die krant blijft door en door fout: voor de apartheid, voor de oorlog in Vietnam, voor Salazar, Franco... en tegen...'

'Belde je me daarvoor op,' zei Maud, 'om me te vertellen hoe goed jij bent en hoe fout ik?' Ze bestelde een hele fles wijn en het kleinste op de kaart zonder de dienster aan te kijken. 'Jaaaah, je hebt gelijk, maar het is een makkelijk gelijk. Als je de arbeiders wilt bereiken moet je juist voor *De Telegraaf* schrijven. Op de stadsredactie besteden wij veel aandacht aan de afbraakbuurten, de nieuwe buitenwijken, het vertrek van oude bewoners, de komst van gastarbeiders...'

'Dan heb ik je wat interessants te vertellen.'

'Ah, mijn primeur!'

'Ik zit in de Griekenlandgroep.'

'Je pakt het wel aan met je Griekse beginselen.'

'Begin je alweer?'

'Waar is je fluwelen broek?'

'Mode interesseert me niet meer. Ik hou me met belangrijker zaken bezig. Er gebeuren de verschrikkelijkste dingen met de Grieken.'

Ze gaapte en trok haar tas op schoot. 'Sorry, maar buitenland valt niet onder de stadsredactie. Ik dacht dat je me iets belangrijks te vertellen had. De beer roept.'

'Dat verhaal komt.'

'Hoe dan? Ik moet het voor tienen doorgeven.'

Maud stak de ene sigaret met de andere aan en ik rookte dapper mee. We moesten allebei met een verhaal thuiskomen, zij op de redactie, ik bij de achterban. Ik raakte in paniek en liet de beer maar dansen... in een rondtrekkend Grieks circus, een beer aan de ketting, even geketend als de naar vrijheid hunkerende Grieken. In Amsterdam hadden de gastarbeiders hem bevrijd... Maud lachte me uit. Ik haalde de kolonels erbij, loog als een Kretenzer. We werden baldadig en dronken en verzonnen getuigen en geloofden steeds meer in die beer. Maud schreef een paar zinnen op, streepte ze weer door, keek op haar horloge: 'In godsnaam, je moet me helpen.' We keken elkaar recht in de ogen... nooit eerder gedaan. 'Malle dichter,' zei ze en ik hoorde de kopijbus in de verte klepperen... Ik zou haar winnen met een verhaal.

'Ik weet waar die beer zit.' Ik boog over tafel om haar zijn geheime schuilplek te verklappen, ze leunde naar voren en onze wangen stootten tegen elkaar. 'Hier.'

Mijn tong likte brutaal de honing uit haar oor. Ze grilde, trok haar schouders samen... haar pen viel op de grond, en beer die ik was, wéér hapte ik toe. Dat ik het durfde, zomaar uit mezelf... op de mond – met het schrijfblok ertussen – onze tongen gromden van plezier, tot de dienster het eten bracht.

'Kan je er wat mee?' vroeg ik beschaamd boven mijn dampende bord.

Die vraag deed er niet meer toe: het moest, er wachtte een wit gat. Ze at snel, dronk nog sneller, ze kon er misschien een cursiefje van maken, zomaar een mijmering. Alleen moest ik wel mee naar haar huis, daar kon ze beter schrijven. We hadden nog ruim een uur. Snel, achter op de solex, mijn handschoenen afgeven, die van haar waren te dun, ze had de hele middag al gekleumd. Ze scheurde over de Weteringschans en ik hield me aan haar zadel vast, maar zij trok slingerend mijn armen om haar middel en stak mijn handen in de zakken van haar jas. Ze klopte op mijn koude handen. Ja, ik zat er nog, maar wat werd er straks van deze beer verwacht?

Regels. Vijftig snelle regels. Ik kreeg niet eens de tijd om haar huis te bekijken. Zij zette zich achter haar tikmachine en ik beschreef haar de glimlach van dansers en circusacrobaten, de weemoed van de oude dompteur die niet naar zijn land terug kon keren en de beer natuurlijk, rukkend aan zijn ketenen... Ik speelde met Rilke, maar dat zei ik haar niet, en Rilke weer met Baudelaire. Maud ramde op de toetsen, sigaret bungelend aan haar onderlip, één oog open, het andere halfdicht tegen de kringelende rook. 'Mag dit wel?' vroeg ze zich bij de laatste regel af.

'Je kan verzinsels niet van de waarheid scheiden, net zomin als het licht van de zon.'

'Onzin.'

'Baudelaire.'

Ze belde het haastig door, als column, dan mocht je nog meer liegen. 'Ik voel me een beetje een dief, het is jouw verhaal.' Ze rekte zich uit – klaar, belofte ingelost: dat moest gevierd. Kaarsen aan en wijn op tafel.

Terwijl zij in de keuken rommelde, nam ik haar etage beter in me op. Geen student woonde zo ruim: hoge plafonds en grote ramen, met uitzicht op een zwarte leegte. De dierentuin? Ik hoorde de vreemdste geluiden. Er was in geen jaren iets aan het huis gedaan, de tengel hing er in flarden bij, maar haar spullen maakten het weer heel: oude gravures over de gaten, een luie bank voor een lelijke plek en een mahoniehouten kast waar ze haar pick-up en platenverzameling in had verstopt. De deurtjes stonden open, louter klassiek wat ik zo in de gauwigheid zag – verantwoord, net als de zilveren kandelaars en de fotolijstjes met familie. Deftige mannen en vrouwen, gezeten in statige vertrekken. De grindpadbeschaving. Maud mocht haar zilver wel eens poetsen. Ik pakte een trommel met parelrandje op, bestudeerde de ingegraveerde naam: achttiende-eeuws familiebezit – zonder één buts de oorlog doorgekomen, daar kon menige familie een voorbeeld aan nemen. Ik moest me beheersen de doos niet door de kamer te smijten. Mijn duimen drukten het bolle deksel in, het plopte, sprong open, en hoe zoet... op een bed van verschoten blauw fluweel lag een glazen knoopje met een klavertjevier. Wat een geluk. Een schitterend uitgeslepen klavertje, groen ingekleurd. Ik haalde het eruit, het fluweel kraakte... ik lichtte de voering op: briefjes van honderd, een paar van vijfentwintig. Zeer uitnodigend. Ik telde het geld en nam honderd gulden. Mijn vingers kleefden op het zilver. Ik wreef de afdrukken weg, alles in een paar seconden. 'Leg terug,' zei een binnenstem. Mijn hand opende opnieuw het deksel: ik pakte het klavertjevier.

'Eigenlijk ben jij de dief,' zei Maud van achter de deur. Ze stootte het dienblad tegen de klink. Ik zette de trommel met kloppend hart neer en rende naar de deur om het blad van haar over te nemen. 'De dief van je eigen talent. Waarom schrijf je zulke verhaaltjes niet zelf op? Dat kan je beter dan dichten.'

O nee, geen sprake van... die concentratie bracht ik niet op, ik was een verteller, ik had publiek nodig. Het was puur háár verdienste. Ik kon haar niet genoeg complimenteren, hoe ze me ook beledigde... dat mooie huis, die lekkere wijn, haar gezelschap, de moeite en tijd die ze aan me besteedde. De fles wijn gleed van de zenuwen bijna uit mijn hand, bevend schonk ik de glazen vol. We dronken op het geluk van de Grieken.

Het werd tijd om het huis te bekijken, boven waren nog een hele verdieping en een zolder vrij. Er woonde nu een neef, maar die ging binnenkort weg. Hoe zat dat trouwens met die Werner, zocht hij nou wel of niet een kamer? Hij had nog niets van zich laten horen. Ze wou niet met een wildvreemde haar badkamer en keuken delen. Maar de tijd begon te dringen: 'Ik werk me suf en verdien geen cent.' Ze had net met moeite de huur bijeengeschraapt.

Ze ging me voor op de trap, het huis was vroeger een bejaardenpension geweest, er zaten overal bellen en lampjes. De neef was er niet, de gaskachels brandden niet, behalve een waakvlam van een enorme geiser boven het bad. De luchtkoker huilde akelig. De kuip was groot genoeg om drie bejaarden in te koken. 'Heb jij een ligbad?' vroeg Maud.

'Nee, zelfs geen douche.'

Ze snoof in mijn kraag en draaide de warmwater-kraan open.

'Ik ga maar eens,' zei ik, ' we houden je op de hoogte van onze acties.' Ik zoende haar op haar wang. 'Sorry.'

'Sorry waarvoor?' Ze pakte me bij mijn arm, keek me aan, ik keek van haar weg, ze streelde mijn arm, een nagel kroop over een ader. Ik kreeg een erectie en duwde haar van me af. 'Ik... ik kan niet blijven.'

Ze ging lachend voor het trapgat staan: 'Hoeven homo's niet in bad?'

Homo... alleen ík mocht mezelf zo noemen, alleen ík mocht daar grappen over maken. 'Ik vrij niet met mensen die ik ken.'

'Wat onpraktisch.'

'Mijn seks is ondeelbaar,' zei ik.

'Dat klinkt imposant, maar wat bedoel je ermee?'

'Ik ben anders, ik voel dingen die anderen niet voelen.'

'Zó bijzonder is het niet om homoseksueel te zijn.'

'Ik ga ook naar de hoeren.'

'Mij choqueer je niet.'

'Jij hebt makkelijk praten,' zei ik, 'jij staat aan de veilige kant.'

Maud pakte me bij mijn arm en duwde me zacht de trap af, haar kamer in... Nou vooruit, nog één glas dan, zolang ze maar niet te dichtbij kwam zitten.

'Je projecteert je eigen vooroordelen op mij,' zei ze terwijl ze de as van haar blouse sloeg en zich snel in de zwartspiegelende vensterruit inspecteerde. 'Wie kijkt er nou nog van homo's op! Dat kan toch tegenwoordig? Er werken er zelfs een paar bij *De Telegraaf*. Het zijn gewone mensen.'

'Ik haat gewone mensen,' snauwde ik.

'Kalm, kalm.'

Diepe zucht en veel 'sorry'. 'Ik laat me niet etiketteren.' Maar ook in dat antwoord zinderde de drift... ik begreep niet waarom ik plotseling zo boos werd. Gooi het eruit, dacht ik, schaam je niet. 'Ik ben tot verschrikkelijke dingen in staat...'

Maud schoot rechtovereind. 'Toe maar,' zei ze lachend.

'... moord, roof... Ik zou een perfect misdadiger kunnen zijn. Bevrijd van alle fatsoen.'

'Vrij in de gevangenis?'

'Je moet het leven voelen, aan alle kanten. Ik weiger

me te laten temmen. In de gevangenis zitten meer ziels-
verwanten dan daarbuiten.'

Maud inhaleerde diep. 'Dus, leef maar raak!'

'Ja, het gaat om de extase, ook in de liefde, de smerige
liefde. Ik wil godverdomme gelukkig zijn.' Ik knalde het
glas terug op tafel en liep woedend door de kamer.

'Dat is mooi, maar voor jouw geluk hoef je anderen
toch niet in het ongeluk te storten? Zonder beheersing
geen beschaving.'

'Beheersing? De dwangbuis zal je bedoelen, dat roept
juist agressie op.' Ik raspte mijn nagels langs de ruggen
van haar platenhoezen. 'En wat bedoel je met beschaving? In een grijs mantelpak met samengeknepen billen
op het pluche naar Mozart zitten luisteren? Heb je wel
eens tussen dat vreselijke Concertgebouwpubliek gezeten? Grijs, grijs en nog eens grijs: met van die zuinige
frommelmondjes en Forma-Naturavoetjes. Moet je ze
zien genieten, de ogen gesloten, ten hemel of meeturend
in de partituur om de pianist op een foutje te kunnen
betrappen. Wie kucht wordt door honderden ogen dood-
gebliksemd. Ze aanbidden stilstaand water. Wat weten
die lui van de kunst en de liefde? Laat ze er met hun
dorre tengels van afblijven. Nu weer op de universiteit:
Close reading! Die hele kutstudie kan me gestolen worden. "Het lezen van een gedicht is als de exegese van een
heilige tekst." Heilige tekst, mijn reet! Dichters zijn niet
verheven. Verlaine zat in de kont van Rimbaud te ram-
petampen, of andersom, en met de stront nog aan hun
pikken schreven ze de volgende dag een liefdesgedicht...

184

zo verheven is het, zo diep. Het is toch om je lul bij uit je broek te halen.'

'Haal hem eruit,' riep Maud. Ze dook lachend op me af, één hand in de aanslag.

'Nee, je snapt niet waar ik het over heb.' Ik draaide van haar weg.

'Kom op, laat zien.'

'Ik hak hem er nog liever af. Voel ik me tenminste iets. De ultieme sensatie!'

'Neem een abonnement op *De Telegraaf*.'

'On parle de Baudelaire, mademoiselle: Je moet je elke dag opnieuw verbazen, alles ervaren, alles meemaken... en er tegelijk trots op zijn dat je je nergens meer over verbaast.'

'Wat heb je toch met die vent?'

Ach, wat wist Maud van *le spleen*? Had ze alleen door de havens gezworven, in de regen, het gevaar gevoeld, het vuile parfum van een hoer opgesnoven, de naald van een junk op haar vel laten dansen...? 's Nachts als de gewone mensen sliepen.

Het was al na middernacht. De wijn was op en de gedachte dat ik straks weer door de stad zou zwerven maakte me klaarwakker. Ik wilde het duister in... alleen en ernstig.

Maud voelde mijn onrust. 'Laten we nog ergens wat drinken,' stelde ze voor. De krant werd nu gedrukt, de eerste editie moest al uit zijn. Misschien stond ons stuk erin? Op dit uur liep een man de kroegen langs met 'het ochtendblad van morgenochtend'.

'Nee, nee. Ik wil naar huis...'

'Ik weet een hele leuke nichtentent.'

'Ik moet morgen erg veel doen.'

Ze knipperde met het licht in de gang...'Wat een vrij man! Ga mee, Fiacre is nog open... het halve toneel komt daar.' Ze kende Amsterdam beter dan ik.

'Ik ben er niet op gekleed,' zei ik.

'Het is daar te donker om op te vallen.' Ze sloot haar kamer af, trok haar jas aan.

Vrouwen, ik kon niet tegen ze op. 'Deze trui slobbert zo, heb jij niet iets...'

'Tut.' Maud opende geërgerd opnieuw haar kamerdeur. 'Ik dacht dat je niet meer om mode gaf.' Ze ging me voor naar haar klerenkast: 'Hier, kies maar uit.' Haar kast puilde uit, ze maaide door de jurken. Ze bukte, met haar kont naar me toe, twee trommels die ik zacht wilde strelen. Maar ik deed een paar passen naar achteren en legde het klaverknoopje terug. Gestolen geluk gedijt niet.

'Hier zitten nog kleren in uit mijn dikke tijd.' Maud zette een doos op de bank en haalde een geruite overgooier tevoorschijn. We ginnegapten voor de spiegel... wat dacht ik van een petticoat of een Bretonse blouse? Alles was te klein. Had ze niet iets geks? Ze haalde een zilveren ceintuur van een haak, uit India... Ging net, moest eigenlijk een gaatje bij. En deze witte coltrui? Die was haar toch veel te groot. Ik trok hem aan, de naden kraakten, maar hij zat als gegoten. 'Hij prikt onder mijn kin,' zei ik. Maud graaide in een la en trok er een paars sjaaltje uit dat ze om mijn hals wikkelde. Maar nu leek mijn broek weer te wijd... trui in de broek, gefrunnik aan de riem, kin op en trotser kijken, dan prikte het niet. Ze ritste een etui open, haalde er een wenkbrauwpotlood uit en kleurde mijn bakkebaarden bij – ik liet ze groeien, maar ze bleven te rossig. Ze keek over haar schouders mee in de spiegel, ook mijn wenkbrauwen kregen een veeg. Haar dij drukte tegen mijn heupen – haar geld kraakte.

'Zo, nu ben je net een Russische prins,' zei ze. Maar die jongen naast haar zag een ander staan: een del die de nacht in ging.

Achter op de solex – een beetje dronken van de wijn, een beetje nuchter door de kou – zochten mijn blote handen haar warme zakken, en hoger. Weer dat vreemde gekrijs in die zwarte leegte. In het donker lieten de mensen zich gaan.

Le Fiacre was een rood gecapitonneerd hol met een paardenhoofdstel en stallantaarns aan de muur. Welke gek durfde ooit te beweren dat homo's meer smaak hadden dan hetero's? Het was er snikheet, het rood van de wanden glom op de gezichten. Maud en ik bleven bij de ingang hangen, daar konden onze ogen aan het duister wennen en de sterren tellen... de beroemde acteurs, de televisieomroepster... Was die lesbisch? Goh, dat zou je niet zeggen, zo'n mooie vrouw en hoe heet die ene vent ook alweer? Wat was hij klein in het echt... en die, dáár op de witte vleugel naast de bar... sprekend Ramses. Het is hem ook! De beroemde Ramses, boven op de vleugel, met zijn schoenen op de klep – aanraakbaar dichtbij. Wat was hij mooi en uitgelaten. Hij werd gekust, omhelsd, streek als groet zijn hand door iemands haren... Als die hand mij nu eens wenkte, vertrouwelijk in mijn schouders kneep. Ramses zou mijn talent herkennen... Maar hoe trok ik zijn aandacht met zoveel aanbidders om hem heen? Ik zond pijlen naar hem uit, maar ze kwamen niet aan. Verdomd, waren die jongens aan zijn voeten geen leerlingen van de Toneelschool? Twee van mijn jaar, ze spraken al als de hoorspelkern. Ze hadden het over Ank, daar kregen ze les van. Ramses bood ze een drankje aan: Ank was hem ook héél dierbaar.

We wilden zitten en zochten een plaats bij de bar – nee, ik trakteerde, daar stond ik op, het geld brandde in mijn broek. Het was er dringen geblazen, schouders en ellebogen duwden ons weer snel naar achteren. 'Je raadt nooit wie daar staat,' fluisterde Maud, 'Schütter, in zijn witte spijkerpak.' Wat deed díe hier? Een flikker natuurlijk... het verbaasde Maud niets. Tjee, dat zou de rector eens moeten weten. Maar hij was toch getrouwd? 'Dat zegt geen donder,' zei Maud. Ik wilde omkeren – hij had recht op zijn geheimen – of moest ik juist op hem afgaan: Kijk, ook ik ben zo, uw leerling. Wijd mij in...

Schütter stond in een kring van uitgelaten mannen, zo ontspannen kende ik hem niet. Volgens Maud waren het acteurs: die dunne met de bakkebaarden zat bij de Nederlandse Comedie, ze had hem in de laatste *Gijsbrecht* zien spelen, de voorstelling die door leerlingen van de Toneelschool was verstoord. Het was tegenwoordig overal bonje in de Nederlandse theaters, Toneelschoolleerlingen waren de Aktie Tomaat begonnen, ze eisten meer engagement en zetten hun eisen kracht bij door de spelers met tomaten en eieren te bekogelen. Maar deze acteur sloeg terug: onlangs was hij tijdens de slotbuiging de zaal in gesprongen en met een paar tomaatgooiers op de vuist gegaan, het had alle kranten gehaald. Die acteur was een interview waard.

Maud liep op hem af, maar ik aarzelde. Ze stelde zich aan de mannen voor, Schütter reageerde blij verrast, gaf haar zelfs een zoen. Hij keek mijn kant op... sjaaltje lager, arm voor mijn riem en hand op de bakkebaard... ik maakte rechtsomkeert naar de bar, waar ik ongeduldig mijn glas voor de barkeeper ophield. Oog in oog met rijen flessen tegen een getinte spiegelwand kon ik achter mijn rug toch alles in de gaten houden. Veilig buiten beeld. Ik zou mijn bakkebaarden nog verder laten groeien, daar kreeg je een slank gezicht van. Artiesten waren andere mensen. Ze geloofden in zichzelf, hun houding straalde het uit. Ik probeerde te staan zoals zij – leunend op één heup – probeerde te kijken zoals zij – bewust van vele ogen – en soms bleven ogen kleven. Zoals de blauwe van een man achter mij, ook in een witte coltrui. Ja, lach maar even terug: trui groet trui. Niet meer kijken. O god, hij komt op me af... wat een ouwe hoogtezonkop... en wat heeft hij een rare wangen, alsof hij voortdurend op een onzichtbare trompet blaast. Heeft hij het zo warm? Ga weg, blaasnicht... Ja hoor, het is hem gelukt, ik voel zijn elleboog al... hij biedt me een drankje aan. Zeg nee. 'Ja, graag.' We klinken en ik kijk over zijn schouders naar Ramses. Nee, dit is te onbeleefd, ik moet een beetje met hem praten: 'Hallo.' 'Haai...' en nog iets... zijn naam? Ik kan hem slecht verstaan, er hangt een luidspreker boven ons. Hij leunt naar voren. Ga weg met die knie. Wat ik doe? Toneel natuurlijk. Nog een whisky? Hij slist. Ik heb de vorige nog niet op. 'Ja, graag.'

'En u? Wat doet u?'

'Design.'

'O.'

Hij zegt nog iets, de muziek tettert... Puf puf. Ik drink mijn glas leeg, hij ook. Nou moet ik trakteren, ik wil me niet afhankelijk van hem maken. Hetzelfde?

'Met ijth.'

Ja, het is warm.

Hij houdt zijn glas tegen zijn wang... Er fonkelt een ring om zijn middelvinger, een driehoekig ding... Zijn tanden zijn zo wit als zijn trui. De whisky heeft de kleur van zijn vel. We moeten schreeuwen om elkaar iets duidelijk te maken. 'Sthudio.' Zei hij Studio? Goed gezelschap, ja. Ik ga veel naar het toneel. Ar-ra-bal! Heeft hij het laatste stuk van Arrabal bij Studio gezien? Over die man, die barende man? Hij haalt zijn schouders op. Waar blijft Maud? Ik wenk haar met mijn glas. Ze zwaait terug. 'Kom, kom,' roepen mijn lippen zonder geluid, maar de Nederlandse Comedie-acteur troont haar mee naar Ramses. Daar moet ik bij zijn en ik breek

me los van een knie. 'Ben je alleen?' vraagt de man. 'Ja,'
zeg ik, en dring me een weg naar de vleugel. Hij achter
me aan. In die andere hoek kon je elkaar tenminste verstaan.

Maud klinkt boven alles uit: '...dat subsidiestelsel
deugt toch aan geen kant, jullie zijn ingeslapen... Het
Nederlands toneel is een stofnest... jullie geloven er zelf
niet meer in.' De acteur verdedigt zich, Ramses kijkt
geamuseerd toe. Maud pest, verheft haar stem... ze zegt
weer eens waar het op staat! Ik probeer naast haar te
komen staan, de Toneelschoolleerlingen doen geen stap
opzij. *Stel me nou voor, toe, kijk me aan,* maar in het
vuur van het gesprek merkt Maud me niet op. Toch knik
ik driftig met haar mee – ik hoor toevallig mooi bij haar
– ze heeft gelijk: 'Tomaten voor de Nederlandse Comedie.' Maud draait zich geërgerd om: 'Daar hebben we
het nou toevallig even níet over.' De acteur kijkt me ge-
ringschattend aan. En om het allemaal weer goed te maken, zeg ik tegen de hooggezeten Ramses: 'Maar u was
prachtig in de *Gijsbrecht.*'

Ramses neemt het compliment met een knikje in ontvangst.

'De beste Arend die ik heb gezien.'

Ramses legt zijn hand op mijn schouder en drukt zich
aan me op. Hij gaat boven op de vleugel staan: '*Wie
hoort dit treurspel aan, die niet zijn tranen laat...*' Von-
dels alexandrijnen galmen over onze hoofden heen...
Maar hij doet het voor mij alleen. De omstanders luisteren nauwelijks, ze lachen hem uit, loeien hem weg. En

Ramses schatert het na een paar strofen uit. Hij brabbelt, spot met de jamben, gaat tekeer en laat zich hikkend van de vleugel glijden: 'Ik zwijm, ik sterf. Mijn tijd is hier geweest. Och vrienden, bid voor mij...'

Drank, lachen... de kring zwelt aan en wat iedereen hoopt gebeurt: Ramses gaat achter de vleugel zitten... de muziek achter de bar houdt op en Ramses speelt, Ramses zingt. Hoofd achterover, gelukzalige lach. Vertederd kijken we toe, verliefd zijn we, allemaal verliefd op Ramses... en ik hang over de vleugel, leg mijn oor op de klankkast, zoek zijn ogen... mijn riem krast over de lak, ik ga languit op de klankkast liggen, hamer en snaren trillen in mijn buik... oog in oog met de grote kunstenaar.

'Stel je niet aan,' sist Maud. Waarom? Het is anders niet verboden. Ik lig hier geweldig. Ze trekt aan me, tikt op haar voorhoofd. Nou ja... jaloers?

Ramses is uitgespeeld. 'Ik wou even zeggen...' maar hij draait zich om en praat alweer met een ander.

De man met de witte trui duwt een glas whisky in mijn hand. Hij klemt me naast de vleugel. Maud wuift gedag, ze komt op me af... ze kijkt nog steeds boos. 'Ja sorry, maar die tomatengooierij ligt bij acteurs erg gevoelig, dat was niet handig van je. Ik leg het je nog wel uit.' De Nederlandse Comedie verliest haar niet uit het oog, hij is nog niet klaar met haar. Ze trekt het sjaaltje uit mijn col omhoog, zoent me op mijn oor. 'Beer, gedraag je.' En met een scheef oog naar mijn gezelschap: 'Wie is die engerd?' 'Weet ik niet.' 'Pas op!' Ze gaat gearmd naar buiten. Ook Ramses en zijn hofhouding vertrekken. – *Dag Ramses... Dag Ramses...*

Maar wij niet: trui en trui zetten het op een drinken. Ik weet al veel over stoelen, want die ontwerpt hij. Ja, daar kan je van leven. Het Stedelijk heeft er een van hem gekocht. Nee, niet om op te zitten. Hij ontwerpt voor fabrieken, vooral Italiaanse, o daar moet hij zo vaak heen. Pufpuf. Wil ik een stoel van hem zien? Nou graag. Het is sluitingstijd, hij rekent af en ik zoek mijn jas.

'Zo, jonge vriend,' zegt meneer Schütter bij de garderobe. Hij knijpt vertrouwelijk in mijn arm. 'Alleen?'

'Nee, ik ga net weg.'

Pufpuf meldt zich, hij draagt een lange soepele zwarte leren jas. Schütter stelt zich voor. Ik keur de leren jas met Halfstad-ogen.

'Je moet beslist eens een kop thee komen drinken,' zegt Schütter... Ging het wel goed met me?

Ik had alles willen uitleggen, maar schaamte weerhield me.

'Een oude bekende?' vroeg de man buiten.

'Mijn toneelleraar.'

Zijn jas glom in het lantaarnlicht. Kon ik nog nee zeggen? De hoek om en ik was zo van hem af, maar ik liep mee tot aan een witte auto. Een fonkelnieuwe BMW, de patserauto die niet deugde. Beige leren bekleding. Hij maakte trots de deur voor me open... alsof ik in een pasgepoetste schoen gleed. Ik laat me onderweg afzetten, dacht ik. Zijn jas kraakte onder zijn billen, zijn ring tikte op de versnellingsknuppel.

We reden het centrum uit, naar voor mij onbekende delen van de stad. Het werd stiller buiten en het uitzicht leger. Die kleine lampjes daar... dat was de Bijlmermeer. Je kon er de vogels horen fluiten als je op de galerijen liep. Cipiers hadden zich hier uitgeleefd en kooi op kooi gestapeld. Hij hield van strak, zei hij.

Strak was ook de bank waar zijn vriend thuis op zat – eigen ontwerp – en strak was het koord waar grafiek aan hing, met stalen knijpers, schuin door de kamer. En de muren waren strak en het uitzicht... snelwegen, parkeerplaatsen en verlichte galerijen. We stonden negenhoog voor het raam: hij rechts, ik in het midden, de vriend links – twee ringen gleden over mijn kont.

Pufpuf liep naar het balkon en haalde drie koude pils uit een krat. 'We laten elkaar vrij,' zei de vriend.

De vriend sneed blokjes kaas in de keuken en Pufpuf fluisterde: 'Hij vindt het niet erg, hij neemt zo vaak iemand mee.'

Ik ging plassen en stak onderweg mijn hand in de binnenzak van een lange leren jas. Een verfrommeld tientje, een geil tientje. Niet nadenken. Ik was slechts een lichaam, negenhoog uitkijkend over de Bijlmermeer.

•

'Zeg student. Er was hier tussen de middag een dame aan de deur.' Mijn hospita stond boven aan de trap, de hond tussen haar benen. 'Ze heb een brief achtergelaten.' Ze gaf me een geopende envelop. Een brief van Maud.

'Was-ie zo?'

'Ja, neem me niet kwalijk, Cruyff ging ermee aan de haal... er zat heus geen geld in.'

Mijn kater was te groot om te protesteren.

'Gezellig geweest?'

'Ja, dank u.' Ik wilde doorlopen, maar ze haalde een tweede brief uit haar schort.

'Deze durf ik niet open te maken.' Een envelop van het GEB. Aanmaning. 'Ken jij dat regelen?'

'U moet betalen,' zei ik.

'Betalen? Ik heb nooit geen rekening gehad.'

'Dit is de derde en laatste waarschuwing. Als u niet voor morgen twaalf uur betaalt, komen ze de boel afsluiten.'

'De hufters. Waar haal ik het vandaan? We hebben het niet. Ze kennen ons toch niet in de kou laten zitten.' Ze greep naar haar hoofd, krabde op haar kruin en likte het vet van haar nagel. 'Ken je niet drie maanden huur in 't vooruit betalen?'

'Ik heb al voor een halfjaar betaald.'

'Dan betaal je wat minder...'

'Liever niet...'

'Dan maar zonder licht.' Ze trapte de hond naar binnen en draaide de deur kwaad op het nachtslot. Dat werd weer poepen in de gootsteen.

Lieve Beer,
We staan in de krant. Hierbij het stuk. Mijn chef was zeer tevreden en dat terwijl ik vanmorgen ongelofelijk heb zitten

slabakken. Ze willen meer! Weet je nog zo'n verhaal? Of
schrijf je het liever zelf. Dat kun je vast! O, wat vreselijk
jammer dat je niet thuis bent! Ik heb je zoveel te vertellen dat
ik bijna niet kan wachten om je te zien. (Het heeft me heel
wat moeite gekost om je adres te achterhalen; schat van een
hospita overigens.) Ik heb een ontzettend leuke nacht gehad
– aan één stuk gezopen, gegeten en gevreeën. En ook nog een
kilo afgevallen. Dus dit, waarde vriend, is de methode: veel
vrijen. Na Fiacre zijn we met Ramses mee naar een nacht-
club gegaan (idioot duur). Jules, die Nederlandse Comedie-
acteur, danste als een gehandicapte clown, heel komisch
(hij kan trouwens ook niet spelen), daarna zijn we nog met
z'n allen ergens gaan eten. En vervolgens Ramses het bed in
gesleurd. Verschrikkelijk gelachen.

En jij? Misschien was ik in Fiacre te onaardig tegen je.
Maar waarom moest je zo nodig over die tomatengooiers
beginnen? Ik kan het me als journalist absoluut niet permit-
teren partij voor een actiegroep te kiezen – ook al ben ik het
nog zo met ze eens. Ik moet onafhankelijk blijven, dat hoort
bij mijn vak. Achteraf bewonder ik wel je ongegeneerdheid
tegenover Ramses. Ik vond het moedig dat je zomaar op die
vleugel ging liggen, dat je het durft! Je bood je alleen veel te
veel aan en verwijderde je zo van wat je wilde bereiken.
Vertel je me snel al jouw avonturen?

Zullen we elkaar gauw weer zien? Er ligt hier nog een trui
van je en ik wil mijn riem terug. Ik vind je lief.
Maud

ps. En wanneer krijg ik nou mijn primeur?

Ik vouwde het ingesloten *Telegraaf*-cursiefje uit. Mauds naam stond er trots onder. Het was mooi een paar van mijn zinnen in druk te zien. Het hele verhaal stond erin, geen letter veranderd of toegevoegd. Alleen de kop: 'Communisten stelen beer.'

Lieve Maud,

Heb je zin om zelfmoord te plegen? Zullen we het samen doen, zoals in Zweden nu de mode is, met z'n tweeën in een kist en tegelijk op elkaars slaap schieten – Het Parool schreef erover, dus misschien is het al afgezaagd. Maar dood wil ik, zeker na zo'n treurige nacht. Twee heren moest ik dienen. In een flat met kunst aan wasknijpers, en spotjes! Op een bed met twintig oranje kussentjes en zwarte lakens, tegen een oranje muur... En ze wouen van alles. Zoveel vuiligheid spoel je er onder de keukenkraan niet af. Wanneer mag ik bij jou in bad? Onder water je polsen doorsnijden schijnt de meest pijnloze methode te zijn. Zelf hang ik liever, zo doen de boeren in Noord-Holland het – dat hebben de statistieken uitgewezen.

Ik zal je de rommel besparen, ik weet een betere plek. Achter mij, aan de overkant, woont een ijverig meisje in een kale kamer. Ze zit elke avond in het lamplicht te studeren. Al schuif ik mijn tafel voor het raam en fixeer ik haar met al mijn hersenstralen, dan nog kijkt ze mijn kant niet op. 'Kijk,' schrijf ik nu met koeienletters in spiegelschrift op een leeg vel, 'kijk mij aan, kijk mij aan.' Geen sjoege. Ze heeft een balkenplafond, uitstekend geschikt voor zelfmoord. Ik kan zo naar haar toe lopen, langs de goten.

De hokken naast haar hebben nog geen ramen, dus ze heeft geen naaste buren. Onder haar woont een oud echtpaar, bezwaarlijke traplopers van hier uit te zien. Ze schuifelen van keuken naar eettafel, waar ook hun televisie staat, elke avond weer. Ik zou ze eens moeten verrassen met wat geschop tegen hun muur, als ik de stoel heb weggetrapt en met mijn schoenen houvast zoek. Ook het eenzame meisje zal opkijken als ze een paar schoenen boven haar tafel ziet bengelen en me koud en stijf losmaakt. Ik laat wel een keurig briefje achter: zelfmoord, niet storen. We doen het zonder poeha.

De gewaarschuwde politie zal onderzoeken waar ik vandaan kom. Engelse sokken (Turnbull and Asser), Frans overhemd (Sulka), Zwitserse schoenen (Bally)... een reiziger, maar ook een landgenoot, gezien het afscheidsbriefje. Kordaat handschrift overigens – een man van de wereld wellicht? Waarom heeft hij deze bescheiden kamer uitgezocht om zich van het leven te beroven?

De bejaarde onderburen begrepen er niets van. En het was nog wel zo'n keurig meisje, zeiden ze tegen de politie. Nooit geen bezoek na tienen en ze maakte op tijd de huur over... Nee, dit hadden ze niet van haar verwacht. O, was zij het niet? Wie dan wel? Een jongeman? Dat was niet afgesproken... nee, ze werden oud.

Had de zelfmoordenaar familie? Hoopte hij misschien dat iemand hem in zijn zelfmoord kwam storen, een reddende hand die de knoop om zijn strot lostrok, een mond die adem in zijn longen stootte? Of wilde hij de levenden niet langer tot last zijn – de katten balancerend in de goten, de

triktrakspelende Grieken om de hoek, de mensen in zijn
straat; mensen die elkaar niet groeten.

De nacht na de vondst doen de onderburen de deur extra
op de knip.

Ik denk vaak aan zelfmoord... niet omdat ik somber ben
of bang; het stelt me gerust. Als het helemaal misgaat, kan
ik altijd nog dood. Ik ben nieuwsgierig naar mijn eigen dood.
Ik zou willen weten hoe het voelt.

Je koketteert, hoor ik je denken. Ja Maud, je gonst hier
door de kamer. Je hebt gelijk, maar alleen door met het touw
te spelen kan ik me enigszins voorstellen hoe broos mijn nek
en hoe zwaar mijn kont is. 'Doe het!' zeg je nu hardop.
Maar hoe? Ik zou de dood willen voelen zonder het leven
erbij te hoeven laten. Hoe kan ik een hoogtepunt herkennen
als ik geen berg heb beklommen? Ik moet weten hoe het voelt
hoog te gaan of diep te dalen. Ik wil zoveel mogelijk persoon-
lijke indrukken opdoen, met de zintuigen in de aanslag op
zoek naar ervaringen van het hoogste karaat... elke dag, elk
uur, hoe scherper hoe beter...
Liefs...

Toen ik de brief in een envelop stak, hoorde ik Maud
hardop lachen. 'Je koketteert!' Was ik diep in mijn hart
niet overal bang voor? Kende ik mezelf eigenlijk wel
goed genoeg? In de prullenbak met die onzin. Alleen
haar PS behoefde een antwoord:

'Lieve Maud, die primeur krijg je! Wacht maar, wacht
maar...'

Het was al donker buiten, een inktzwarte lucht ontkleurde de kamer en ik liet me somber op bed vallen. Er brandde nog geen licht bij het ijverige meisje aan de overkant. Dit was het uur om ongezien over de daken te sluipen en het snoer van mijn stofzuiger op haar balken uit te testen. Niet de gedachte stond me tegen, maar het geklim – ik was niet fit genoeg voor zelfmoord. Zelfs springen leek me te vermoeiend, bovendien leverde een val van driehoog slechts botbreuken op. De gasfles sputterde – Ja ja, kalm, jij doet ook je best, maar koppijn verlost me van niks. De vlam begaf het, maar ik had geen zin een nieuwe fles te halen. De avondkou trok door de muren en ik rilde. Mijn dikste trui lag nog bij Maud en haar trui hing aan een haakje in de keuken te luchten... Te ver... en het idee alleen al je arm op te moeten tillen. Ik trok een deken over me heen. Mauds Indiase riem lag aan het voeteneind en viel op de grond. Ja, daar ging het ook mee. Het ding was van een dun soort gebreid metaal, ik liet hem lui langs mijn nek glijden, de binnenkant prikte, daarna bond ik hem om mijn arm, als een junk. Mijn aderen zwollen op en ik drukte de pin in mijn vel, hard, harder, tot het bloedde.

Pijn... aan zoveel kleren kleefden pijnlijke herinneringen...

Het bloeden hield niet op en al was ik nergens toe in staat, vlekken in de lakens veelde ik niet. Ik stond op, waste het bloed van mijn arm en verkwikt door de aderlating en het koude water liep ik naar mijn klerenkast om iets warms aan te trekken. Kleren geven troost, vooral als je je waardeloos voelt. Een flannel broek doet wonderen. *Twenty ounces to the cloth yard.* Hoe dikker hoe beter, in weelde is het veilig schuilen. Dode dingen leiden het langste leven. Een aai over vaders uitgezakte sjamberloek en ik waande me weer een dichter. Zijn erfenis was uitgedund, alleen de pronkstukken had ik uit Halfstad meegenomen, het vakmanschap van de kleermakers gloeide uit de naden. Die kleren keken me aan en zeiden: Doe je best.

Vele rollen hingen in die kast. Wanneer droeg ik voor het laatst mijn donkerblauwe danslespak? Als ik het aantrok zou ik vast weer natte handen krijgen en op meisjestenen trappen. En daar verkreukelde, half weggestopt, mijn paarsfluwelen broek – na één seizoen al uit de mode. Het was een garderobe afgestemd op de mensen die mij dagelijks keurden. Ik verbeeldde me te weten hoe ze ieder kledingstuk zouden plaatsen. Elk milieu had zijn eigen codes. Vroeg je ernaar, dan werd het dikwijls ontkend, omdat we elkaar hadden wijsgemaakt in een klasseloze maatschappij te leven. Men predikte gelijkheid en we waren er zelf in gaan geloven, maar in werkelijkheid waren de verschillen even groot als elders en beslist geniepiger, want waar ter wereld kon je in drie klassen begraven worden? Ook bovengronds hielden we elkaar scherp in de gaten – de platheid van ons landschap verdraagt geen reliëf, zowel geestelijk als materieel –, dus bleef er weinig anders over dan iemand op de snit van zijn jas of het model van zijn schoen in te delen. Mannen met gouden kettingen woonden in zuidelijke landen of kwamen uit de heffe, maar bij mensen met boekenkasten zag men ze niet graag op de thee. Studenten waren het ergst, die hoorden nog nergens bij, en waar nieuw terrein wordt verkend en de twijfel het grootst is, grossiert men graag in zekerheden. De opgeleide middenklasse moest het vaak met weinig anders stellen dan fatsoen én de arrogante vreugde dat zij meer las en wist dan de rijken en de armen. Hoog en laag hadden minder te verliezen en het meeste met elkaar gemeen. Prins Bernhard droeg een gouden ketting én een tatoeage. Omdat ik uit zoveel mannen bestond en bij elk milieu in de smaak wilde vallen, moest ik me veel vermommen.

Iedere vermomming had zijn eigen herinneringen. Droeg ik een kakipak, dan herinnerde ik me gebeurtenissen in kakipakken. De keer dat ik als volwassen jongen een postume oorlogsonderscheiding voor mijn vader in ontvangst nam en de koningin een hand mocht geven, droeg ik een kakipak – zíjn kakipak, voor een soldaat uit de tropen leek me dat wel zo toepasselijk – en het was niet de eer die de gebeurtenis onvergetelijk maakte, maar het feit dat alle mannen in burger die middag een dónker pak droegen en ik niet. Sommige kleren roepen geluiden op, andere weer geuren. Dikke stoffen zitten vol koude herinneringen, al zal een witte coltrui voortaan altijd *pufpuf* zeggen. En daar hing de geërfde rijbroek, die hinnikte...

•

Er zit een vlek op vaders rijbroek. Boven de knie. Gisteren was de broek nog nieuw, tweedehands weliswaar, maar een aflegger van deftige mensen: een *culotte de cheval* van het fijnste suède, met een zijden voering en twee leren plakken onder de knieën – juist wat vader zocht, een broek om de zomer mee uit te rijden. Tabakskleurig suède, goud in de zon en herfstig in de schaduw, het leer leeft nog, je kan er je naam op schrijven, tegen de vleug in. Vader streelt de pijpen. De paarden van de reddingsbrigade zouden nooit een trotser ruiter zien. Vroeger reed hij zijn eigen paarden, toen de stoeterij er nog was, vroeger in Batavia... zijn benen stonden ernaar, verlangden ernaar... vader is een Paardman. Zijn dijen kneden een Zeeuwse knol tot Arabisch paard. Zo'n rijke broek bezat hij niet eerder. Een echte Hermès, Rue St. Honoré – Paris. Je ruikt de adel in de voering. En nu die vlek. Daar kan hij zich niet in vertonen.

'Nee, niet wrijven, wrijven slijt,' zegt Paardman tegen moeder. 'Blijf af, niet met je vette vingers. Rullen moet je het, het leer moet op eigen kracht het vet uitstoten.' Vet? Vet ja, iemand heeft er met zijn tengels aangezeten. 'Jij?' Nee, ik niet, ik niet, hij kijkt me aan met ogen als haardvuren en jachthonden. Zo hoog kan ik niet bij de haak, ik heb er alleen naar gekeken. Even geaaid misschien, ertegenaan geklopt, omdat de broek zo zacht en toch ook bonkig voelde. Hol klonk het. 'Hoe meer je er aanzit, hoe erger het wordt.'

We zien de vlek groeien. Het huis wordt te klein. Paardman trekt de rijbroek aan en ja, daar loopt een vlek. Paardman is een vlek. 'Gooi maar weg. Ik hoef dat vod niet meer.'

De broek ploft op de grond. Moeder bukt, zet haar leesbril op en begint met haar nagel over de vlek te krabben: 'Je ziet er niets van.'

'Een heer loopt niet in vlekken.'

'Het is maar een kleintje.' Moeder neemt de broek mee naar de keuken: 'Kokendheet water, daar krijg je alles mee weg.'

Paardman stuift achter haar aan. 'Water is het laatste. Benzine!' Alleen zuivere wasbenzine helpt. Er is maar een bodempje in huis. Moeder pakt een watje en wrijft. De vlek krijgt een baard.

Paardman gooit zich op een stoel en loeit: 'Heb je doppen in je ogen? Kan het je niets schelen hoe ik erbij loop?'

Moeder belooft nieuwe benzine te gaan halen, Paardman kan niet zonder die broek. Hij moet de reddingspaarden losrijden, anders verstijven ze in hun stal – er staan mensenlevens op het spel. 'Eén liter?' vraagt moeder.

'Nee, vier, vijf op z'n minst!'

Paardman en ik kijken stil naar de vlek. Ja, hoe je de broek ook houdt, je ziet het meteen. Hij neemt mijn wijsvinger tussen zijn duim en wijsvinger en we glijden over de bruine knie tot aan de schuldige plek. 'Een vlek is het begin van het einde,' zegt hij, 'laat er één toe en je glijdt af. De viespeuken gingen er het eerste aan. Onthou dat.' Reken maar.

Daar komt moeder met de wasbenzine. Wij schrobben de badkuip schoon met Vim. Vetvrij moet het emaille.

Kijk eens hoe vuil nog. Komt dat allemaal van ons? Een fles erin, en nog een. Wat prikt dat, wat dampt dat. Is de waakvlam uit? Adem inhouden. Alle pottenkijkers de badkamer uit. Ik moet drie keer niezen en de broek gaat kopje-onder. Hoor? De broek zuigt de benzine op. En daar ligt-ie, als een nat paard. Zwemmen moet-ie. Nog eens vijf liter, tien misschien. Paardman tilt de broek aan één pijp omhoog, laat hem uitdruipen en weer op de bodem vallen. Het is een loden broek geworden. De drogist heeft geen benzine meer. Veel te gevaarlijk, zei hij. 'Gevaarlijk? Wat weet die dropverkoper van vlekken?'

'Als jullie maar niks binnenkrijgen,' zegt moeder.

'Nog één woord en ik drink een fles.' Weken moet die rijbroek. Heus, dit is de beste oplossing. Die Hollanders zijn gewoon te bang om een paar gulden uit te geven.

Naar de andere drogist, de apotheek, de kruidenier. Moeder moppert, maar als ze weigert zal Paardmans hart ontploffen, dus fietst ze alle winkels af en draagt ze flessen aan.

Zo, nu is de broek verzopen, hij richt zich niet meer op, stribbelt niet meer tegen. Het leer is donker geworden, zwart bijna, en de vlek? Eerst goed weken. We wachten, kijken, hijsen de broek uit de steeds bruiner wordende benzine, laten hem weer zinken. Ik duizel boven het bad. Paardman roert en volgt zijn vlek. Verdomd, het kreng is hardnekkig! Erger nog, er komt een kring omheen, en daar en daar. De benzine maakt kringen. 'Nagelborstel. Vlug. Haal een borstel!'

We moeten het leer schrobben, de hele broek van onder naar boven, tegen de vleug in. Waar is de borstel?
Niet bij de wastafel, als je de dingen nodig hebt zijn ze
er nooit. Ik ren naar de wc, dan maar de pleeborstel.
Snel. Er zitten resten tussen de haren, poep en papier –
onze wc trekt niet goed door. Je kan geen vlek met poep
bestrijden. 'Schiet op,' roept Paardman, 'de boel ver-
dampt.' Ah, dáár ligt onze roze nagelborstel, in het zeep-
bakje van de keuken, ik schuif hem om de vier vingers
van mijn rechterhand en bewonder mijn boksbeugel. Ik
veeg de zeepsporen van het plastic aan mijn trui af. De
wol knettert.

Paardman zit op zijn knieën voor het bad, ik loop op
hem af, zie mezelf in de wastafelspiegel en schrik van
mijn rode hoofd. Zonder op te kijken houdt hij zijn
hand op en voor ik hem de borstel kan aanreiken, voel ik
een schok. Ik val achterover op de tegels.

Een steekvlam. Wat een klap! Paardman deinst achteruit. Het gordijn heeft vlam gevat. De spiegel is uit zijn
klem gesprongen, de scherven liggen op de grond. 'Wat
was dat?' Paardman komt versuft overeind, trekt de stop
uit het bad en springt naar de brandende stukken gordijn die tegen het plafond fladderen. Is het mijn schuld?
Hij slaat het vuur met een handdoek uit. Ik wil ook opstaan, maar ben te duizelig. De rechtermouw van mijn
trui is verschroeid. Een stuk brandend gordijn valt op
Paardmans schouders. Zijn overhemd vat vlam. 'Brand,
brand!' roept hij. Moeder kijkt om de deur, loopt gillend
de gang op. Een buurman stuift binnen en dooft Paard-

man met een dweil. 'Au, au!' Paardman hijgt gevaarlijk.
Hij kan niet meer. Frisse lucht, gauw.

Buurman probeert met een haak het raam boven het
bad open te trekken. Kan niet open, heeft nooit open
gekund, dus goed genoeg voor ons. Resten brandend
gordijn dwarrelen naar de open deur. Ik sla zwarte kle-
verige as van mijn trui. Moeder komt met een emmer
water binnen en gooit die over de buurman heen. 'Mijn
broek,' fluistert Paardman.

'Hou ze nat,' roept moeder. Ze rent weer weg.

Buurman draait de kraan open. 'Uitkleden,' beveelt
hij. 'In het bad.' Ja, Paardman ook. Overhemd uit, alles
uit. Kijk, Paardman is verbrand. Moeder vult haar emmer en geeft ons de volle laag. Ik sta op zijn geblakerde
broek, de gulpknopen knarsen op het email. Paardman
schuift zijn broek met één voet opzij, tilt mij op en zet
mij op de rand van het bad. Ik leun bloot tegen zijn
schouders en hij bloot tegen mij. Ik durf niet omlaag te
kijken en druk mijn gezicht in zijn nek.

We rillen en hebben het koud. We smeulden samen
en het vroor. Mijn armen voelde ik niet meer, alleen het
biggelen van een warme traan langs mijn elleboog. Tot
we een sirene horen en zware schoenen op de gang.
Twee gehelmde mannen komen zonder kloppen binnen. 'Al klaar,' zegt Paardman tegen de brandweermannen. Dat maken zij wel uit. 'Hou je in,' bijt moeder hem
toe, ze houdt een geblakerde handdoek voor onze billen.
De rijbroek wordt met de punt van een bijl uit de kuip
gevist, in een brandemmer gekwakt en naar buiten ge-

dragen. De restanten gordijn, handdoek en overhemd moeten na inspectie ook de badkamer uit. De mannen hebben geen oog voor ons, moeder is een en al respect: 'U kwam net op tijd.' 'Het hele huis had kunnen ontploffen,' zegt een helm tegen haar. Ja, wie piept er dan nog over vlekken.

De brandweer kon geen eer aan ons behalen. We brandden niet, we kleefden. Ik had zo lang op de rand van het bad gestaan dat de blaar aan de binnenkant van mijn rechterarm aan Paardmans verbrande schouder vastzat. Ongemerkt waren we aan elkaar gesmolten. De dokter was al onderweg. Paardman keerde zijn rug naar de brandweermannen. Ik draaide voorzichtig mee en zag zijn ballen klotsen. Niet het kleven deed pijn, maar het lostrekken.

Paardman werd steeds zieker, hij ijlde dagen over zijn rijbroek. Een maand later kwam er een nieuwe per post van Hermès de Paris – in het zwart en twee maten te groot. Door moeder besteld, van grootvaders geld, om hem hoop te geven. Van passen kwam het niet meer. Te zwak. Mooie erfenis.

•

De Surinaamse buren kwamen thuis. Tassen werden uitgepakt, pannen op het gas gezet en het kind jengelde: 'Open, maak het open noh, papa.' Gescheur van papier, papa gaf aanwijzingen, mama schoof met de stoelen. Een oorverdovend lawaai denderde door het behang. *Mañana, mañana...* Een nieuwe platenspeler. Hij zong mee, zij tetterde dwars door de muziek heen: 'Hoe laat gaan die mensen komen?'

'Wat zeg je?'

'Au, knijp niet zo hard, mang.'

Ze dansten.

'Mama, heb je krau krau meegenomen?'

'Wat zeg je?'

'Krau krau.'

Ze kregen eters.

De rijbroek gleed van de haak in mijn hand... Ik streelde het suède tegen de vleug, de stukken leer bij de knie waren hard geworden. De broek had nooit een stal geroken, ik ben allergisch voor paarden. Ik kleedde me uit en probeerde hem aan. Hij paste zowaar – suède rekt mee. Ik ging voor het raam staan, wijdbeens. En ik zag mezelf dubbel. Voorkant en rug. De spiegel achter mij reflecteerde in het raam. Kont en kruis hoog in de stad. Ik voelde me weer sterk.

Twee gele ogen lichtten op voor mijn raam... een kat in de goot. Een lamp aan de overkant sprong aan, mijn spiegel brak: het meisje kwam thuis. Maar wat zag ik? Bezoek! Er liep een jongen door haar kamer, hij ging aan haar tafel zitten, ze zette twee kopjes klaar. Zij ook al. Iedereen kleefde aan iedereen.

'Begin die borden voor me te zetten, noh.'

'Niet met de pom knoeien! Straks gaan ze weer zeggen dat wij in die wasbak poepen.'

'Joyce, no fasie a pong!'

'Morgen, first thing in the morning, ga ik die gemeente bellen.'

De geur van de pom kroop onder de plint door mijn kamer in. Ik schoot Mauds trui aan, wurmde haar riem door de lussen van mijn rijbroek en vluchtte naar buiten.

Overal zag ik mensen samen, de ramen bij de Griek waren beslagen, ze dansten weer – samen. Mensen liepen gearmd met elkaar over straat, ze zaten samen voor het raam van een café, zelfs in de pisbak op de hoek van het park waren ze samen, zoveel schoenen had ik niet eerder in één krul gezien.

Een fietser stapte af, zette zijn fiets tegen het hek en stapte naar binnen, schoenen schuifelden. Ik bleef staan en luisterde... geklieder zonder woorden. De scherpe geur deed me niezen. Een jas met hoge kraag hield stil. Maar dat was toch geen man?... dat was een vrouw – of een die ervoor door wilde gaan. Opgestoken haar, rode lippen... Ze waggelde op haar hakken, draaide de bak in en draaide eruit. En ik die door wilde lopen, keek om. Ze nam me op, aarzelde, ging opnieuw naar binnen. Ik wachtte, stak een sigaret op, ze kwam weer naar buiten, liep op me af, glimlachte... Vals en kwetsbaar tegelijk. Zo doe je dat. We stonden tegenover elkaar en zwegen. Er bungelde een schuifspeld langs haar slaap. Mijn vingers jeukten.

Een politieauto minderde vaart, blauw zwaailicht kaatste tegen de krul. Mannen maakten zich uit de voeten. Twee agenten stapten uit, schenen met lantaarns over de grond. Ik liep weg, achter de anonieme voeten aan, met ingehouden pas, dat wel, want ze zouden me terugroepen... Op de hoek durfde ik om te kijken. De agenten hielpen haar de auto in, één hield een beschermende hand boven haar pruik.

Ik had haar moeten redden.

Het was een koude sterreloze avond en niemand leek alleen. Ik kon me bij de drinkers voegen, bij vreemde tafels aanschuiven en meespelen. De studentenronde lopen, te beginnen bij de cafés op het Spui, waar de neerlandici zaten. Allemaal hetzelfde gekleed, met dezelfde verhalen en dezelfde deelbare verlangens, gezeten aan tafels met Perzische kleedjes en niet één die erop kon vliegen. Of naar de nichtenkitten. Maar ik hoefde niet naar een café, ik was nog zat van de vorige nacht. Ik dwaalde en hoe later het werd, hoe minder de eenzaamheid telde. Mijn Nachtman had geen gezelschap nodig. Hij liep met iedereen. Hij sliep met iedereen. Het kon met een travestiet zijn, gesecondeerd door twee agenten. Met een keurig meisje uit Halfstad, of een student uit de Frankfurter Schule. Een kirrende leerlingkapper, waarom niet? Liefde was een toneelstuk in zijn hoofd, de stad was de plaats van handeling. En er speelde er maar één de hoofdrol: Nachtman, de kickman...

De *tules* liepen bij het Singel – zo ging het gerucht: jongens die mond en kont verkochten. Ze bedrogen hun klanten, waren gemeen, hard, niks gevoelige mietjes, maar schorem dat te beroerd was om op een fatsoenlijke manier geld te verdienen. Eigenlijk waren het helemaal geen homo's, ze waren normaal, broodpoten met vrouw en kind in West. Ze zagen er sjofel uit in hun spijker-broeken, katoenen tricots en goedkope nappajasjes met een speldje aan de linkerkant van hun revers.

De tules bezetten de brug, Nachtman koos voor het donker op de gracht. Tules hingen tegen de leuning, duimen in de broekzak, één knie opgetrokken. Nacht-man stond naast een boom. Een tule zakte door z'n knieën als er een auto voorbijreed, om te kijken wat voor vlees er in de kuip zat. Niemand minderde vaart voor Nachtman.

Hij trapte zijn tenen warm. De kou trok door zijn zo-len. De tules kwamen keuren, de een na de ander... *Een nieuwe*... Je hoorde het ze denken. Eén liep om hem heen, snoof hem op, mat zijn outfit... Een leren jack, ja, het rook nog nieuw. Toch weer gezwicht – niemand die hem in het donker zou herkennen. Witte coltrui, cow-boylaarzen... Had hij wat tegen laarzen? Zulke droeg toch iedereen? En die rijbroek... ach, wat wist zo'n slet van kwaliteit? Zijn etalage had niks te verbergen. Ze draaiden hem de rug toe: afgewezen.

Nachtman hoorde ze dellen op de brug... het ging over hem, dat ding in het donker. Straks sloten de kroe-gen en zou het drukker worden: huisvadertijd, mannen die zich bijtijds bij hun vrouw moesten melden. Hoeveel hetero's waren eigenlijk nicht...? Volgens Plato wel drie-endertig en een derde procent. Misschien moest hij meer in het licht gaan staan. Het werd drukker, er wa-ren al heel wat jongens ingestapt, weggereden en een kwartier later op dezelfde brug afgezet.

Nachtman had alle tijd om te zien hoe ze het deden...
hun lonken, de languissante gebaren, het gewapper met
de losse pols en het wegwuiven van een ingebeelde haar-
lok – hij kon het allemaal spelen. Maar toen hij eindelijk
voor een Volkswagen door de knieën ging, keek hij niet
vals genoeg, te weinig brutaal... Het was een moeilijke
rol: verveeld kijken met de spanning in zijn keel. Aardig
doen en geen afgrijzen tonen. Hij kon verzinnen wat er
van hem werd verwacht: met één hand een gulp openrit-
sen, een halfstijve pik uit een onderbroek opdiepen en je
mond tot een vurige hoepel tuiten. Hij wist het allemaal,
hij was de grootste hoer van de gracht.

Nachtman schrok van de buik en het duurde even
voor de buik een gezicht kreeg. Een gespannen wit overhemd schoof naar de lege stoel naast het stuur, een mol-
lige hand draaide met moeite het raampje open en daarachter glom een kalende man, hij moest zich aan stuur
en versnellingspook vasthouden om niet om te vallen;
de brede kant van zijn das was korter dan de smalle.

'Hoeveel?' vroeg hij.

'Vijfentwintig.'

Een knik en Nachtman stapte in. De man trok op en
keek voor zich. De auto rook naar drukinkt. 'Hoe heet
je?' vroeg hij.

'Robert,' zei Nachtman schor. Robert, Robert... was
dat wel een goede hoerennaam?

'Zo Robert,' zei de man, 'student zeker?' Tussen het
schakelen door legde hij zijn hand op Roberts knie.

'Nee,' zei de stem die nu Robert was... 'nee, gelukkig

niet.' De l kwam er mooi vet uit en hij keek er onverschillig bij.

'Ze zijn anders wel weer bezig.' Hij sprak een beetje plat en Robert wilde niet anders klinken... maar als hij geen student was, wat dan wel? 'Volgens mij hou jij veel van dieren,' zei de man. De hand gleed tussen Roberts dijen.

'Hoezo?'

De hand tikte tegen de leren stukken van de rijbroek.

'O dat... jaja.'

Robert drukte zijn knieën tegen elkaar. De man kon nauwelijks bij de pedalen, zijn witte sokken bolden uit zijn schoenen. Robert durfde niet te vragen of zijn stoel iets naar achteren kon. De geile hand deed hem pijn. Er schitterde een dunne ring tussen zijn dijen. Een trouwring? Hij zou die klootzak straks hard in zijn nek zuigen, had hij thuis wat uit te leggen.

Vader dook op, zijn oog vlamde in mijn oog. Wegslaan... Robert moest Robert blijven, een jongen zonder verleden: ogen dicht en aan het werk, toon je talent, knijp terug. Maar hij kon er niet bij, de buik drukte tegen het stuur. De man deed zijn benen wijd en leidde Roberts hand naar het vooronder. 'Maak 'm hard,' zei hij. Robert gehoorzaamde, al griezelde hij van de kwabben lauw vlees achter het gesteven overhemd. Net als de man keek hij strak voor zich uit en groef... en hoorde aan het gekreun dat hij goed zat. Zijn arm zat klem. De auto schokte. Geen woord meer. Sturen en kneden.

Ze hadden de grachten verlaten en reden door een

verlichte winkelstraat. Er zat scheerzeep achter het oor van de man. Scheert een echtgenoot zich voor het slapen? Nachtman twijfelde, maar een getrouwd man zou hem beter uitkomen, die waren bang... banger dan hij.

Het werd drukker op straat. Robert trok zijn hand terug, hij had niks hard kunnen maken. Fietste daar geen studiegenoot? Kraag op. Waar reed zijn klant eigenlijk heen? Als hij maar werd teruggebracht. Zijn kuiten krampten... kon hij zijn benen maar strekken. Hij tastte naar een knop om zijn stoel naar achter te schuiven, onder de zitting, naast het portier, achter de rugleuning. Er was nog voldoende ruimte... hé, wat was dat? Warm papier. Kranten. Hij trok er een uit de stapel... *De Telegraaf.*

'Goh, dat is de krant van morgen, is die er nu al?' Robert schrok van zijn deftige accent.

'Ja, die haal ik elke avond bij de drukkerij.'

'Om te verkopen?'

'Nee, ik ken daar mensen.'

'Ik ook,' zei Robert.

'Wie?'

Waarom had hij dat nou gezegd?

'Werkt je vriendje daar?'

'Nee, een vriendin.'

'En daar doe je het mee?' Het klonk vijandig, alsof hij een overloper was.

'Wat is het verschil,' zei Robert. Hij keek er zo gemeen mogelijk bij. 'Zolang ik met genoeg geld thuiskom,' had hij eraantoe willen voegen. Robert groeide in zijn rol. Maar hij durfde het niet, net niet.

De man schudde zijn hoofd: 'Wat vind je nou het lekkerst?'

'Wat vindt u het lekkerst?' Robert tikte op de trouwring.

'Jou,' zei de man. En hij plantte zijn rechterhand in Roberts nek en duwde zijn hoofd ruw onder het stuur. De versnellingspook trilde in zijn hals, er prikte iets scherps tegen zijn wang, zijn lippen schuurden langs een rits. Een knie veerde op. Ze minderden vaart... een scherpe bocht en de Volkswagen kwam hortend tot stilstand. 'En nou je best doen,' zei de man. Hij schoof zijn stoel naar achteren en Robert hapte toe.

Het smaakte niet. Zo goed als de man zijn kaken had geschoren, zo slecht had hij zijn kruis gewassen. Robert schakelde zijn neus uit. Er jeukten haartjes achter in zijn keel. Hij schakelde zijn tong uit. Hij hapte... moest kokhalzen.

Straks ben ik het vergeten, dacht hij, straks houd ik mijn hoofd onder de kraan en spoel ik me helemaal schoon. Hij zag alleen de kokosmat tussen de pedalen, de bodem zakte hoe langer hoe verder weg... hij zag zijn rug en vloog er mijlenver boven.

Het lukte niet. De man trok geërgerd zijn rits op. 'Ken je thuis ontvangen?' vroeg hij.

'Ja.'

'Waar woon je?'

'Eerste Jan Steenstraat.'

'Kom ik na tweeën, dan heb ik meer tijd. Ik moet

eerst effies wat afsluiten.' Hij haalde een grote sleutel-
bos uit zijn broekzak.

'Thuis komt er wel wat bij,' zei Robert. Hij liet zich
voor zijn huis afzetten. 'De deur staat op een kier, niet
aanbellen.'

Robert sloeg de kokosharen van zijn broek en ik stak
de sleutel in het slot. We hadden nog een halfuur om
mijn kamer op te ruimen. Wie woonde hier? Een student? Gelukkig niet! Foto's mocht de man niet zien. Robert moest Robert blijven. Mijn kamer moest zijn peeshok worden. Een peeshok zonder sporen.

Weg met de studieboeken, onder het bed ermee.
Schoon beddengoed, schone handdoek, schone was-
hand. De vaat aan kant. Twee wijnglazen met de theedoek opgepoetst. Een fles ontkurkt, een kaars aangesto-
ken. En zelf schoon. Nagels borstelen, nagels knippen,
van handen en tenen. En daar een vlek op de muur. De
Vim, de Vim! En vlekken op de rieten matjes. De bleek,
de bleek! Stof langs de plinten. Stoffer en blik! Alles was
aan kant, oksels fris, tanden gepoetst... de wenkbrauw
iets aangezet en dat acnélitteken rechtsonder bij de lip
weggewerkt... ietsjes maar. Zo, alles was heel. Verdomd
de gasfles – nou ja, ik zou ervoor zorgen dat mijn eerste
klant het niet koud kreeg. En straks een zacht plaatje op
en maar hopen dat de Surinamers niks zouden merken.

De volgende morgen werd er luid op mijn kamerdeur
geklopt. Ik vond mezelf gekleed op bed. Mijn hospita.

'Heb jij de buitendeur open laten staan?'

'Nee, ik niet.'

'Als ik het niet dacht, weer die tering-Surinamers. Maar dit keer heb ik ze. Te lui om hun handen te gebruiken en maar feesten, die gasten. In de wasbak poepen, dat kennen ze, die strontnikkers.'

Het bleef stil achter hun deur, ze moesten al vertrokken zijn. Ik was door alles heen geslapen. De hospita keek achter mijn rug de kamer in. De kaars had gelekt, de glazen stonden in een plas gestold vet.

'Heb je wat te drinken?' Ze stonk naar drank.

'Nee.'

'En die wijn dan?'

'Wijn?'

'Daar staat een fles, op tafel... open. Zeg, wat ben jij d'r voor een, schenk je me niks in. Kom één glaasje, voor de schrik. Ik sta nog te bibberen, voor je het weet loopt er een verslaafde bij je binnen. Je moet afsluiten tegenwoordig, alles afsluiten.' Ze ratelde. 'Eén glaasje samen, dan kennen we dat effe regelen over hiernaast. Kennen we het voor een heel jaar vooruit verhuren. Als we bewijzen hebben, zijn ze d'r zo uit.'

'Een andere keer.'

'Zeg, je gaat toch niet dwarsleggen? We houden hier wel van gezellig, weet je, en als jij niet van gezellig houdt, geef je die fles maar aan mij. Hé, hoor je dat, hóór je dat?'

'Ja, mevrouw.'

'Nou, krijg ik wat te drinken of niet?'

Ik gaf haar de fles.

IV

When I was young I tempted fate with a thousand things possessed of garish, blazing names; tumultuous events, passionate affairs and things which now amount to little. How much will I remain ashamed of, how much will surely never heal.

ERROL FLYNN, *Shooting backwards*

De penningmeester telde het geld. Hardop, met gesprei-
de armen en opgestroopte mouwen, alsof hij bang was
dat er per ongeluk een biljet in zijn manchet zou kruipen – iedereen moest kunnen zien dat de opbrengst van
de collecte bij hem in vertrouwde handen was. De Griekenlandgroep hield een open avond op de universiteit
en bij gebrek aan een notaris organiseerden we een publieke kas-inspectie, ook de lijst met namen van gireren-
de sympathisanten lag ter inzage. Tientallen bekende
intellectuelen hadden hun steun betuigd, maar het zaaltje in de Oudemanhuispoort was moeilijk te vinden en
er was hooguit een man of dertig komen opdagen. Ruim
tweeduizend gulden hadden we opgehaald, dit keer voor
de vrouwen van gearresteerde en 'verdwenen' journalisten. Zelf bedelde ik zo'n vijfhonderd gulden bijeen, in
een heuse collectebus, blauw-wit geschilderd; één avond
de nichtenkitten langs en mijn bus zat vol. Niet met
munten, maar met biljetten, de gevers boden tegen elkaar op alsof ze wilden boeten voor hun lege leven. Ik
wilde boeten: de Griekse zaak hield mij in toom. De pen-

ningmeester moest het slotje met een tang openwrikken, ik had het sleuteltje expres weggegooid. O, ik kon zo eerlijk zijn, als iedereen keek. Toen de biljetten werden uitgevouwen, rook je de eaux de toilette.

'In Amsterdam tegen het Papadópoulos-regime ageren is nobel, maar ook erg makkelijk,' zei een kleine kale man in blauwe werkmanskleding. 'We moeten méér doen.' Hij bleek onze nieuwe voorzitter te zijn; sinds we meer naar buiten traden, hadden we een bekend gezicht nodig en wie kende mr. Jacques Snoek niet? Pleiter voor alles wat links was en vastzat, beroemd om zijn ingezonden brieven. Ik had hem niet eerder gezien, maar dat lag aan mijn verleden – ik was in onwetendheid en duisternis opgegroeid; voor de aanwezigen was hij een symbool, een fakkeldrager voor de onderdrukten. Als hij sprak priemde zijn wijsvinger over onze hoofden heen: de betere wereld lag in de verte. En wij – studenten, wetenschappelijk medewerkers, een vertaler, enkele in hun reisdoel gefrustreerde vakantiegangers, een tweedehandsboekverkoper en een oude timmerman die, naar men fluisterde, Lenin nog de hand had geschud – wij waren bereid hem daarheen te volgen. Wij wílden ook allemaal meer doen. Maar wat?

'Hoe verschillend we ook zijn, één ding bindt ons,' zei de voorzitter: 'het verlangen naar rechtvaardigheid.' Wij waren tegen censuur, knechtschap, martelingen. Wij waren links. Rechts verdedigde het kolonelsregime, het vergoelijkte de afschaffing van het parlement als een tijdelijke ingreep, anders viel Griekenland ten prooi aan het communisme. Rechts had belangen. Links niet. Onze mening was ons belang. Wij dachten na! Met hoofd en hart. De beste kunstenaars en schrijvers waren links. Links gaf niet om geld maar om de broze dingen, om het recht van de zwakken, de vrijheid van de geknechten. *Eleftería.* 'Nu het fascisme opnieuw de kop opsteekt, is het een kwestie van politiek fatsoen iets van onszelf te geven: tijd, energie, persoonlijke inzet.' De voorzitter zwaaide lachend met *Het Rode Boekje* van Mao – de studenten klapten, de ouderen loeiden. Hij had de woorden van de grote roerganger echter niet nodig, hij kon het zelf zo machtig zeggen: 'Wij moeten onszelf vergeten om anderen te laten zijn.' Bestond er iets nobelers?

In Griekenland was het verzet tegen het kolonelsregime nagenoeg verlamd: er was geen stakingsrecht, de pers werd gecensureerd en de gevangenissen puilden uit. De aandacht die de westerse kranten aan de politieke processen besteedde was tot een minimum geslonken, de kans op herstel van de Griekse democratie leek kleiner dan ooit. De reisbureaus adverteerden weer schaamteloos voor vakanties in Griekenland. Wij moesten onze beklemde kameraden te hulp komen en *harde aktie* voeren. Naar Griekenland afreizen en daar contacten leggen met 'onze jongens' die als navo-soldaat op Kreta dienden, de bonzen van het grootkapitaal ter plekke dwarsbomen: Unilever, Philips, aeg.

'Boycot,' riep iemand achter in het zaaltje.

'De panden van alle fascistenvriendjes bekladden!'

opperden twee neven, die ik kende als strijders van het eerste uur.

We schoven de stoelen dichter bij elkaar en smeedden plannen. Een van de aanwezigen had goede contacten in de Rotterdamse haven en kwam met het idee de arbeiders te vragen alle schepen van Onassis besmet te verklaren. Anderen overwogen Theodorakis naar Nederland te halen, Melina Mercouri... de ruiten hier en de ruiten daar moesten eraan geloven en op Schiphol mocht geen Grieks vliegtuig meer landen.

'In de fik steken die handel,' zei de timmerman.

'Maar toch geen geweld?' vroeg ik.

'Waarom niet? Als dat nodig is...' De timmerman keek me misprijzend aan. Ik was hem niet eerder op een van onze bijeenkomsten tegengekomen, al kende ik hem wel van gezicht; hij fietste alle rellen af, overal waar wat te protesteren viel – teach-in, bezetting – stond hij vooraan, breed en trots in zijn pilopak, een kinnebak vol verontwaardiging. Wat zocht hij bij ons? Ik had me netjes aan hem voorgesteld en een hand geschud die in geen jaren een hamer had vastgehouden. 'Zo'n kolonelsminister die communisten dieren noemt mogen ze van mij gerust neerknallen,' zei hij.

'Dat is ook verschrikkelijk,' zei ik.

'Wat weet jij daarvan?' Zijn ogen volgden de vouw van mijn broek... de man kon ook niet ruiken dat ik expres voor flannel en blazer had gekozen; ik wilde deze open avond neutraal overkomen. Als iedereen er rood uitzag, verloren we krediet, dacht ik. Heel Nederland moest achter de Grieken staan. 'Met goede manieren win je geen oorlog,' schamperde de timmerman.

Sloeg dat op mij? Ik was ook tegen de oorlog verdomme, of moest je in vodden lopen om links te zijn? Ik stond aan de goede kant. 'Je moet de vijand bespelen,' zei ik.

'Hoe?' snauwde de timmerman. 'We hebben lang genoeg met onze armen over elkaar gezeten. Verzet is geen spel, geen collecte, geen gelul... het gebeurt of het gebeurt niet.'

'Zo is het.' 'Precies.' Instemming alom.

'Met zachtzinnigheid bereik je niets,' bromde de timmerman.

'Maar Plato zegt dat je nooit mag worden wat je haat.'

'Plato, Plato, ja, daar zitten ze in de Griekse gevangenis op te wachten.' De timmerman wuifde mijn woorden weg: 'Plaahtoo...' Sprak ik het zo deftig uit? Om me heen klonk gelach... Blazer of niet, ik liet me niet in de rechtse hoek duwen: die klootzak moest mij aardig vinden – hij mij wel en ik hem niet, zo lagen de verhoudingen – en dus maakte ik Plato voor de gelegenheid wat linkser. 'Hij kwam anders wel op voor de arbeiders!'

'Dat heeft nogal effect gehad,' zei de timmerman triomfantelijk. 'Je moet geweren met geweren bestrijden.'

De voorzitter zag mijn vieze gezicht en zijn wijsvinger prikte in mijn richting: 'Je hebt positief geweld en negatief geweld.'

Ik wilde nog iets over geweld zeggen, waarom ik ertegen was – omdat ik het eng vond natuurlijk, maar dat klonk zo dom. Helaas was ik pas halverwege mijn Plato-prismapocket en door die dialogen wist ik ook niet precies wat hij nou zelf vond en wat zijn tegenstanders, maar militairen en dictators wees hij af, zover was ik al. 'Plato verzet zich tegen de dictatoriale mens,' zei ik.

'Hij was juist gek op dictators,' pareerde de timmerman.

'Hij bespotte ze,' zei ik, 'hij bespot hun mooie grote bonte gewelddadige legers. En gelijk heeft hij, ik haat mannen in uniform.' Mijn wangen gloeiden, maar niet van schaamte, ik durfde langzamerhand best iets in het openbaar te zeggen en ik ging er zelfs bij staan. 'Volgens Plato...'

Een student maande me te gaan zitten. Ik dwaalde af.

Maar ik liet me niet wegsturen. 'Volgens Plato zijn de voorwaarden voor menselijk geluk: rechtvaardigheid en evenwicht.'

'Dus moeten we geweld met geweld bestrijden,' zei de timmerman, 'ter wille van het evenwicht.'

'Geen onrecht doen en geen onrecht lijden, dat is het ideale evenwicht.'

De timmerman gaapte, de anderen keken gegeneerd naar de grond. Maakte de naam van Griekenlands grootste denker geen indruk meer op filhellenen? Ik las hem heus niet alleen omdat homoseksuelen met hem wegliepen, Plato leerde íedereen hoe te leven. Hij pleitte keer op keer hartstochtelijk voor de vrijheid, zelfs voor vrijheden die de vrijheid in gevaar brachten: je mocht denken en zeggen wat je wou!

'Plato bevrijdt,' mompelde ik en ik schoof mijn stoel uit de kring omdat ik naar een meesterlijk citaat zocht waarmee ik iedereen de mond kon snoeren. Maar zijn woorden zaten nog niet helder in mijn hoofd, want hoe moest ik dat verlangen naar totale vrijheid met geweldloosheid rijmen? Dat was het nadeel van Plato, hij sleepte je mee in zijn gelijk, ook als je er niet naar leefde, of als hij zichzelf tegensprak. Ik moest het allemaal nog eens grondig overlezen.

De voorzitter was naast me komen staan. 'Misschien moet je het eens opschrijven,' zei hij, 'voor een andere keer, maar nou hebben we je nodig.' Hij vroeg of ik even met hem de gang op wilde gaan. Ik mocht Jacques tegen hem zeggen – al noemde de timmerman hem 'meester'.

Jacques vond dat ik met mijn hart gesproken had. Dat was moedig. 'Je hebt gelijk,' zei hij op samenzweerderige toon, 'tot op zekere hoogte.' Hij probeerde een arm om mijn schouder te slaan, maar kon er nauwelijks bij. 'Als overal politieke en sociale rechtvaardigheid heerst, bestaat er inderdaad geen geweld.' Onderwijl opende hij de deur van een ander lokaal, bedompt van collegezweet en even morsig als het onze; daar konden we rustiger praten. Hij gebaarde me te gaan zitten en begon hardop te denken: 'Hoe moeten we ons dat voorstellen? Kunnen de mensen het leven zo inrichten dat niemand onrecht doet en niemand onrecht lijdt? Dan moet er geen mens boven je staan die misbruik van zijn macht maakt. Om dat voor elkaar te krijgen, moet je zelf veel macht bezitten. Zoveel macht dat niemand je onrecht aan kan doen.' Hij tekende een schema op het bord: een blok 'macht' versus een even groot blok 'massa'. Alleen de massa kon zich het blok macht toe-eigenen, alleen de massa had recht op zoveel macht, niet een kleine groep die zijn eigen belangen had. Zo'n kleine groep wilde de macht niet zomaar afstaan, dus moest ervoor gevochten worden. Dat was onvermijdelijk... Soms moet je een minimum aan onrecht doen om een maximum aan recht te verkrijgen... soms moest je een minderwaardig mens opofferen om een goed mens te redden... Pfft... Snapte ik wat hij bedoelde? Jacques had al orerend een sigaret gerold en was erbij gaan zitten. Hij bood me zijn shag aan, maar na drie verpeste vloeitjes draaide hij er een voor mij. Zijn ogen lieten me niet los toen zijn tong langs de gom likte.

'Ik dacht dat links tegen het leger was,' zei ik.

'Je bent toch geen pacifist?'

'Ik ben tegen militaire dienst.'

'Waarom?'

'Zonde van je tijd. Moord uit passie kan ik begrijpen, maar moorden in uniform is me te stompzinnig... Maakt dat me tot een pacifist?'

Jacques reageerde geïrriteerd: 'Wat moet de Vietcong met pacifisme? Hoe moet zo'n volk zich verweren tegen een man als generaal Ky, die zegt dat Hitler zijn grote voorbeeld is? Met een geitenwollensokkenmars? Pacifisme vernietigt het verzet.'

Tjee... zo had ik er nooit over nagedacht.

Pacifisme vernietigde meer, volgens Jacques, het maakte de mensen tam: 'Het vernietigt de faculteit je tegen de zonde te verzetten.'

Begreep ik hem goed? Zonde? 'Volgens Baudelaire werkt de zonde juist bevrijdend...'

'Hou nou eens op, denk zelf! We doen hier niet aan letterkunde, we strijden tegen het fascisme. Dat is de zonde waar we ons tegen moeten verzetten! De zonde van Auschwitz,' zei Jacques heftig.

Wist ik dat niet van die timmerman? Dat was een verzetsheld, hij had zijn vrouw in de oorlog verloren en zo was het met de meeste leden van de Griekenlandgroep – slachtoffers van het fascisme. Ik kende die twee studenten toch wel, die neven? Hun hele familie vergast. 'Ja... hadden we toen maar wat gedaan,' fluisterde Jacques. Nu had half Nederland een kwaad geweten omdat het destijds de andere kant opkeek. 'We moeten het fascisme blijvend bestrijden, met alle middelen die ons ten dienste staan. Nobel geweld knaagt niet aan het geweten.'

Hij had gelijk. Aardig dat hij de moeite nam mij dat allemaal uit te leggen. Ik had te argeloos voor Griekenland gekozen, aangetrokken door die dansende mannen bij mij om de hoek in de Pijp, door de ruimdenkende Plato en de goden en de mythen. Mr. Jacques Snoek zag het scherper: 'Als je voor de vertrapten en onderdrukten kiest, is dat geen vrijblijvende keuze; zo'n besluit heeft radicale consequenties. Dat kan niet zonder vuile handen.' Zijn blauwe werkmanspak glom in het neonlicht.

Hij haalde *Het Rode Boekje* uit zijn kontzak, ditmaal keek hij er ernstig bij... hij zocht een citaat, maar kon het zo gauw niet vinden: 'Het komt hierop neer,' zei hij: 'als het moet, gaat het machinegeweer boven de pen!'

Met een vertrouwelijke kneep in mijn bovenarm leidde hij me weer terug naar de vergaderzaal. 'Ik heb het hem even uitgelegd,' zei hij tegen de twee neven. 'Hij had het moeilijk met geweld.'

'Dus hij doet het?' vroeg de timmerman.

'Wat?'

'Je weet wel, waar we het eerder over hadden,' zei een van de neven.

Ze keken me doordringend aan, en voor ik verder kon vragen, liep ik tussen hen terug naar het stille lokaal. We kenden elkaar van vorige vergaderingen, de een heette Lex, de ander Simon – ik haalde ze altijd door elkaar: twee donkere krullenbollen in blauwe spijkerpakken, allebei met opgetrokken stoere kraag... aardige jongens, nou ja, jongens, ik noemde iedereen een jongen, ze waren minstens tien jaar ouder dan ik – doorknede PSF-ers, al sinds de oprichting studerend aan de Politiek-Sociale Faculteit, maar ze namen me tenminste serieus. Ze waren enthousiast over mijn ideeën, we hadden samen de collecte voor de vrouwen van gearresteerde journalisten voorbereid. 'Je bent betrouwbaar en gemotiveerd,' zei de een. 'Je hebt meer tijd dan wie ook gegeven, eigen initiatieven ontplooid,' slijmde de ander. Ze spraken bekakter dan ik, maar niemand die hen daarom bespotte. Voelde ik niet iets voor het bestuur? Penningmeester? Zoveel geld als ik ophaalde. Zij zaten er nu ook in.

'Ik wil graag meer doen,' zei ik.

'Heel goed,' zei de kleinste van de twee.

'Dus jij doet de bom,' zei de ander.

'O, de bom, ja, ja, natuurlijk.' We lachten ongemakkelijk, het was een oud plan, vaag besproken... gewoon een namaakbom door de ruiten van Olympic Airways gooien. Hoe haalde je anders nog de pers? Niemand was beter voor deze opdracht geschikt dan ik... zo'n keurige jongen, wie zag in mij een oproerkraaier? En wat goed uitkwam: ik had geen politiek verleden.

Hoezo?

'Als ze je pakken, heeft het geen partijpolitieke gevolgen,' zei de kleinste. Hoe heette hij ook alweer? Simon? Ja, de kleine was Simon – de s van small.

'We doen het toch samen?' vroeg ik.

'Natuurlijk...' 'Maar iemand moet hem gooien.' De neven vulden elkaars zinnen aan, ze spraken met één tong, en als ze zaten, leken ze ook even groot – mooi en intelligent waren ze, en droevig dus, dat wist ik nu, en uitverkoren. Ik wilde dolgraag bij hun wereld horen.

'Jullie komen toch voor me op?' Ik zag bespoten muren voor me, met leuzen die mijn vrijheid eisten.

'Natuurlijk. Maar mocht de politie je willen verhoren, zeg je niets,' zei Lex.

'Dat hoop ik.'

'Hoop? Je gaat je kameraden toch niet verraden?'

'Nee, nee. Zolang ze me niet dwingen...' Ik had er

mijn Jeanne d'Arc bij op kunnen zeggen... *Ik kan geen pijn verdragen en als u me pijnigt, zal ik alles zeggen om de marteling te stoppen...* maar op de Griekenlandgroep sprak je niet over het toneel.

'Er kan je niks gebeuren.' 'De pakkans is nihil.' 'Vier uur 's nachts... een wandelaar op het Leidseplein, niemand zal iets vermoeden. Zeker als je die studentikoze regenjas aantrekt en die VVD-schoenen.' Beiden keken misprijzend naar mijn brogues. 'Je doet het dus?' vroeg Lex.

'Te voet?'

'Dat was toch het oorspronkelijke plan?'

'Ja, we zouden een steen gooien, op klaarlichte dag... tijdens een protestmars, maar alleen loop je meer risico. Kunnen jullie geen auto voor me versieren?'

'Nee, natuurlijk niet,' riepen ze in koor. 'Wij kennen geen mensen met auto's!' Zo ingewikkeld was het niet. Voorbijlopen, bom door de ruit en rennen, hard wegrennen. 'Je hebt dertig seconden de tijd,' zei Lex.

'Dertig seconden?'

'Tussen het breken van de ruit en de knal.'

Maar was het dan een echte bom?

'Natuurlijk,' zei Simon, 'wat dacht je dan?' 'Zet je fiets om de hoek,' zei Lex.

Wanneer moest het gebeuren?

'Morgennacht,' zei Simon beslist.

'Dan kan ik niet,' zei ik opgelucht.

Niets mee te maken, het plan duldde geen uitstel. Het moest voor de eenentwintigste april – de verjaardag van de staatsgreep! De pers verwachtte iets. Lex zou meteen na de aanslag het ANP bellen.

Hoezo? Ik mocht de primeur toch doorgeven? Hadden ze daar ook al afspraken over gemaakt?

'Je moet niet te veel vragen,' zei Simon, 'hoe minder je weet, hoe beter het voor ons allemaal is.'

Het gonsde in mijn hoofd. Ja, ik kende de regels van het verzet. Maar ik wilde toch nog een en ander weten... details: hoe zwaar was de doos, viel het niet op, hoe sterk was die bom, hoe groot zou de schade zijn? Ik vuurde de vragen op de neven af, haalde hun namen door elkaar – heette die kleine niet Lex? De l van little toch? Of de s van small?

'Het is een kleine bom,' zei de een. 'Alleen om ze te laten schrikken,' zei de ander.

Ze keken zo geërgerd dat ik niet verder durfde vragen. Ik duwde alle binnenstemmen weg en zei: 'Oké.' Als het erop aankwam zou ik gewoon aan andere dingen denken, ik had een voorbeeld te evenaren – de man in mijn ooghoek zou me bijstaan.

De bom lag al klaar, er moest alleen nog een persbericht bij. Morgenavond om deze tijd zouden ze hem bij mij op de Jan Steenstraat bezorgen.

Het diascherm kon worden uitgeklapt.

Een van onze leden was in Griekenland geweest, als kritisch toerist. Hij had de Zesde Vloot van het Amerikaanse leger in de haven van Piraeus gefotografeerd. Het zag er grijs van de oorlogsschepen. Dia voor dia schoot voorbij: de poort van de Avérof-gevangenis in

Athene, het hoofdkwartier van de Gestapo in de Bamboulinastraat. Ook ondersteboven zag de NAVO-basis Chaniá op Kreta er huiveringwekkend uit. Tanks tot in de hemel. Scherp waren de opnamen niet, maar het was ook zeer gevaarlijk militaire objecten te fotograferen. Er stond gevangenisstraf op. *De Nieuwe Linie* zou een paar foto's afdrukken. Ik voelde mijn moed groeien. Ja, wij waren goed. Wij waren solidair. En al plakte mijn hemd aan mijn bast, angstzweet moest ik maar voor lief nemen als ik deel van de geschiedenis wilde zijn. Ik zóu mezelf vergeten!

De kritische toerist liet ons nu zijn vakantiefoto's zien. Mooi land, vriendelijk lachende mensen. Later zou ik daar ook heengaan, na de bevrijding. De oud-Griekenlandgangers zuchtten van verlangen. De timmerman vond het maar niks. Wat een armoe die huizen, uit elk dak prikten betonstaketsels. Zo beroerd hadden die lui het nou, daar kon je toch geen vakantie vieren. En die Akropolis, allemaal slavenarbeid... Was dat ding eigenlijk ooit afgebouwd?

Werner had me eendere foto's laten zien. Veel amfitheaters en witte stranden met blauwe bootjes. Hij was maanden in Griekenland geweest, niet als toerist, maar als onderduiker. Een paar dagen na ons bacchanaal werd de grond hem te heet onder de voeten: zijn vader hield niet op met meppen en er viel een oproep voor militaire dienst op de mat. Hij jatte wat hij bijeen kon jatten en vertrok met vaders portefeuille naar Athene. Maar de arm van de militaire politie bleek lang en uiteindelijk belandde hij in Nieuwersluis, de penitentiaire afdeling van de Koning Willem III-kazerne. Hij las mijn brief achter de tralies.

Er moesten nog heel wat brieven overheen gaan voor ik toestemming kreeg hem op te zoeken. Aan Werner lag het niet, hij antwoordde meteen, kort en korzelig: 'Leef je nog? Ik ben heel erg ziek geweest.' Ik schaamde me dat ik zo lang met schrijven had gewacht, belde herhaaldelijk naar de kazerne zonder te worden doorverbonden, en toen het eenmaal tot onder die legerpetten doordrong dat we elkaar wilden zien, kregen ze er plezier in ons nog langer uit elkaar te houden. Na veel zeuren kreeg ik tenslotte een kwartier.

Werner ontving in de ziekenboeg, alleen, rechtop in bed, met gemillimeterd haar, een boventand minder en een verband om zijn buik; hij zag nog wel een beetje bruin van de Griekse zon.

'Wat is er gebeurd?' vroeg ik.

'Ik ben geopereerd.' Zijn stem klonk zwak. Hij had een lepel ingeslikt, zei hij, het ding was er vorige week uitgehaald. Twee holle ogen keken me aan, maar ze fonkelden gelukkig en de spot zat nog als vanouds om zijn lippen. Werner speelde de gek.

'Waarom een lepel?'

'Een vork prikt te veel.' Hij wilde kost wat het kost de dienst uit. Niks hielp verdomme. Thermometer in de thee, kilo's asperges gegeten voor een stinkplas, ui onder de oksel, liters rum gedronken, zijn kop kaalgeschoren, lage rugpijn geveinsd... de legerarts trapte er niet in. Pa Trip had de MP voor het acteertalent van zijn zoon gewaarschuwd. Al vanaf de eerste dag hadden ze de pik op hem.

We waren blij elkaar terug te zien, maar vermeden de vraag waarom het zo lang had moeten duren; echt vertrouwelijk raakten we niet. 'Ze houden me hier de hele dag in de gaten,' zei Werner. Zodra hij ook maar een voetstap op de gang hoorde, begon hij glazig te giechelen. Speelde hij het spel niet te goed, te lang... was hij misschien echt in de war geraakt? Zijn ogen tastten de kamer af, tot ze gelukzalig bleven steken bij de stralenkrans van Griekse ansichtkaarten om zijn hoofdeinde. 'Kon er geen kaart voor mij af?' vroeg ik om hem tot de orde te roepen.

'Ik was niet met vakantie.'

'En toen je hier zat? Wel week in week uit adverteren – *Werner zoekt een kamer* – en mij niets laten weten.'

'Dat deed ik om ze hier gek te maken: elke dag telefoon voor Trip.' Werner perste speeksel door zijn ontbrekende voortand.

'Doe normaal,' zei ik, 'ik hoor niet bij ze.'

Hij keek me ernstig aan, voor het eerst: 'Ik dacht, ik ben er zo uit,' zei hij somber.

'En nu?'

Hij haalde zijn schouders op. Er was nog één uitweg. Hij had de studentendecaan gebeld en verteld dat hij homoseksueel was, maar dat hij zich te veel schaamde om dat aan de legerarts te vertellen. De decaan beloofde al zijn invloed aan te wenden.

236

'Gebruik je daar de homoseksualiteit voor?'

'Heeft het nog enig nut. Ik heb de psychiater opgebiecht dat ik me uit heimwee bedrink en al een jaar met jou samenwoon. Hij weet dat jij me vandaag bezoekt.'

'Heb je mijn naam genoemd?'

'Vanzelfsprekend.' Werner keek me pesterig aan.

'Dus nu sta ik bij de BVD voor eeuwig als flikker te boek?'

'Rustig maar, de psychiater komt zo.' Hij legde een troostende hand op mijn schouder. 'Ik voel botten,' zei hij.

'Zeven kilo eraf,' zei ik trots.

Er verscheen een witte jas in de deuropening. Werner keek me plotseling smachtend aan... wat verwachtte hij? Gespeelde hartstocht? Een afscheidszoen kon hij van me krijgen, vluchtig op de wang, waar de psychiater bij stond. Maar praten met die man? Ja, ik was me daar gek.

Een week of wat later werd onze zoen toch beloond: Werner mocht Nieuwersluis verlaten. De decaan had uit een speciaal fonds een studiebeurs voor hem geregeld en ook een kamer op de Casa Academica, een studentenflat aan de rand van de stad die 's zomers als hotel werd geëxploiteerd; zelfs zijn *Parool*-annonces werden vergoed. Die bofkont betaalde nauwelijks huur en kreeg verdomme meer geld dan ik.

De dia's drensden maar door. Onze kritische toerist was niet te stuiten. Hup, weer zo'n blauw tafeltje met gammele stoelen tegen een witte muur en een nog blauwere zee. En hoe schattig die ezels! Wat zou Werner eigenlijk van die bom vinden? Was zo'n daad gerechtvaardigd? Hij zou in Griekenland toch wel iets van die kolonelsterreur hebben gemerkt? Als hij er net zo over dacht als ik, moest hij me helpen, dat was hij aan me verplicht. Misschien smeten we de bom samen in de gracht.

Wat deden die vruchten ineens op het scherm? Hele stillevens had onze fotograaf gecomponeerd, om ons te laten zien hoe warm en ver Griekenland wel niet was: granaatappels, vijgen, druiven, citroenen als karbonkels, abrikozen... op een oude ringmuur uitgestald. De vruchten des velds, vrij voor het volk. De timmerman zei dat hij aan een appel kon proeven of hij uit een goed of een fout land kwam. In het Oostblok spoten ze niet met gif, daar smaakte fruit nog ouderwets.

Met roodomrande ogen gingen we uiteen, de voorzitter prikte met zijn wijsvinger op mijn hart. Een kameradengroet. Bij de deur nam Lex – of Simon – me nog even apart: 'Maak je geen zorgen over die bom.'

'Jij hoeft hem niet te gooien,' zei ik.

'Het is een baksteen, een nepper.' Ik vloekte binnensmonds en wist niet of ik kwaad of opgelucht moest reageren. 'Het was een test,' zei hij, 'zowel voor jou, als voor ons – soms is dat nodig – je wilt weten hoe ver je kan gaan en op wie je kan vertrouwen.'

'En?'

'Zou je het echt hebben gedaan?' vroeg Lex, of Simon.

'Geen idee,' zei ik, 'dat weet je pas als hij in je hand tikt.'

Maar de bom had al de hele avond in mijn hoofd getikt.

*

De huurauto stond op mijn naam, Werner reed. Ik mocht een rijbewijs hebben, hij had meer ervaring. Hij keek gespannen in de achteruitkijkspiegel en kauwde op een handje koffiebonen. We zagen er netjes uit. Om geen argwaan te wekken droeg ik mijn brogues en regenjas, Werner zijn schoolcamel; op de achterbank lagen twee zwarte truien waarmee we ingeval van nood in het duister konden verdwijnen. De nummerborden had ik met modder besmeerd. Werner vond mijn voorbereidingen bespottelijk.

Om de tijd te doden hadden we op mijn kamer een paar flessen wijn gedronken. Ik had zelfs een plaat opgezet: Miles Davis, *L'ascenseur pour l'échafaud*. We probeerden aandachtig te luisteren. Werner keek ernstig, met zijn volle kop haar. Geen angst in zijn ogen, geen kloppende zenuw in zijn nek – alles onder controle. Hij leek weer helemaal de oude, de waanzin was uit zijn gezicht getrokken en achter zijn dunne lippen school een hersteld gebit, de nieuwe stifttand week nauwelijks af. De decaan betaalde ook de tandarts. In Amsterdam zouden we echte vrienden worden, ik voelde het die avond – een tikkend ongeduld; hij was bereid met mij een risico te delen en zijn aanwezigheid maakte me sterk. Ja, ik was hoopvol gestemd, al luisterden we naar galgenmuziek.

Over de bom spraken we nauwelijks. Werner had er

geen moeite mee. Even wilde ik hem doen geloven dat het een echte was. 'Wat vind je,' vroeg ik, 'moet ik het doen?'

'Als je denkt dat het helpt,' zei hij. De kolonels lieten hem koud.

'Stel dat er mensen in dat kantoor zitten?'

'Werken ze nog zo laat?' Maar toen de bom tegen tienen werd bezorgd, gewoon achter op de bagagedrager van een van de neven, en ik hem de doos in handen duwde, deinsde hij achteruit. 'Hij tikt,' zei hij geschrokken.

'Het is een steen,' zei ik aarzelend, 'met een wekker.' Maar ik zette de doos toch heel voorzichtig neer... dat getik hadden we niet afgesproken.

'Wat maakt het uit,' zei Werner. Hij klonk teleurgesteld.

'Zou je het gedaan hebben als het een echte was?'

'Ik doe het voor jou,' zei hij.

Het was druk op het Leidseplein, de bioscopen gingen uit. Werner laveerde de auto behendig tussen de fietsers door... daar reden we nou, over het magische plein waar Max Heymans door zijn hakken zwikte, waar provo's en rookmagiërs hun rituelen verrichtten en zonnebrillen en zwarte truien de mode bepaalden, wij, twee jongens uit Halfstad die er nauwelijks de weg kenden, laat staan de vluchtroutes. Ook wij zouden hier onze sporen nalaten. Zwijgend maakten we onze eerste ronde, de plastic bekleding van de voorbank plakte onder mijn dijen.

De cafés zaten barstensvol. Toch leek me dit een bete-re tijd dan de twee neven voor ogen stond. Zo laat in de nacht was je kwetsbaarder, op dit uur kon je makkelijk in de massa verdwijnen, bovendien sorteerde je meer effect: gratis mondreclame.

Het kantoorgebouw van Olympic Airways lag een paar panden naast de City-bioscoop, in de rustige hoek van het plein. 'Denk niet dat ik voor die etalage blijf stil-staan,' zei Werner, 'ik rij door en wacht om de hoek. Stap uit, doe je ding en loop kalm weg!' We zouden eerst een paar proefrondjes rijden. Stoppen, tellen, doorrij-den...

Ik nam de doos op schoot. Het tikte in mijn botten. Het deksel was met zwarte tape afgeplakt en bovenop zat een brief voor de eerlijke vinder – er had ooit iets vettigs in die doos gezeten en de tape begon los te laten. Het karton gloeide. 'Leg je hand er eens op,' vroeg ik aan Werner, 'kan een steen lekken?' Maar Werner hield beide handen aan het stuur; er reed een witte politieauto achter ons. Ik verstopte de doos tussen mijn benen.

De lichtreclame van Olympic Airways wierp een blau-we plas over de stoep. Nu niet opvallen, gewoon recht voor ons uit kijken. Hé, daar stond iemand voor de etala-ge. Een man met een deken om zijn schouders. Nog een rondje rijden, de politie van ons afschudden en hopen dat de man ophoepelde. Werner hield zich keurig aan de verkeersregels, de stuurversnelling schakelde als boter en hij gaf zonder horten en stoten gas. 'Komt door de wijn,' zei hij. Wij gingen rechtsaf, de politie ook. Werner vrat nog wat koffiebonen, gaf mij er ook een paar en bleef alert in de achteruitkijkspiegel turen; frisgebekt reden wij, de richtingaanwijzer tikte braaf in de bochten. De hele voorbank tikte, mijn regenjas rook naar reuzel.

De politie verdween uit ons oog. Pas toen we voor de derde keer langs de etalage van Olympic Airways reden, durfden we goed naar binnen te kijken. *'Your only thought is to get away from it all'* stond er op een koffer naast een strandstoel – ik dacht meer aan vluchten dan vakantie. Verdikkie, die vent hing er nog steeds rond, hij was op de grond gaan zitten! 'Jaag hem weg,' zei ik tegen Werner.

'Doe het zelf.'

'Dan weet hij meteen hoe ik eruitzie.'

Werner stopte even, claxonneerde zacht, maar de man keek niet op. Hij was zich aan het installeren voor de nacht – karton, deken, blikje – overduidelijk een zwerver die bij de verlichte vensters warmte zocht en onderwijl ook nog een centje van late feestgangers hoopte binnen te halen. 'Gooien die bom,' zei Werner, 'dit kan nog uren duren.'

De man leunde met zijn hoofd tegen het glas... nee, hij moest daar weg, we zouden hem kunnen verwonden.

'Laten we eerst iets gaan drinken,' zei Werner.

'Ben je gek, het is al bijna middernacht.'

'Kan de revolutie niet een dagje wachten?'

'Het moet om twaalf uur precies.'

'Neuroot.' Hij gaf gas en reed door.

Ik moest me beheersen om niet te gaan schreeuwen. Het was mijn bom, verdomme, ik was de baas. Als Werner te beroerd was die zwerver te verjagen, deed ik het zelf! Met een tientje bracht ik hem wel op andere gedachten.

We besloten ergens te parkeren. Na het zoveelste ommetje vonden we eindelijk een plaats in de buurt van het Rijksmuseum. Er zat niks anders op dan terug te lopen. Met de bom. Na een minuut zeulen en zuchten nam Werner hem van me over. Hij droeg hem als een veertje. Was het raar, twee mannen met een doos op dit uur? Misschien moesten we plat praten, net doen of we ergens een zooi vet moesten bezorgen.

Werner dook met de doos op zijn schouder het portiek van de City-bioscoop in en ging de filmladder bestuderen. Ik liep op de zwerver af. Hij had de deken om zich heen gewikkeld en leek te slapen. Ik bonsde op de ruit. Nog een keer, tot de deken bewoog. 'U kunt hier niet blijven,' zei ik. De man kreunde, begon zich te krabben. 'Kom, het is beter als u gaat.' Hij sloeg de deken van zich af en wees naar een affiche in de etalage achter zich: 'Kríti.' Kreta, mooi ja... en nu wegwezen. Ik gaf hem een duw, maar hij trok aan mijn arm, stak zijn hand naar mij uit. Er liepen mensen voorbij, ze keken naar ons. Kalm blijven, niet aan hem trekken. De man stonk, of was ik het zelf? Die doodsbleke arm, vol blauwe plekken en korsten... Ik kende die arm, die geur. Zisis! Jij hier? Wat doe je hier zo laat? 'Kríti,' hij was van Kríti. Ja, jongen. Zisis was dronken en niet van plan weg te gaan. Hij bleef hier de hele nacht zitten. Zijn rotte tanden lachten me toe. Zisis protesteerde tegen de kolonels. Hij trok een karton onder zijn billen vandaan en liet me de tekst lezen: *Griekenland vrij*. Ik hield hem een tientje voor, twee tientjes. Hij sloeg ze af. Zisis was in hongerstaking. Ik moest naast hem komen zitten, mee de wacht houden. Hij stak het waxinelichtje in zijn conservenblik aan. Morgen kwamen er meer: Costas, Janos... allemaal, het hele café. Zisis plantte het bord tussen zijn benen. Morgen was de demonstratie.

'Lukt het?' vroeg Werner met een half hoofd uit het portiek van de bioscoop. Ik deed een laatste poging, hurkte voor Zisis, probeerde hem te overreden, maar voelde ook ogen achter me: voorbijgangers bleven staan. Ik kwam weer overeind, liep naar Werner. Wat keek die man daar verderop bij die bank? Hoe lang zat hij er al, hing er een camera om zijn nek? 'Wegwezen,' siste ik. Werner kwam uit zijn schuilplek tevoorschijn, hield de doos tegen zijn buik gedrukt, nam een aanloop, mikte... en daar vloog de bom, met olympische kracht over mijn hoofd heen, dwars door het glas, in de strandstoel.

Iemand gaf een gil. Ik keek niet om, wilde wegrennen, maar Werner greep me bij mijn arm. 'Rustig, heel rustig.' Zijn stalen greep dwong me in zijn tempo. Ik rukte me los, dook de hoek om, en weer een, en rende een lange straat in richting Amstel. Toen ik me halverwege omdraaide, zag ik het silhouet van een rustig wandelende Werner naderen. Ik kon niet meer en wachtte hem hijgend op in een kelderportiek.

Wat nu? Niet naar mijn huis, uitgesloten. De politie zou de buurt uitkammen: Zisis wist zo'n beetje waar ik woonde. Mijn hart bonkte uit mijn lijf. Werner kwam treiterig langzaam aangelopen, op schoenen met losse veters. 'Hij ging niet af,' giechelde hij.

'Klootzak.'

'Ach, één ruitje.'

'We zijn erbij, gloeiend erbij.' In de verte loeiden sirenes... brandweer, politie. Moesten we niet voorzichtig naar het Leidseplein, om te zien wat we hadden aangericht?

'Nee,' zei Werner, 'alleen een amateur keert terug naar de plek van de misdaad.'

Bij De Blauwe Ballon vroeg niemand waar je vandaan kwam – en waar je heenging deed er niet toe. Naar de verdoemenis zo te zien. Er werd zwijgend en ernstig gedronken toen we de trap naar de kelder afdaalden. Aan elektriciteit deden ze niet in dit hol, kaarsen, overal kaarsen, meer had je niet nodig om je glas of je mond te vinden. Er waren er zelfs die dat licht ondraaglijk vonden, niet de mooiste mensen naar hun schaduw te oordelen. Gebochelden lesten hier hun dorst, drinkers van wie de nek naar slurpen stond, de vreemdste lui klonterden aan de tafels bijeen.

Werner kende de tent 'van horen zeggen'. Het duurde even voor het tot me doordrong waar we naartoe waren gevlucht. 'Het is een nachtclub,' zei hij, 'geen café.' Ze sloten pas als de laatste klant vertrokken was. Een drummer uit het militaire hospitaal had hem erover verteld, die vent zat de hele dag op alles wat los- en vastzat te timmeren – borden, tafels, beddenspijlen –, stapelgek was-ie. Zelfs de naam van die drummer bleek slagkracht te hebben want toen Werner bij de ijzeren deur zijn naam noemde, veranderde de boze blik achter het luikje in een lach, gordijnen werden voor ons opzijgeschoven en voordat onze ogen goed en wel aan het duister gewend waren, telden we ons geld en zetten het op een drinken.

Niemand keek naar ons, hoe anders we er ook uitzagen. Ik meende nog steeds sirenes te horen, maar na een paar glazen gleed de spanning van me af en liet ik de mensen en de geluiden op me inwerken. Een krakende vloer, gemurmel van stemmen, het ontkurken van flessen en gekletter van glazen en naast ons, in een donkere hoek, het monotone gebonk van een man die zijn woede op een standpaal stond te koelen. Hij ging fanatiek tekeer, om de paar stoten deed hij een stap achteruit om zijn vuist boven een kaars te inspecteren. Een vuist zonder vingers. Alleen wij groentjes keken ervan op. Bij nader inzien had de man helemaal geen rechterhand. 'Een vriend van je drummer?' vroeg ik.

'Nog gekker,' zei Werner. 'Wat denk je: Zou het hem opluchten?'

'Moet je z'n grijns zien. Die vent heeft zijn hand in de oorlog verloren.'

'Hoe kom je daarbij? Je weet niet eens hoe oud hij is.'

'Hij vecht heel gestileerd, oosters... Korea vermoed

246

ik... iedereen heeft een verhaal boven zijn hoofd hangen.'

'Misschien heeft hij net als jij te veel films gezien.'

'Alleen een oorlog krijgt je zo gek.'

'Ik ga het hem meteen vragen.' Werner stond op.

'Als je het maar laat.' Ik trok hem weer naast me op de bank. 'Hij zal erover liegen.' ...En die dikke man aan de overkant, die in dat boekje zat te tekenen, met die bakkebaarden, zilveren bril en vlinderdas... Die zo eng lacht? Ja, wat denk je dat hij doet?

'Naar jou staren,' zei Werner.

'Architect. Je ziet het aan de snit van zijn jasje – zwart corduroy, het artistieke alternatief voor een pak, maar hij gaat een stap verder: geen revers, geen kraag – verbouwde mode.'

'Ja, zo lust ik er nog wel een paar.'

'Wedden? Als ik nog langer naar hem kijk, kan ik je vertellen waar hij vandaan komt... België schat ik, want hij heeft geen smaak.'

'Spaar me,' zei Werner. Hij liep naar de bar – waar hij als kennis van de drummer zijn bestellingen niet meteen hoefde af te rekenen – en vandaar, met twee lekkende glazen in de hand, naar de man in corduroy. Hij sprak hem aan, losjes, alsof ze elkaar kenden; de man luisterde geamuseerd. En ik betrapte me erop dat ik Werner jaloers gadesloeg... hij bleef zo zichzelf onder vreemde mensen. 'Die kerel werkt gewoon bij de Amsterdamse opera,' zei hij terug achter onze tafel. 'Het volgende rondje is van hem.'

'Gewoon? Heb je gevraagd wat hij daar doet?'

'Ga zelf.'

'Ik kijk wel uit.'

'Wat ben je toch een rare snijboon, een hoofd vol mensen maar als er één te dichtbij komt ren je weg,' zei Werner. 'Allemaal bindingsangst... contactgestoorde fantast.'

Meneer de psycholoog in de bocht, voor alles een etiket. Ik maakte juist te makkelijk contact, begreep hij dat niet? Mijn afstandelijkheid werd ingegeven door mensenkennis. Eén blik en ik wist wat mensen dachten en wat ze over mij dachten, en dat belemmerde mij in mijn omgang met hen. De signalen die ik de hele dag opving... kwetsuren, verlangens, verwachtingen. Hoe kon ik me daarvoor afsluiten? Allemaal projectie, vond Werner. 'Schaamte,' zei ik, 'plaatsvervangende schaamte. De wand tussen mijzelf en de ander is eerder te dun dan te dik. Ik voel andermans ongemak.'

In De Blauwe Ballon had ik er minder last van, het donker dreef ons naar elkaar toe, drank spoelde alle maskers af: de gek kon ongestoord gek zijn, een zuiplap schandelijk dronken... je kon er ook in je eentje dansen, zoals de vrouw aan de overkant in de zwarte lange rok. Vol zelfvertrouwen was ze binnengekomen, recht en trots, onbewust van spiedende ogen. 'Kijk,' zei ik tegen Werner, 'die vrouw kent geen schaamte.'

'Jij valt op hysterische types,' zei Werner.

Ze was opvallend mooi voor dit donkere hol, haar kleding stak af bij het gezelschap hippies dat haar omringde: Vikingen in gebloemde broeken, Afrikanen in bonte hemden – muzikanten naar de vorm van hun koffers te oordelen. Ze zat zelf vol muziek! Je zag de melodie in haar kont, al klonk die alleen in haar hoofd. Alicia, werd ze genoemd.

Een van de Afrikanen haalde zijn saxofoon uit de koffer en Alicia begon te zingen: *'Les amants des prostituées sont heureux...'* Ze had een heldere stem, de saxofoon fladderde achter haar aan... We vielen allemaal stil, ook de bokser. Hoeren omhelzen? Je aan de schoonheid verbranden, jong sterven... *'l'abîme qui me servira de tombeau...'* Je hoefde niet veel Frans te kennen om het te kunnen verstaan, er was maar één dichter die graftomben bezong: Baudelaire, het kon niet anders. Ze zong over Icarus, vliegend naar de zon... *'brûlé par l'amour du beau'*. Wat een van God gegeven dichter was hij toch... 'Prachtig,' fluisterde ik. Dat kon geen toeval zijn. Ik had *Fleurs du mal* goed gelezen, maar dit kende ik niet... het was toch wel míjn Baudelaire? Alicia keek mijn kant op. 'Bravo,' riep ik luid. 'Bravo.'

'Ze is dronken,' schamperde Werner.

'Een mens moet altijd dronken zijn, volgens Baudelaire.' Dat die vrouw van haar leven een bende maakte, zag ik ook wel... ze zoop, danste van glas naar glas langs de bar. Haar ogen lagen diep, haar huid was doorschijnend, haar nekspieren stutten een anorexiakop... hysterisch oké, maar ze meende wat ze zong! Dat kon ik zien. Alicia imponeerde me en ik had genoeg gedronken om háár te durven imponeren. Maar toen ik met een mond vol Baudelaire op haar af wilde stappen, stond ze al voor me. 'Vond je het mooi?' Ze keek me met een schuin hoofd aan. Haar gezicht zat onder de lachende plooitjes... ze gaven haar een onschatbare leeftijd.

'Het was toch Baudelaire?' vroeg ik.

Goed geraden... en er was nog veel meer van hem op muziek gezet. Alicia stelde me aan haar vrienden voor, ze hadden die avond ergens in de provincie opgetreden 'voor anderhalve zot en een paardenkop'. Ik mocht bij haar komen zitten. 'Je bent nieuw,' constateerde ze.

'Komen jullie hier vaak?'

'Dat houd ik niet bij. Elke keer is de laatste keer.'

'Ben je bang om het bij te houden?' Ze keek me streng aan. 'Ik vraag het niet uit nieuwsgierigheid,' zei ik beteuterd.

'Waarom wil je dingen weten die al gebeurd zijn?'

'Ik ben gek op herinneringen.'

'Ook op slechte?'

'Het verleden ligt tenminste vast.'

Haar ogen keurden niet af, ze verkenden. Ze zag me voor vol aan. Onze toon veranderde: we filosofeerden over het leven! 'Ik leef om terug te kijken,' zei ik, 'daarom wil ik zoveel mogelijk meemaken.'

'Toekomst en verleden zijn ficties... ik leef bij het moment.' Ze glimlachte om de ernst van haar woorden.

'Jij liever dan ik, achteraf weet ik altijd heel goed wat ik had moeten doen. Ik ken beter mijn rol in wat geweest is dan in wat moet komen. Ik heb geen idee wie ik nú ben... wat voorbij is kan ik beter beheren.'

We speelden verbaal pingpong. Anderen zouden haar misschien oppervlakkig noemen, maar ik vond haar juist geheimzinnig, ze onthulde niets. Ze wilde iemand zonder geschiedenis zijn, iemand die doet, zonder zich al te veel vragen te stellen: 'Ik heb geen last van vroeger.'

'Onmogelijk,' zuchtte ik, 'maar het lijkt me heerlijk.'

'Je kunt het leren,' zei Alicia.

'*De Telegraaf*, het ochtendblad van morgenochtend...' schalde het door de kelder. Een kleine man met golvend haar stapte de trap af en ventte zijn warme kranten uit. Ik kocht er meteen een... Op de voorpagina geen woord over de bom, ook niets op pagina twee of drie. Mijn ogen vlogen langs de kolommen. 'Als je nou eens begon met geen kranten te lezen,' zei Alicia.

'Tenzij het nieuws is dat op de feiten vooruitloopt,' zei ik. 'Is het waar dat er een aanslag op het kantoor van de Olympic Airways is gepleegd?' vroeg ik de krantenman.

'Kan best,' zei hij, 'het Leidseplein is ontruimd en afgezet.'

'Heeft u iets gezien?'

'Nee, ik kon er niet langs.'

Ik maakte me ongerust, we moesten onmiddellijk terug. Of eerst Maud bellen... op dit uur? Misschien was het beter bij Werner naar de radio te luisteren. Er moest ergens iets faliekant fout zijn gegaan. Ik had Maud de primeur gegeven, beloofd was beloofd, ze had me verzekerd dat alles wat voor middernacht in Amsterdam gebeurde nog kon worden afgedrukt – aan ons had het niet gelegen.

Werner zat nog in de andere hoek, achter een tafel vol glazen. Hij wilde helemaal niet weg, nog lang niet, en zeker niet met mij naar zijn kamer. 'Die rot-Casa met dat smalle rotbedje.'

'We moeten toch ergens heen?' drong ik aan.

'Eerst mijn wijn opdrinken.'

'Je glas is bijna leeg.'

'Ik drink niet zo snel, ik ben niet zo'n schrokop als jij, ik savoureer...' Hij grijnsde en bleef zitten waar hij zat. Ook de barkeeper, die langzamerhand wel eens wilde afrekenen, kreeg hem niet weg en de jongens van de band evenmin. 'Niet slaan,' zei hij tegen een Afrikaan van twee meter die zich naar hem overboog. Hij klemde zich vast aan de tafel.

Buiten bleek het al licht te zijn en de ene gast na de andere vertrok. De barkeeper had bruinebonensoep gemaakt, zou hij daar nuchter van worden?

'Ik ben nuchter,' protesteerde Werner en hij klapte met zijn gezicht plat op tafel. Hoe ik ook aan hem trok, er was geen beweging meer in hem te krijgen. De dikke in het zwart geklede man kwam zich er ook mee bemoeien. 'Is dat je vriend?' vroeg hij. 'Ik ken hem van school,' antwoordde ik. Vriend... eng woord. De man sloeg zijn tekenboek open en liet me een paar schetsen zien. 'Maar dat is Werner!' zei ik verbaasd. 'Naar het leven,' en hij klapte zijn tekenboek weer dicht. Vlaams accent, dat Werner zoiets niet meteen hoorde!

Alicia ging er ook vandoor, alleen. Ze noemde me Broertje. 'Dag Zusje,' zei ik. We kusten elkaar, haar vingers speelden in mijn nek... ze drong niet aan. We beloofden elkaar spoedig weer te zien.

'Broertje?' mompelde Werner, 'er is hier maar één broertje en dat ben ik.'

•

De gibbons maakten het meeste lawaai. Vooral 's morgens vroeg en tegen schemertijd. Als ze me in mijn nieuwe onderkomen wekten, was hun geschreeuw al half in mijn droom geslopen en werd ik in een familieruzie wakker. De eerste dagen ging ik veel naar Artis om gezichten bij de geluiden te zoeken. De gibbons kon ik blind vinden, maar ze zaten te ver weg om de grootste herrieschopper eruit te kunnen pikken. Met de zeeleeuwen had ik beter contact, ook enorme schreeuwers. Ik fixeerde de driftigste duiker en – of hij het voelde of niet – na verloop van tijd kwam hij mijn kant op geschoven en keken we elkaar minutenlang aan. Ook zeeleeuwen hebben gedachten. Golven van genegenheid zonden we uit. Sindsdien konden ze me niet meer storen.

De pauwen mochten ze wat mij betreft de tongen uitrukken, om die vervolgens in mierzoete wijn te stoven en in een pastei op te dienen, zoals ze op Byzantijnse bruiloftsfeesten deden. Hun naargeestige roep achtervolgde me tot diep in het huis en bleef tot laat op de avond in de ventilatiekokers hangen. Raar om die beesten trots en ijdel te noemen, waarom zoveel lawaai als je jezelf toch al mooi vindt? De Grieken begrepen het beter, die associeerden pauwen met schaamte.

De nachtvogels klopten zich ook op de borst. Maud

woonde aan de volièrekant en elke nacht kraaide de jungle door haar kamers. Ik had mijn toevlucht op haar bovenetage gezocht – een noodgeval – en sliep slecht de eerste nachten. Al wakend las ik heel wat af – veel oude Grieken; de onnuttigste kennis bleef hangen.

Werner had me de middag na de bom verhuisd, nog halfdronken maar gewillig, en hij wist de huurauto zonder deuk in te leveren. Het leek me verstandig onder te duiken, zeker nadat ik Mauds kant van het verhaal had gehoord. Het Leidseplein was inderdaad afgezet – er bestond zelfs een foto van de rug van de dader: een man in een witte regenjas die hard wegliep. Met de complimenten van *De Telegraaf*. Maud kon me gelukkig uit de krant houden. Haar chef had een fotograaf naar het Leidseplein gestuurd. Hij vond het verdacht dat ze een bericht wilde plaatsen over een aanslag die nog niet bewijsbaar had plaatsgevonden. De krant was geen prikbord voor terroristen. Toen de toedracht tot de hoofdredactie doordrong, hielden ze haar de hand boven het hoofd: de leerling-journaliste kon stante pede vertrekken.

Allemaal mijn schuld. Vaders regenjas dreef al ergens in een gracht – zonder etiket. Alsof ik hemzelf verzoop. Maar Maud kon ik niet zomaar van me afwerpen, ik had haar ontslag op mijn geweten. 'Hoe maak ik het goed?' vroeg ik toen ik tussen de dozen bij haar op de gang zat.

'Door flink huur te betalen,' zei ze lachend. Nee, ik hoefde me niet schuldig te voelen: ze wilde daar toch weg, er moest iets in haar leven veranderen. Ze ging nu ernst maken met de onderverhuur van haar bovenverdieping. Het geluk zo'n ruim huis te bewonen wilde ze graag met anderen delen, en helemaal als ze er geld aan overhield. Onafhankelijkheid was belangrijker dan zekerheid. 'Ik ga freelancen,' zei Maud, 'liever een paar huurders boven mijn hoofd dan bij mijn vader aankloppen.'

O, die deftige dokter Fannisch ten Cate, zo minzaam tegenover zijn patiënten, maar hardvochtig voor zijn dochter omdat ze niet volgens het boekje studeerde. 'Zo nu en dan komt hij onaangekondigd langs, om te kijken of ik het volhoud. Niet dat hij iets om me geeft,' zei Maud, 'hij is bang dat ik de familie te schande zal maken. Hij controleert zelfs mijn slaapkamer!' Onlangs had ze hem de deur gewezen omdat hij aan haar lakens zat te ruiken. 'Hij wilde weten of ik soms met iemand sliep.'

'Zie het als een ingewikkelde vorm van vaderliefde.'

'Liefde? Bezitsdrang. Hij is als de dood voor liefde. NVSH-brochures mogen niet in de wachtkamer liggen, dat hoort niet in een fatsoenlijke praktijk: alleen arbeiders gebruiken condooms. Ik moet als maagd het huwelijk in; als het aan hem lag, zou hij me elke week met mijn benen wijd op zijn behandeltafel inspecteren.'

Hoe kon het dat Maud zo vrijgevochten was?

'Ik heb ook nog een moeder,' zei Maud. Een deftige dame die niks gek vond, maar ook niks serieus nam – in het bijzonder haar echtgenoot niet. Mauds vader was een man om uit te lachen. Ik lachte zuur mee, jaloers op zoveel zelfvertrouwen – ik had het conflict op heel wat grimmiger wijze opgelost.

Maud zette me in als pion voor haar vrijheid: de bommengooier mocht de stellingen boven haar hoofd betrekken. Ik, die in Halfstad van het grindpad was gestuurd, werd nu goed genoeg bevonden om een deftige vader buiten de deur te houden. Zelden betaalde ik zo graag mijn huur, al moest ik ervoor uit werken gaan.

Uiteraard had ik een geschikte kandidaat voor de zolder in gedachten, maar snel beslissen was niet Werners sterkste kant. Hij wilde liever aan de grachten wonen en dus veroordeelde hij zich onnodig lang tot een hok met kakkerlakken en faraomieren aan de rand van de stad. Pas toen de Casa in de zomer weer hotel werd, trok hij bij ons in.

Hij kwam met twee plastic vuilniszakken binnenlopen – één met boeken, één met kleren. 'Wanneer komt de rest?' vroeg ik.

De rest? Dit was het. Geen bed, geen tafel, stoel of schemerlamp. 'Er zijn kloosterlingen die het met minder doen.'

De arme jongen bezat helemaal niets. Zijn vader had hem doodverklaard, alleen zijn moeder trok zich nog iets van hem aan, op haar manier, door een maand na zijn 'verhuizing' een doos nieuwe overhemden te laten bezorgen – eerlijk gestolen van haar man. Werners klerenkast was een touw tussen twee balken. Zoveel soberheid bracht het beste in ons boven: Maud schonk de matras van haar logeerbed, ik de lakens en de slopen. Maar toen hij onze ijskast plunderde, mijn borden leende en Mauds zilveren bestek, daagden we hem uit zelf iets te kopen. We deelden een bovenhuis met elkaar, en de keuken en het bad; we waren géén commune.

Ons schoolverleden had ons bijeengebracht, maar hoe goed kenden we elkaar? Ik had gehoopt dat samenwonen minder eenzaam zou maken: vriendschap bood houvast, je hees je aan elkaar op en dan dacht je minder aan het touw. Alleen, we moesten nog echte vrienden worden. En lukte me dat wel? Vertrouwd was ook benauwd. Vooral na veel drank wilde ik ontsnappen, maar ik durfde niet, de trap kraakte zo. Al lieten we elkaar vrij, we lagen ook met ons oor voor de deur; één hoefde maar naar de keuken te sluipen of we stonden er alledrie. We hongerden naar gezelligheid... en drie was wel zo veilig.

Kwam ik bekaf thuis van mijn baantje als ober in tearoom Formosa – ik moest wel, drie banken belaagden mij – dan hoorde ik aan Mauds tragere tikken dat ik welkom was voor een praatje. En als ik na een uur Mikis Theodorakis draaien een andere plaat opzette was dat voor haar een signaal míj te storen. Ze wist dat ik onder zijn muziek 'Griekse verzen' schreef. (Niet dat ze iets mocht lezen, want het rijmde en dat was in die dagen nog erger dan homoseksualiteit.) Werner maakte de luiste geluiden: hij wekte ons met zijn fluitketel, die hij halfdroog liet koken; daarna perste hij zijn sinaasappels op mijn machine – heel lang, heel luid – en liet hij het bad uren lopen, terwijl hij zich op bed voornam spoedig te water te gaan. Hij at ook elke dag hetzelfde. De gewoontes hechtten zich aan hem. Je kon ook altijd bij hem terecht, hij gooide zijn boek voor elk praatje opzij. En als ik dan weer uren bij hem op de grond had gezeten, nam ik me voor de eerstkomende dagen zijn gezelschap te mijden. Die gapende luiheid... Hij deed niets, helemaal niets, ging niet naar college, nam geen enkel initiatief, hij volgde ons waar we hem vroegen, liet zich traktaties welgevallen en verder lag hij maar en las. Ik was als de dood dat hij me in zijn afgrond mee zou sleuren. Hij lokte zonder een hand uit te steken. Niet weer... dacht ik, niet passief, maar passie: we moesten iets doen! 'Je voert geen donder uit,' zei ik bestraffend.

'Ik lees.'

'Je rot door je matras heen.'

'Ik heb geen stoel.'

'En die zal er zo ook niet komen.'

'Ik stel andere prioriteiten,' zei Werner.

Het kon hem niks schelen of er een bloemkoolgrote schimmel in de soeppan bloeide en Maud had er geen oog voor. 'Ruik je het dan niet?' vroeg ik.

'Wel iets, ja,' zei ze verstrooid, 'ik dacht dat Artis kwam binnenwaaien.'

Het lukte me niet als bohémien te leven. Ons huis moest schoon en heel zijn en al wist ik dat het truttig was, ik kon er niet tegen als mijn zegelservies tussen hun vuile stapels verkleefde. Het waren mijn spullen – ondeelbare spullen.

Voor de lieve vrede probeerde ik me te beheersen, maar als het laatste schone bord gebruikt was, hield ik het niet meer: 'Er staat weer een week afwas,' gilde ik uit de keuken.

'Ik ben niet aan de beurt,' riep Maud dan steevast van achter haar deur.

'Het zijn jouw pannen.'

'Ik heb niet gekookt.'

'Werner!'

Werner antwoordde niet, hij hoorde ook niets, het bad liep – Werner weekte het liefst in lopend water. Er zat geen druk meer op de keukenkraan. Ik nam de vuilste borden, stoof er de trap mee op en kiepte ze bij hem in het bad... Zo mooi als borden in zeepsop naar beneden zeilen, zo dof ook als scherven op de bodem dansen en Werner voorzichtig één been optrekt en doorleest.

·

Maud had briefjes op de trap gelegd: huisvergadering. Toegang: één fles rode wijn. Eerst lullen, dan eten. We vulden onze glazen, Maud sneed de hete Spaanse worst, Werner en ik zaten mokkend tegenover elkaar en tussen ons lag de lijst met klachten. De hoge telefoonrekening – niemand had zoveel gebeld. De lekkage onder het bad – Werner wist van niets. De loszittende traproedes – wie tilde er zijn poten niet op? Het nieuwe afwasrooster – ik had het deze week al drie keer gedaan. En de muizen! Ja, die kwamen door het gat in Werners muur. Waarom maakte hij dat niet dicht?

'Ik heb er geen last van,' zei Werner. 'En waag het niet met je belachelijke stoffer en blik bij me binnen te komen.'

'Hoe kan je in zo'n puinzooi leven?'

'Dat kleinburgerlijke verzet van jou tegen verval. Accepteer het, het is er.'

'Waarom ben je zo'n verschrikkelijke tut?' vroeg Maud.

'Zelfbehoud,' zei ik. 'Zijn jullie niet bang om te vervuilen?' Ze haalden hun schouders op. 'Je moet ertegen vechten, met zeep, borstel, vaatdoek, plamuur en witsel, stofzuiger, strijkijzer, naald en draad – elke dag weer die stompzinnige rituelen, anders eindig je als die zwerver tegenover Artis. Hebben jullie zijn blote voeten gezien? Zijn zool is verhoornd – hij heeft geen schoenen nodig. Zijn broek glanst van het vet, zijn haar is een levende koek... Zo'n man jeukt in mij!'

'Hysterische empathie,' vond Werner, die al weken in bad *Inleiding tot de psychiatrie* las.

'Maar ik hoor hem ook schreeuwen, hij schreeuwt in mijn hoofd.'

'Wat roept hij dan?' vroeg Maud.

' *"Heb ik wat van je aan, hufter?"* Hij is kwaad, hij spuugt op nette mensen...' Ik spuugde in mijn handen, maakte mijn haar in de war en speelde de zwerver. Fles aan de mond! Een slok, een boer, een vloek en ik schold de huid van de wereld vol...

'*De hufters, de hufters, hufters... Ze schrikken als ze mij zien zitten, durven niet goed te kijken, ze denken dat ik geen nut heb, maar als de rijken mij ruiken zijn ze tevreden met hun rijkdom, de armen schenk ik zelfrespect, de goedgevige loopt lichter nadat hij mij is gepasseerd. Moe-*

ders vitten niet meer op kinderen die hun kleren vuilmaken, ik maak ruimte in de volste tram. Rokers houden schonere longen als ik om hun peuken bedel. Eet ik uit openbare prullenbakken, dan houd ik de ratten van de straat. En ik geef de overlevenden het gevoel dat ze er tenminste nog íets van hebben gemaakt. Toch zijn de mensen bang als ze mij voorbijgaan, bang dat ik ze aan zal raken en besmetten, bang voor zoveel onwelkom nut...'

De straat verengde zich weer tot kamer en ik zag Maud verbaasd kijken. Werner schudde afkeurend zijn hoofd: 'Je decompenseert.'

'Ach klets, ik verplaats me in een man die de maatschappij uitkotst.'

'Wie kotst wie uit?'

'Allebei mekaar.'

'Je schrijft die zwerver wel erg dichterlijke gevoelens toe.' Werner had hem ook bij de poort zien staan: 'Puur geval van Korsakov, zo'n man kan helemaal niet meer denken, zijn hersens zijn door de alcohol verpapt.'

Ik gaf het op en zocht mijn gelijk in het keuren van een nieuwe fles wijn. Werner knoeide, Maud zaagde met haar mes in mijn tafel en zag hoe ik me verbeet. 'Ach wat, we gaan er allemaal aan,' riep ze vrolijk. Proost, we verdelgden nog een hersenkwab!

•

'We moeten iets doen,' zei ik tegen Werner. Het was al na middernacht en volle maan. Artis had een andere plaat opgezet: de wolven gaven concert. We zaten op mijn kamer, ik lag op de kistjesbank en Werner hing in een stoel. Het werd alweer winter en het leven lag op zijn gat. Studeren kwam neer op inschrijven en wegblijven; niemand die je erop aansprak want we waren volledig gedemocratiseerd: iedereen een zeven. Griekenland moest het met een actievoerder minder stellen: alle avondbladen hadden weliswaar onze mislukte aanslag gemeld, maar ook het signalement van de dader. Sindsdien vermeed ik de vergaderingen en kleurde ik mijn haar met roodbruine henna. En wat kwam ervoor in de plaats? Het bed! Overdag erin, 's nachts erop – zelfs een beer in winterslaap voerde meer uit. Maud ging tenminste vroeg slapen, maar die wist ook waaróm ze op moest staan. Ze had een baantje bij een of ander tijdschrift in de provincie. Ja, Maud had ambities. En wij? We dronken en sliepen lang uit – te lang. 'We verniksen deze korte dagen,' zei ik.

'We lezen,' wierp Werner tegen.

'Maar je doet er niets mee! Het raakt je niet.' Hoe kon hij *De Toverberg* lezen zonder zich als een Hans Castorp in de dekens te wikkelen. Hoeveel pakjes had ik niet gerookt tijdens *De Bekentenissen van Zeno*? Als Franny flauwviel, voelde ik de buil; zat Zooey in het bad, dan balanceerde ik op de twee droge eilanden van zijn knieën. Maar Werner had Salinger uitgelezen, ik niet. 'Het windt me te veel op,' zei ik, 'het gaat allemaal over mij.'

'Je stelt je op als het middelpunt der aarde.'

'De enige emotie die jij toont is het omslaan van een bladzij.'

'Waarom maak je je zo groot?'

'Omdat ik groot wil zíjn.'

'Heb je niet genoeg aan wat je bent?' O dat superieure lachje... wat had hij een plezier in zijn gelijk.

'Wat kan ik nou?' verzuchtte ik.

'Toneelspelen.'

'Niet volgens de regels van het spel en ik weiger om een amateur te zijn. Hobby's zijn voor tevredenen en legen.'

'Maar je schrijft toch nog wel gedichten?' Nu keek hij lief... ik geloofde werkelijk dat hij me wilde troosten.

'Allemaal niks... ik kan in rijm praten, maar op papier val ik stil. Ik droom te veel en doe te weinig... Jacques Perk schreef op zijn achttiende een sonnettencyclus, Rilke debuteerde op zijn twintigste, Baudelaire was tweeëntwintig toen hij zijn beste gedichten schreef. En hoe oud ben ik? Wat heb ik gepresteerd? Geen ene kloot. En toch... als ik die grote dichters lees, dan wil ik de wereld ook een trap verkopen: mijn ware ik laten zien... mijn verschrikkelijke ik.'

'Daar ga je weer...'

'Jaaa...' schreeuwde ik, 'maar ik wil niet miezeren, niet in grauwheid ten onder gaan. Er moet toch iets zijn dat je vleugels geeft?'

'Op naar de zon,' spotte Werner.

'Ja, als Icarus. Kapotgaan aan de schoonheid, hoger kan niet.' Stel je voor dat hij braaf naar zijn vader had geluisterd – *Icarus, blijf in het midden, blijf tussen de golven en de wolken* – dan was er nooit een zee naar hem vernoemd. Hij móést zijn vader negeren, dat was zijn kunstwerk: het gelukkige moment dat hij zijn vader oversteeg.

'Al dat uitblinken, wat levert het je op?'

'Roem, erkenning.'

'Niet iederéén zal voor je klappen!'

'Kan me niet schelen, als ze maar opkijken.' Ik stond op om *Les Fleurs du mal* uit de boekenkast te pakken, om Werner onder zijn neus te duwen dat hevig leven tot de grootste kunst kon leiden, en dat vond je ook in de goot: Baudelaire kon uit modder goud maken... maar ik trapte de wijn om en de fles rolde klokkend over de planken. Ik rende naar de badkamer, pakte een handdoek en depte de vlekken.

Maud klopte op de deur: 'Ik kan niet slapen.'

En daar zaten we weer met ons drieën. Wijn genoeg in huis – mooie wijnen zelfs. Ik trok een St. Emilion uit 1946 open. 'Een vredesdruif.' We proefden het er niet aan af. 'Gejat uit Formosa,' zei ik, 'in de mouw van mijn obersjasje naar buiten gesmokkeld. De oude dames die daar zitten drinken toch alleen maar sherry – met hun hoed nog op.'

Ook de smaak van diefstal proefden we niet. Het was een zware wijn, met erg veel droesem onder in de fles. 'Oorlogsschroot,' noemde Werner het. Maud kroop bij me op de bank en dreigde weer in slaap te vallen. Werner liet zich op de grond zakken. Ik zette een plaat op: Mikis Theodorakis' *Mauthausen cyclus*. We zouden er treurig van moeten worden, maar we werden het niet... we keken stil voor ons uit. Werner schoof naar de bank, steeds dichterbij, ik kon zijn haar aanraken, hij werd kaal. Ik streelde zijn kruin. Maud kreunde. Ik wrikte me los en trok nog een St. Emilion open – '46 was een goed jaar, besloten we. En we dronken op onze vaders, die ons in dat jaar hadden verwekt... de stakkers.

We bleven op tot Mauds wekker afging – het was nog stikkedonker. Geen van ons drieën wilde die nacht het eerst naar bed. Geen van ons wilde alleen naar bed.

•

'Als dief kijk je anders naar de wereld, het draait maar om één ding: wat valt er te halen en hoe kom ik ermee weg. Als ik een museum binnenstap, tekent zich vanzelf een plattegrond in mijn hoofd: wat is de snelste weg naar buiten, hoe werkt de beveiliging, waar zitten de suppoosten, letten ze op, of zitten ze met open ogen te dutten? Kunst kan de aandacht afleiden, maar vitrines en haakjes vragen om een gedisciplineerdere blik: hoe hangt het schilderij, hoe dik is het glas, hoe werkt het slot? Het dievenpad kent vele hindernissen. Neem de zaak goed in ogenschouw en bereken de sprong.

Sinds kort heb ik een juwelier op het oog, de chicste van de stad, aan het Rokin. Nu denk je: bivakmuts op, handen omhoog, tas volgooien en weg op de brommer... maar zo moet het dus niet. Waarom zou je die lui de stuipen op het lijf jagen? Vraag je eerst af wie je wilt zijn: een verzamelaar, een overspelige minnaar, een provinciaal? Kleed je ernaar en word die ander. Geef je niet bloot, steel eerst een personage.'

We zaten aan tafel te eten en ik sprak met geleende

tong – ik gaf college in de misdaad. Maud volgde een schriftelijke cursus journalistiek bij de Leidse Onderwijs Instellingen en moest binnen één week een interview met iemand uit haar omgeving inleveren. 'Ik dacht meteen aan jou.'

'Maar dan als boef,' had ik gezegd. 'Anders wordt het te saai.'

De taperecorder stond tussen de borden, en de keuken zag blauw van de rook. Ik hoefde me maar flink in te schenken en de ingebeelde levens dienden zich aan. De twee jaar dat ik in Amsterdam woonde had ik goed rondgekeken – ik kon stelen wie ik wou.

'Neem de verzamelaar,' vervolgde ik: 'ietwat verstrooid, schuifelende stap... Hij komt de winkel binnen en koopt iets kleins, zilverpoets. Vraagt of ze ook oud zilver restaureren. Kijkt wat rond. Rekent af. En loopt nog even langs die ring met roos geslepen diamant in de vitrine. "Is dat een roosdiamant? Een Hollandse roos, is het niet? Vierentwintig facetten..." Ze halen hem graag tevoorschijn. Laat ze modderen met de sleutels. Kijken, vergelijken. Merken kennen, namen. Zetting, karaat... een middagje veilingcatalogi bestuderen en je bent specialist. Ken de internationale concurrentie: Asprey, Van Cleef & Arpels en spreek het goed uit, op zijn Frans: Arpèls. We zijn niet van de straat. Mooi, mevrouw, meneer, maar deze ring is het nét niet. Vraag een tasje voor de zilverpoets. Op een drukke middag kom je terug, met dat tasje. Je weet nu blind de weg. Ah, een klant, denkt het personeel, een klant met een tasje van ons. Ring bekijken, en nog een, lang twijfelen. De deur wordt bewaakt met een knopje. Nu gaat het erom alle ringen bijeen te graaien en weg te rennen op het moment dat er iemand de deur uitgaat. Die vlucht, die sprong naar de vrijheid, daar loop ik mee in mijn hoofd. Pakken, zonder gepakt te worden, dat is de kunst... Alle ogen zijn op je gericht, je bent wild en jager tegelijk. Het gevaar doet een beroep op je verstand, het verplicht je om exact te werk te gaan – één fout en je gaat eraan. Je moet je concentreren, je kracht kennen, je zwakte, alles hangt af van de juwelensprong: dát is de schoonheid.

Neem ouwe vrouwtjes, ook een hobby van me. Weduwen uit de betere buurten. Zo'n schonkige bontjas volgen, versleten, omdat ze zuinig zijn. Zuinige mensen zijn vaak rijk – hoe word je het anders. Mee tot aan de deur, help desnoods een handje, werk je naar binnen en ga in de hal op zo'n vrouwtje zitten. Even maar. Dat klaaglijke gekraak. Oud mannetje mag ook. En alleen iets kleins meenemen. De buit is niet van belang, ik steel om weg te geven. Een broche voor een vriendin, manchetknopen voor een vriend – hele lichte, waardevolle dingen. Je bent geen verhuizer.'

'Grootspraak,' zei Werner terwijl hij een stuk vlees tussen zijn tanden met een lucifer zat los te pulken.

'Grootspraak? Je eet er anders van.'

Het hoofdgerecht bestond uit een gestolen rollade van Albert Heijn – iets te weinig doorbakken, maar de mosterdsaus maakte veel goed. Ik wist niet dat ik het in me had, dat koken, maar ik deed het graag. Maud, die sinds haar baan de rijkste van ons drieën was, betaalde al zoveel, dit was mijn manier om iets terug te doen. Gewoon naar Albert Heijn, tas mee, een grote tas met een los stuk zeil op de bodem. Hang hem aan het karretje en rijen maar... langs de schappen, alle goedkope aanbiedingen af, veel wc-papier, dat vult. Al rommelend verstop je de duurste lekkernijen onder het zeil in je tas. Bij de kassa reken je netjes af, je pakt je tas en stapelt je eerlijk betaalde spullen op de onzichtbare rollade.

'Je solliciteert naar straf,' zei Maud.

'Nee, naar beloning. Ze zouden me moeten belonen voor alles wat ik niet meeneem, daar valt wat ik wel meeneem bij in het niet.'

'Ik vind hem wel erg taai,' zei Maud.

Tja, vind je het gek, Albert Heijn kocht heus het beste vlees niet in. Werner tastte zijn voortanden af. Het grootkapitaal was niet te vertrouwen, dat zag je maar weer. Zijn stifttand zat los. Om de pijn te verzachten ontkurkte ik een heerlijke rioja. Daar waren we eigenlijk tegen, wij zouden ook nooit naar Spanje met vakantie gaan, zolang Franco er aan de macht was en de worgpaal in gebruik. Maar ja, van Albert Heijn kon je geen solidariteit verwachten. Het was goed dat we hem bestalen.

'Eens wil ik toch een echte klapper maken,' zei ik. 'Ik heb een paar keer de kans gehad... het geld lag voor het grijpen. Soms ben je er een millimeter van af. Maar de millimeter is de moeilijkste sprong, zoals een huid onoverkomelijk dik kan zijn voor de eerste heroïnenaald.

Laatst stond ik in de rij een armzalig chequeje van tearoom Formosa te verzilveren, honderdzestig gulden voor een week oberen, toen voor me een man werd geholpen die pakketten geld door de lade toegeschoven kreeg. Duizenden guldens weekloon, en dat verdween zomaar in een tasje. Die man heb ik tot aan de fabriekspoort gevolgd. Na zo'n wandeling beland ik bij de hoeren. Geil van opwinding.'

'En later spijt zeker.' Werner lachte me uit.

'Spijt is verspilde tijd... Ik meen het. Ik zou een uitstekend misdadiger kunnen zijn. Van het hoogste niveau, alleen het allerbeste en het allermooiste wordt verzameld. Mooi beroep als je erbij stilstaat, prima dagenvuller... Ja, wat dachten jullie van een carrière in de misdaad? Maar dan ook de schaamteloze misdaad. De misdaad als bevrijding! Het vergrijp als kunstwerk. Jean Genet.'

'Ik heb je al zo vaak gezegd: je maakt het kwaad te interessant,' zei Werner. 'De meeste misdadigers realiseren zich helemaal niet wat ze doen, die ontsporen door onnadenkendheid. Je maakt die randfiguren vrijer dan ze zijn, ook zij hebben hun codes en onderlinge controle. Ze zijn vaak inburgerlijk.'

'Ze houden ons een spiegel voor,' riep ik. 'Dit interview is een ode aan de onaangepaste mensen.'

'Daar zitten ze op te wachten.'

'Ach klootzak...' Werner had makkelijk praten, die toonde geen enkele betrokkenheid, zat vol kritiek op afstand, daar was nogal wat aan. Je moest in het leven je nek uitsteken, je pik desnoods... Tegen de stroom in zwemmen, alleen dooie vissen dreven met de stroom mee. Aanpassen is slecht. Ik wilde geen meeloper zijn, niet zoals iedereen. Uit de maat en uit de rij! Wie uit de pas loopt, is niet gek, maar laat juist zien hoe gek de meelopers zijn. Had de oorlog niet bewezen waar massale gehoorzaamheid toe leidde?

'Jij pleit niet voor vrede maar voor geweld en misdaad,' zei Werner.

God, wat kon-ie zuur kijken, vooral als-ie gelijk meende te hebben.

'Ik pleit voor de ongehoorzame mens.'

'Je haalt alles door elkaar, je hebt weer eens een half boek gelezen.'

'Val dood,' snoof ik.

'Ja, zo kan ik niet interviewen,' zei Maud. 'Laat hem toch!' Ze legde haar hand op mijn hand en gaf me een bemoedigend tikje: 'Laat je niet afleiden, Beer.'

'Ik ben hier kennelijk te veel,' zei Werner. Hij kwakte zijn bord op het aanrecht en verliet de keuken.

Maud begreep me tenminste. Ze leefde mee, stond open voor een ander, stelde goede vragen. Ik had toch gelijk? 'De samenleving doet er beter aan haar afwijkelingen niet langer uit te bannen en te verdoemen.' Ik sprak voor haar in boekentaal, dan hoefde ze het alleen maar uit te tikken. 'Orde is een relatief begrip. De progressieven zouden zich niet met de gevestigden, maar met de onaangepasten moeten identificeren.'

Maud keek me aan, knikte instemmend... ja, zo dom

was ik niet. 'Je zegt het zo goed,' zei ze.

'Ik ben zo goed als jouw vragen.'

We keken gelijk naar elkaar op, onwennig, verlegen, ik zag voor het eerst dat ze donkergroene ogen had. Beer... ze noemde me weer Beer, ja, ik was nog steeds haar Beer.

'Zeg Beer, wanneer is het stelen begonnen?'

'De eerste week op school... twee rijksdaalders uit de huishoudportemonnee en er vijftig rollen drop voor gekocht om op het schoolplein uit te delen.'

'En het zwerven?'

'Tien keer weggelopen vóór mijn zesde.'

'En die durf?'

'Durf?' Ik sloeg mijn ogen neer... 'Zoveel durf ik niet.'

'Wie wel,' zei Maud.

'Mijn schaamte is groter...'

'Hier zit er nog een.'

'Jij? Jij bent een en al zekerheid...'

'Ergens binnenkomen is voor mij een absolute crime.' Maud stak een nieuwe sigaret op, de vorige lag nog te smeulen op de rand van de asbak.

'Mensen vreten aan je...' 'Die energie.' 'Mijn grote mond slaat nergens op...' 'Ik begrijp precies wat je bedoelt.' We kwamen samen, vonden elkaar in dezelfde zinnen.

De taperecorder begreep het ook, de band draaide – een machine veroordeelt niet. Maud veroordeelde niet. Maud werd mijn biechtmachine.

We vielen in bed, in haar bed, hoe het zo snel was gegaan begreep ik zelf ook niet, onze ogen deden het, er
kwam geen woord bij kijken... onze handen kropen naar
elkaar, onze lippen, we struikelden over snoeren en
stekkers, ze trok mij de gang op, naar haar slaapkamer
en ik danste tussen haar benen, maar toen ik haar bed
zag, dat grote veld, rende ik naar de wc om gauw mijn
kettinkje af te doen, Maud was te beschaafd om als no-
zem te bespringen, ik spoelde ook nog even snel mijn
mond, want ik wilde fris en geurend tot haar komen, en
gaf mijn kruis een snelle was zodat ik druipend en met
watervlekken om mijn gulp weer voor haar stond –
enigszins ontnuchterd – maar Maud zag het niet, zoals
ze nergens vlekken zag. Maud duwde me op bed. Ik
trapte mijn broek uit, zij gooide haar bh door de kamer,
we werden wild en vergaten waar we waren – ik althans.
Het Gooi was heel ver weg, ondanks Mauds zegelring.
De zoon van Errol Flynn kwam spoken en de filmster
zelf, ook mijn vader liep nog langs de lijn – ik speelde
alsof mijn leven ervan afhing. Ik kon het, natuurlijk kon
ik het, ook met iemand die ik kende... We rolden in elkaars armen en ik duwde al mijn ervaring in mijn tong.
'Au,' zei Maud. 'O sorry, sorry.' Maar nu beet zij, wat
doet ze wild...

Ze trekt me op zich en bloot rollen we onder de dekens. Maud boven, ik boven... tot zij als boegbeeld
oprijst, een wit laken om haar schouders... we wagen de
oversteek. *Naakt tegen naakt ons amoureus duet.* Ze
kreunt, ze schudt met haar hoofd. Ben ik te ruw, gaat

het te snel? Ze schroeft zich vast, haar ogen draaien weg, ze gilt... ik trek me terug, want pijn kan de bedoeling toch niet zijn?

Maud rolt op haar zij, bewegingloos. O jee, is ze nou boos? Ik buig me bezorgd over haar heen, zoen haar heupen en haar hangerige borsten – dagelijkse kost voor een ervaren minnaar, maar mijn handen liegen niet, ze zijn te stroef om te kunnen strelen. Ze glimlacht weer, gelukkig. Nu moet ik erbovenop, dat wil ze. Dit keer wordt er meer verwacht: ik moet de prikker spelen. Wie verzon dat spel... dat je gemeen diep in al dat zachte vlees moet gaan? Waar laat een mens zijn ellebogen? En die ogen onder me, waterig en te dichtbij... bij hoeren kijk je weg, maar hier... haar neus... was die zo groot? Twee gaten gaapten mij aan, twee pulserende lokkende kelken. *Rose, du thronende...* Rilke. Ja Rilke, kom me helpen! Ik vlucht in verheven Duits gefluister... *O Brunnen-Mund*, en geef alles wat uitsteekt *die süßesten Namen.*

'*Das Amt, das Bad, das Bild, das Brett, das Buch,*' antwoordt Maud lachend, ze zegt haar Duitse rijtjes op. En ik pas me bij haar ritme aan: '*das Nest, das Schloss, das Schwert...*' Ik begin te tellen, te pompen, te tellen... hou op, ik wil me concentreren, zuiver zijn, een Fannisch ten Cate waardig. Dwanggedachten komen bij me boven... hoeren, vuile woorden. Nee, nee, verliefd moet ik zijn, zoenen, zweven, spuiten. Maar er komt niets, hoe ik ook pomp. Hoe lang moet ik dit doen? Is zij al klaargekomen? Ze blijft rijtjes opdreunen. Zal ik doen alsof, maar waar bleef dan het bewijs? Mijn pik houdt de leugen niet meer overeind en ik bedelf haar onder complimenten: 'Zo heerlijk heb ik het nog nooit gedaan, je bent te mooi, te lief. Ik hou van je,' fluister ik in haar oor.

'Je liegt.'

'Heus, daarom lukt het niet... het is te veel.'

'Volgende keer vrij je als jezelf.'

De volgende ochtend liep ik anders door het huis, verliefd, zo deed je dat toch? Een plaat van Mozart op, een bloem op het bord, de eierdopjes uit de kast, het botermesje naast de vloot, verse croissants, krentenbollen... Maud kwam bij mij ontbijten en ik ontving haar in mijn donkerblauwe zijden kamerjas. Ik perste sinaasappels uit, rende op en neer – zij las de krant en lekte eigeel op het tafellinnen. We hadden de hele nacht in haar bed doorgebracht, woelend en vechtend om een veel te smal laken. Toen de pauwen krijsten, wilde ik terug naar mijn eigen bed. Maar ze liet me niet gaan en toen deden we het weer, ernstig, zwijgend en het lukte – al bleef ik de dreun van Duitse woordjes horen. Ik zoende haar met ingehouden adem, bang dat ik uit mijn mond zou stinken.

We werden wakker van Werners boze stappen, zijn losse veters tikten op de trap. Hij klopte niet aan, maar zijn ogen brandden door de deur.

Na zeven slopende nachten belde ik mijn moeder op: 'Ik heb een vriendin.'

'Fijn voor je.'

'Daar woon ik mee.'

Ze zweeg... haar geluk sijpelde door de lijn.

Nee, ze mocht niet langskomen. Het was net aan.

'Goh jongen, je hebt zolang niets van je laten horen.' Ze begreep best dat ik mijn eigen leven wilde leiden, maar ze maakte zich toch ongerust: 'Hoe doe je dat nu met je kamer?'

'Ze is mijn huisbaas.'

'O, is zij niet een dochter van die dokter...?'

'Ja, ga dat aan iedereen rondbazuinen.'

'Hebben jullie genoeg borden?' Ze was aan het sparen voor twee Unox-schalen.

'Wat moet ik met schalen als ik niks heb om op te dienen?'

'Kom je niet rond?'

'Nee.'

'Wat is je rekeningnummer?' Ze zou vijfentwintig-honderd gulden overmaken: 'Voor een tweepersoons-bed.' Zij die alles toe wou dekken kon soms stuitend openhartig zijn.

●

Het werd tijd voor andere kleren, een nieuwe rol diende zich aan. Ik keurde mijn kast met andere ogen, gooide een nuffig sjaaltje weg, de al te strakke overhemden gingen naar Werner, ik borg mijn rijbroek in een koffer en schonk Maud mijn gouden ketting. Ze wilde hem niet, maar ik eiste dat ze hem aannam. Deftig zou ik voor haar zijn... in broeken met omslag, streepjesoverhemden en een driedelig pak voor het Concertgebouw – mijn vriendin mocht zich niet voor me schamen.

Ik stak me helemaal in het nieuw, smeet met geld, maar Maud merkte mijn metamorfose nauwelijks op. Ze gaf niet om uiterlijk. Zag ze ook niet dat Werner in mijn oude kleren liep? Mijn paarsfluwelen broek denderde op de trap, zelfs de restanten *ton sur ton* stonden hem veel beter omdat hij slanker was – het samen eten had me vet gemaakt. 'Zit er niet meer te krap?' wou Werner weten. Dat leren jack droeg ik toch nooit, en hoeveel had dat pak wel niet gekost? Wie zoveel geld van thuis gekregen had, kon best wat missen. Hij vroeg – ik offerde.

En Maud moest ook verwend: bloemen, kleine cadeautjes, boeken... hoe kon ik haar anders mijn liefde bewijzen? Ik wachtte haar boven aan de trap op, als een jonge hond: 'Dag liefje, dag liefje... hoe was je dag?' Ik hielp haar uit haar jas, zoende de holte achter haar oren en kwebbelde haar murw.

En Werner luisterde boven mee.

Maud had een drukke baan en ook thuis kwam er veel werk uit haar tas. 'Nou even stil, Beer, hou even op, Beer, ik moet snel een band uittikken.' En dan trok ik me terug op mijn kamer en luisterde naar Werner in het bad. Hij lag overdag steeds langer te weken. Als Maud en ik samen waren, klopte hij niet op onze deur. Ik vermeed hem, alles draaide nu om Maud. Ze was mijn eerste vriendin, een meisje om mee te pronken: naar de film, het theater, de lezingen van Helios – Historie En

Letteren Is Onze Studie. Alles voor haar: verhalen, verleiden, vermaken – als ze me maar niet saai zou vinden.

Maar 's nachts deed ik geen oog dicht en dat lag niet aan de breedte van het matras. Soms hield ik het niet meer, dan móest ik alleen zijn. Steeds vaker sloop ik het bed uit en vond ik mezelf terug voor het raam, starend naar de donkere dierentuin. Ik voelde me als Rilkes gekooide panter, zo moe geworden van het draaien langs de tralies dat hij niets meer ziet. *Ihm ist, als ob es tausend Stäbe gäbe und hinter tausend Stäben keine Welt.* Uitbreken wilde ik, gek werd ik van mijzelf. Dat gekleef, dat geklit! Ik hield helemaal niet van d'r. Ik speelde maar wat. Maar hoe scheurde ik me van haar los na al dat geslijm, zou ze me geen schoft vinden, me minachten? Ja, ik was gemeen, te vuil voor een Fannisch ten Cate. Ze zouden me nooit meer willen zien. En als ik daaraan dacht, werd ik bang en zocht ik troost in haar warme bed. Nee, ik zou haar nooit verlaten. Om er zeker van te zijn greep ik haar vast en liet ik haar niet meer los – veilig was dat, warm.

'Haal die loden arm van me af,' zei Maud slaperig.

Zie je wel: zij hield niet van mij, zij was ook liever alleen.

•

Het is twaalf uur 's nachts, ik zou moeten gaan slapen, maar de onrust slaat weer toe. Ik tel mijn geld, vouw de biljetten klein, pik de gouden ketting uit Mauds la, doe hem om en bekijk mezelf in de badkamerspiegel. De gouden rand langs mijn kraag glinstert in het lamplicht.

Ik poets mijn tanden, zal ik me scheren of niet? Als ik me scheer ga ik naar buiten. Ik trek mijn trui uit, mijn overhemd, de ketting hangt bloot op mijn borst: zo zou ik me aan niemand durven tonen. Ik kan een T-shirt aantrekken en gaan slapen. Maar ik laat het warme water lopen, roer de scheerkwast in de zeep, krab het schuim van mijn wangen; als ik me snijd zal ik niet naar buiten gaan. Mijn handen trillen, ik snijd me niet. Ik zou nog steeds naar bed kunnen gaan, schoon tussen de lakens, alleen met een boek, een krant, tot de slaap komt en de dromen. Maar ik zit niet meer thuis... Nachtman loopt al buiten... in het zwart en hij zal gaan waar de anderen gaan, naar die in het donker. Hij zal een duistere steeg inschieten en kijken en keuren en met weinig woorden de dingen doen die worden verwacht. Zal hij Engels spreken met een Noors accent, voor Giovanni spelen, Baudelaire of een man van welke wereld ook? Een wilde man, een zachte man?

Hij zwerft en kan zijn keus niet maken. Het is drie uur geweest, de kroegen gaan dicht en de mannen maken hun rondes. Het loven en bieden begint. Hun manieren bevallen hem niet en hij loopt naar een stillere buurt. Hij zoekt de auto, de zilveren Porsche met de blonde chauffeuse. Waar is ze vannacht? Heeft ze genoeg verdiend of is ze nog op jacht? Taxi's stoppen ongevraagd, een politieauto remt af. Twee lichten doemen op aan het eind van de straat. Daar rijdt ze, sigaret op een steel, haar in de aanslag en wimpers als vleugels. Ze mindert vaart. Ze schat hem in, rijdt zachtjes door, kijkt in haar achteruitkijkspiegel, draait, keert terug, geeft een signaal met haar lichten. Ze stopt. Hij loopt op haar af, een knik, hij opent het portier. 'Hallo.' 'Hallo.' En daarna woorden over en weer, de dooie frasen waarmee iets anders wordt gezegd.

'Ik heet Terry,' zegt ze en lacht om haar eigen naam. Ze biedt hem een sigaret aan en rijdt de auto naar een donker stuk straat, ze zet de motor af, laat de stadslichten aan... haar hand verkent de klant. 'Sexmachine,' zegt ze en hij glimlacht om haar zware stem. Er zit poeder om de stoppels van haar baard. 'De hoeveelste ben ik vandaag?'

Hij geeft geen antwoord, weet nog niet wie hij zal zijn. 'Ik heb je hier vaak zien rijden,' zegt hij. 'Je hebt een mooie auto.'

'Hij slurpt benzine,' klaagt ze. En fietsers bekrassen de lak, de politie moet haar altijd hebben... een Porsche is eigenlijk geen doen.

'De mensen zijn jaloers.' Hij legt zijn hand op haar dij. Ze trekt geschrokken haar knieën op en grijpt naar de versnellingshendel.

'Ga je veel naar de vrouwen?' Ze kijkt in haar achteruitkijkspiegel.

'Ja,' zegt hij kalm.

Zweet parelt om haar neus, ze veegt het weg, raspt langs de rouge op haar wang. Ze grijnst hem toe. 'Ik heb een hele geile film thuis.'

'Ik wil in de auto,' zegt hij.

Terry doet haar rokje goed. Even geniet hij van haar

angst. Verwacht ze dat hij boos zal zijn als hij de verrassing tussen haar benen vindt? Hij heeft haar in zijn macht, dat windt hem op, tot hij van zijn eigen wreedheid schrikt en weer onzeker wordt. 'Ik val op travestieten,' stelt hij haar gerust. Ze laat haar handen in haar schoot vallen: 'Had dat eerder gezegd.' Ze zwijgen. Beiden zijn uit hun rol gevallen.

Ze draait zich naar hem toe. 'Geil je dan op mijn borsten?'

Hij moet ze voelen – ze drukt zijn hand erop – hij maakt haar een compliment. Terry gaat verzitten, het stuur drukt in haar zij, ze wiebelt, klappert met haar wimpers... Het is een dooie boel onder haar truitje, haar borsten zijn te ingepakt, ongevoelig voor zijn hand. Haar lach benauwt hem, zijn ogen dwalen naar haar buik, zijn hand zoekt haar verboden dijen, kruipt onder haar rok en wroet los wat ze zorgvuldig heeft verstopt. Het groeit en broeit daar – bescheiden, maar natuurlijk.

'Heb je geen vaste vriend?' vraagt ze kreunend in haar stoel.

Waarom kletsen hoeren altijd zo? Ze willen weten waarom je hen boven een ander verkiest. Vinden ze zichzelf niet goed genoeg? 'Ik woon met een vriendin,' fluistert hij met zijn neus tussen haar harde borsten, 'maar ik hou van twee in één.' Die zin bevalt hem wel.

'O,' piept ze, 'dat hoor je meer tegenwoordig, dat meisjes een biseksueel vriendje hebben. Weet ze het?'

'Ze vermoedt het, dat is meer dan genoeg.'

'Kom op, James Bond, we gaan naar mijn.' Ze duwt

hem van zich af. Nee, in de auto kan het niet, zonde van de bekleding... en dan de politie die haar lastigvalt. Ze verschanst zich achter het stuur en start de Porsche. Bij haar thuis is het veel gezelliger: de verbouwing is bijna klaar, de hele badkamer Spaans gestuukt – 'je weet niet wat je ziet' – nou alleen de keuken nog en dan stapt ze uit het leven. Alsof hij naast zijn moeder zit.

Toch gaat hij mee naar boven, keurt de werkzaamheden, kijkt naar een film die hem matig interesseert en doet zijn ding. Terry zegt dat hij haar man én vrouw liet voelen, een plezier dat klanten haar maar zelden geven – en hij gelooft het, betaalt er extra voor.

Naar huis, te voet, en op sokken naar boven geslopen. Hij poetst lang lang zijn tanden, wast zich grondig. Verstopt de ketting om hem morgen stiekem terug te leggen, krult zich op in bed. Nachtman probeert te vergeten, kan zo ver dromen dat ik ergens anders ben geweest. Morgen maakt Beer ontbijt voor Maud.

•

De lelies stonden prachtig op haar oude tafel – het zilver glansde in haar huis. Na zulke escapades was ik extra lief voor Maud: je las de ontrouw af aan het boeket. Hoe schoner het huis, hoe meer ik had goed te maken. Lief was Beer, en aanhankelijk! Het bed bromde van plezier en zodra ze sliep, rolde hij naar de rand van de matras – Maud moest de ruimte hebben. En kon ze toch de slaap niet vatten – omdat Artis ons wakker hield –, dan vertelden we elkaar verhalen, over vroegere levens en vroegere liefdes. Nee, vroegere liefdes had ik niet. Zij wel: 'Altijd verliefd en veel te snel.' En ze sprak over kalverliefdes in het Gooi – zonder schaamte. Had ik dan nooit...? Nee, ook op school niet. Ik had het te druk met toneel.

Maud was een detective op zoek naar verschillen, ze vroeg maar door, hield niet op. Voor haar was praten interviewen, ze brak door alle muren heen. De biechtmachine draaide weer op volle toeren. En de travestiet kreeg een andere naam, grotere borsten, een kleinere piemel, andere auto, ander jaar, andere stad, andere nacht.

Hoe wist ik dat allemaal?

Nee, dat vroeg ze niet. Was dat nu houden van?

•

'Nog wat pinda's, nog wat dolma's...?'

Maud en ik sloofden ons uit. De kaarsen brandden, de viltjes lagen onder de glazen en Maud veegde na het inschenken zelfs een druppel van de fles – ze leerde snel. 'Beer, pak jij de servetjes even?'

Werner zag het wijdbeens aan, hij zat onderuitgezakt in de stoel en liet zich verwennen. We hadden hem voor de borrel uitgenodigd – op mijn kamer – en we zouden hem mee uit eten nemen. Hij hoorde erbij en dat zou-ie merken ook: Mirafiori had ik voor hem uitgekozen, een Italiaans restaurant waar kunstenaars kwamen: het kon me niet schelen wat het kostte.

Werner dronk sneller dan wij konden schenken, hij hielp zichzelf, en binnen een mum van tijd had hij een fles achter de kiezen. Een dolma lekte op zijn-mijn paarsfluwelen broek, hij veegde zijn vingers aan bekende roze sokken af – grappige combinatie en om zíjn benen helemaal niet vrouwelijk of ordinair – stom dat ik ze had weggedaan. Morgen viel ik af en met dat voornemen vrat ik alle pinda's op.

Hij negeerde me, maar tegen Maud deed hij allerchармantst, hij schonk haar voortdurend bij en ze haalden herinneringen op aan school. Was ik die jongen waar ze zo om moesten lachen? Die vroeger 'tonelist' zei in plaats van toneelspeler, die zulke rare kleren droeg, van wie iedereen wist dat hij gedichten voor de schoolkrant schreef – rijmelarijen die hij steevast 'verzen' noemde? Maud kwam niet meer bij, ze zag zich weer de stencils voor de schoolkrant tikken: *'Ik ben de dichter die naar woorden dregt, eh... pompompom... gezegd.* Hoe ging het ook alweer?' Werner vertelde hoe onbeschaamd ik tijdens een spreekbeurt op school Byron had staan declameren. Hij deed me na, veerde gemaniëreerd op... Jammer, maar zijn uitspraak deugde niet. Mislukte acteur.

'Wacht maar tot míjn *Hours of Idleness* in de etalages ligt.' Ze konden me wat: His Lordship liep naar zijn foulard en mantel. 'Kom, het is hier snoeiheet, we gaan bikken.'

Mirafiori lag naast de ingang van het Vondelpark. Het was al donker buiten en er zat nog geen zweem van groen in de bomen, toch meende Werner sneeuwklokjes achter het hek te hebben zien staan. Hij stapte de modder in en plukte zowaar drie slapende klokjes: voor Maud, een eerste lentebode. Ze vond hem onverwacht romantisch.

We gaven onze jassen af, kregen stoelen aangeschoven, ik bestudeerde de wijnkaart, Maud en Werner namen de tafeltjes door. Waar zaten de kunstenaars? Maud herkende een componist, eenzaam achter een bord spaghetti – een Notenkraker die met een houten ratel het Concertgebouwpubliek had opgeschrikt; meer at er niet aan roem. Ik bestelde de duurste chianti classico, ter compensatie.

Maud snoof haar sneeuwklok wakker, Werner smiespelde achter het menu. Wat hadden ze een lol. Ik kreeg er genoeg van en ging pissen.

Alleen in de marmeren plee, gebogen over het urinoir, hoorde ik plotseling het getik van losse veters achter me: Werner! Ik wist niet hoe snel ik af moest schudden. Ik ritste me dicht, draaide me om... maar hij stond al voor me en dreef me terug naar de bak. En daar, met mijn billen boven de kamferballen, nam hij mijn hoofd in zijn handen en zoende me op mijn mond. Zijn baard schaafde mijn kin, hij keelde me, maar ik liet zijn tong niet achter mijn tanden komen. Mijn rug drukte tegen de spoelknop, het urinoir ruiste en ik sloeg me los.

Handen wassen. Altijd na een plas je handen wassen, je haar kammen, overhemd rechttrekken, broek ophijsen, buik in, kop op... en rustig lopen: zo komt een heer de eetzaal binnen. Ik speelde een opkomst waar de hele Toneelschool een puntje aan kon zuigen.

'Heb je het zo warm?' Ik gloeide en Maud zwaaide me met haar menu koelte toe. Werner schoof grijnzend aan: 'Is de chianti hem nu al naar het hoofd gestegen?'

De kaart ging ver boven ons budget. 'Kies wat je wil,' zei ik royaal. 'Ik trakteer.' Mijn geld was toch al op, we vierden mijn laatste betaalcheque. Binnenkort zou ik mijn slag slaan. Ik had een rijke oude dame op het oog.

'Daar heb je hem weer,' zei Maud.

Zo'n taart uit Formosa, ik hoefde alleen maar toe te happen. Maanden had ik de dames op hun wenken bediend, zonder te weten wat ze werkelijk verlangden... die lauwe guldens in de palm van mijn hand gedrukt, de slaapkamerblikken boven de sherry – het was me al die tijd ontgaan. 'Wisten jullie dat daar gigolo's komen? Stinkrijke wijven die jongemannen uitkiezen.' Werner veerde op. 'Dat hoorde ik van een schoonmaker... hij liet me de visitekaartjes in de opgevouwen kranten zien, dure adressen in Zuid, achtergelaten door hunkerende vrouwen. Je kiest je kaartje, meldt je aan en als je bevalt ben je binnen. Denk je in: een rijke vrouw die zich over je ontfermt: "Boy, wat kijk je sip, mankeer je iets? Zit je krap? Een jongen als jij mag het toch aan niets ontbreken?" Heb ik mijn leven lang gewild.'

'Wat moet je ervoor doen?' vroeg Werner.

'Wat denk je?'

Hij trok een vies gezicht.

'Je wordt per rimpel betaald.'

'Ik begin met de vitello tonnato,' zei Maud streng.

'Ze nemen je elke dag mee uit eten,' zei ik, 'naar de beste restaurants.' We doken in ons menu. 'Je moet je er wel op kleden. Zo'n vrouw mag zich natuurlijk niet voor je schamen...' In gedachten stond ik al voor mijn klerenkast.

'Maar het mag ook niet te perfect,' zei Werner, 'ze willen iets aan je kunnen verbeteren. Je moet moedergevoelens oproepen.' Hij keek al een stuk enthousiaster.

'Weten jullie het al?' vroeg Maud ijzig. Haar ogen zochten de ober, maar bleven hangen bij de componist.

'Ik kies voor een driedelig pak,' zei Werner, 'met een streepjesoverhemd.'

We begonnen ons hardop voor ouwe dames op te doffen. Ik in mijn Engelse ruitje en lichtblauwe spencer, Werner stond op een dubbele split – 'komt je kont in vrij en daar vallen vrouwen op' – spencers wees hij af, dat waren buikbedekkers... We namen alles door, detail voor detail... tot en met de kleur van de sokken, het soort schoenen, overjas, sjaal. Laag over laag, klaar voor de verleiding. Maud draaide op haar stoel, sloeg het menu dicht.

Wij vochten om de gunsten van een denkbeeldige ouwe dame en schonken ons er flink bij in. Maud kreeg niet meer. De conversatie stelde hoge eisen. Geen politiek, dat soort wijven was vast en zeker rechts... de laatste film, het laatste boek? Nee, het moest over hen gaan, alle vrouwen willen aandacht.

Een stoel kraste luid over het parket.

Ik boog me naar Werner: 'Na het neuken lees ik ze mijn gedichten voor.' Ik rechtte voldaan mijn rug... Maud was opgestaan en voor ik iets kon zeggen, spatte de wijn in mijn gezicht.

'Bravo,' zei de componist.

In bed vroeg Beer haar om vergeving. Nee, ze was niet echt boos... nee, het was niet erg, ook zij was te ver gegaan. 'Je vertrouwt me toch wel?' vroeg ik.

'Vertrouw je mij?' vroeg zij.

We logen allebei.

Zacht was Beer... veel te zacht. 'Harder, harder,' schreeuwde Maud onder het vrijen – maar ik stond me niet toe hard te zijn – ik had al genoeg kapotgemaakt. 'Ik ben je moeder niet,' verzuchtte Maud.

•

We meden elkaar. Ik sliep vaker alleen, Maud bleef vaker weg, haar werk eiste steeds meer aandacht. Ook 's nachts? Ja, er was een ander. Een componist. Die ratelaar? Ja, met een dubbele voor- en een dubbele achternaam, linkser dan ik. Vond ik het erg? Zo serieus was het toch niet tussen ons?

Vrijheid blijheid, we legden ons niet vast... 'Er valt nog zoveel te ontdekken,' zei ik flink.

'Met Werner?' vroeg Maud.

We legden boze briefjes voor elkaars deur:

Zij: Jullie moeten honderd gulden extra betalen voor de telefoonrekening. En *ik* heb het bad schoongemaakt. Kopen jullie nu eens Vim. Maud

Ik (op de achterkant): Ik ben geen 'jullie'.

Zij (daaronder): Niet zo bescheiden.

Ik: Las je interview voor de LOI – bedankt voor de kopie. 'Natuurgetrouw,' heeft de docent in de kantlijn geschreven, nou gefeliciteerd, maar wat weet die zak daarvan? Het was maar goed dat jouw naam erbij stond, anders zou ik niet geweten hebben over wie het ging. Wie is die travestiet die je hebt geïnterviewd? (Origineel idee, overigens.) Ik ken hem niet, al komt de 'ontspoorde student die 's nachts een ander leven leidt' me vagelijk bekend voor. Het zijn mijn woorden, verdomme, je verdraait de boel, mag dat zomaar in de journalistiek? Of probeerde je je soms 'in een ander te verplaatsen'? Je hebt geen idee hoe een mens in elkaar zit, niks is zoals het lijkt. Je versimpelt, vergroft, de twijfel van één minuut krijgt bij jou de zekerheid van altijd. Maar dat raakt me allemaal niet, wat ik je kwalijk neem is dat je *hem* een schaamteloze *exhibitionist* noemt. Ten eerste is een travestiet een *haar*, want in een jurk voelt ze zich een vrouw. Ze weet wel dat ze een man is, maar het is haar diepste wens dat wij dat ontkennen, dat we met haar meeliegen: Ja, je bent een vrouw. En dan: Is de waarheid met leugens bedekken een vorm van exhibitionisme? Eerder het tegenovergestelde zou ik zeggen. Toen ik als jochie van acht het hele schoolplein mijn blote kont liet zien – omdat een paar sterke jongens met me wilden vechten en ik geen ander paar vuisten voor handen had – toen was ik een exhibitionist: ik gaf me bloot, meer niet. Maar een travestiet verbergt iets en daarom voel ik me tot ze aangetrokken. Het gaat om de afstand tussen wie je bent en wie je speelt. Wat jij als exhibitionisme afdoet, noem ik fantasie.

PS. Over makkelijke oordelen gesproken: Werner is helemaal niet 'zo'.

Zij: Nou breekt m'n pump: jij liegt er de hele dag op los – op dicteersnelheid – en als ik het opschrijf, ben je beledigd. Gun mij ook de vrijheid te interpreteren en te verzinnen. Jij leest met een loep, betrekt alles op jezelf. Ik veroordeel niks. Jij veroordeelt jezelf. Ga met een travestiet wonen en zeur niet. Maar betaal eerst de huur, je bent twee maanden achter.

•

Mijn geld was hopeloos op. Ik stond al maanden rood en kreeg aanmaningen van verschillende banken. De truc om een rekening te openen, betaalcheques aan te vragen en daarna het geld weer op te nemen om er een nieuwe rekening bij een andere bank mee te openen, zodat ik met twee, drie setjes betaalcheques een voorschot op het leven kon nemen, ging niet meer op. Aan de bankloketten kreeg ik geen cent meer los, er ging een lampje branden bij mijn naam. Mijn laatste hoop was op de Postcheque en -girodienst gevestigd, een luie staatsinstelling met ongemotiveerd personeel en langzaam draaiende computers, nog niet aangesloten op enig banksysteem. Het restant van moeders vijfentwintighonderd gulden was net genoeg om op een nieuwe girorekening te storten. Het wachten was op de eerste zending kascheques. Maud moest nog even geduld hebben, ik ging hoe dan ook weg.

Het geld ritselde in mijn hoofd, maar niet in mijn portemonnee. Ik moest mijn rijkdom tastbaar maken, als een koning Midas: met een beetje toneel kon ik mijn girocheques in goud veranderen. Dat ik het niet eerder had bedacht... Deze rol was me op het lijf geschreven, maar om mijn plan nog eens scène voor scène na te lopen, besloot ik Werner in vertrouwen te nemen. 'Jij steelt en verzilvert mijn kascheques en ik geef ze als gestolen op, daarna...'

'Maar dat is pure oplichterij!' viel hij me in de rede.

'Welnee, het had ook in het echt gebeurd kunnen zijn en dan was ik een eerlijk slachtoffer geweest.' Hoe vaak werd een argeloze reiziger niet in de hal van het Centraal Station bestolen? Dat was mij zogenaamd ook overkomen, vervolgens meldde ik me bij de politie en deed mijn verhaal: cheques weg, alles weg. Erg hè? De verzekering dekte de schade, het kostte de Giro niks.

'En wat verwacht je precies van mij?'

'Dat je ze op het moment van mijn aangifte verzilvert en mij het geld teruggeeft.'

'Voor geen goud.'

'Dan doe ik het zelf.'

'En als ze je pakken?'

'Ik verkleed me: dief en slachtoffer zullen niet op elkaar lijken.'

'Al dat gedoe,' zei Werner.

Ja, wat wou hij nou? Geen geluk zonder risico. 'Binnen één maand verdubbeling van de inleg, welke bank biedt dat?'

'En de rente heet spijt.'

Spijt, spijt... tja, je kon ook je leven lang de kat uit de boom kijken, zoals hij. Van niksdoen kreeg je ook spijt. Had hij soms nog nooit gejat? Sinds wanneer was hij fatsoenlijker dan ik? Wel mee de nacht in, de raarste lokalen bezoeken, en al wat hij deed was zich volgieten en van een afstand staan gluren terwijl ik aanschoof en me vuilmaakte... want we hadden de laatste weken wat afgeschuimd, mijn stille compaan en ik. We daalden af in De Blauwe Ballon, verkenden de Zeedijk en waren al een paar keer bij Sjeng geëindigd, een illegale Chinees waar op dat uur niet gegeten maar gezopen werd, en hoe! – een beetje drinker sloeg daar op een avond veertig jenevers achterover. Ik hield van Sjeng, na middernacht veranderde het leven er in een langzame film... Die traagheid van kijken en bewegen, het gaf de laagsten op de ladder een wonderlijke waardigheid – ze waren broos in hun grofheid, alleen bij hen had ik soms het gevoel ergens thuis te horen... maar de keren dat ik na zo'n kroegentocht iets aardigs over deze mensen zei, begon Werner over hun 'existentiële onmacht' te zeuren, met een tong zwart van de rode wijn.

Ik werd vrolijk van drank, hij raakte ervan in de put.

Hij verweet me 'zelfdestructie' als ik me door een geflipte hare krishna op de plee had laten afzuigen. 'Kan het kwaad?' vroeg ik, 'dat is mijn bijdrage aan de oecumene.' Ja, zei Werner, het kon kwaad, die vrouw was een verwarde nymfomane: volgens een glazenspoeler bij Sjeng had ze 'in d'r leven meer lullen gestrikt dan jij doperwten gepeld' – daar mocht ik geen misbruik van maken. Ik gleed af als ik me door een moordenaar als Karate-Joop amicaal 'heer' liet noemen en me voor een laatste dans in de armen van Alicia wierp.

En nu dat idiote plan met de girobetaalcheques: *ook dat kon kwaad!*

'Ik vertel je niks meer,' zei ik, 'en ik neem je 's avonds nooit meer mee.'

'Dat zou je wel willen, dan ben je van me af! Ik houd je nog enigszins in bedwang, al was het alleen maar dat je op mij moet letten: ik ben je geweten.'

'Wat krijgen we nou? Ik heb geen geweten.'

'Je loopt nog eens knalhard tegen de muur. Besef je niet dat je tegen jezelf aan het vechten bent? Je zoekt de afkeuring op! Je kan niet eens slecht zijn, je haalt fantasie en werkelijkheid door elkaar. Hoofd en hart in evenwicht... ken je klassieken!'

De dominee trakteerde me op een koekje van eigen deeg: hij had in míjn Plato zitten lezen, het zoveelste boek dat hij bij me had weggesnaaid. Ook Plato trok scherpe lijnen tussen fantasie en werkelijkheid. De evenwichtige mens streeft naar een harmonie tussen oneindige lust en beheersing, met behulp van zijn verstand houdt hij zijn driften in bedwang en accepteert hij regels, wetten en normen – dat gebiedt de werkelijkheid. De meeste mensen berusten daarin; wie dat niet lukt, omdat hij te veel zuipt of vreet – en daarmee de onrust in zich wakker roept – moet maar dier zijn in zijn fantasie. 'Het is duidelijk,' zei Werner, 'Plato is de leraar van Freud. In je dromen mag je alle immorele begeerten koesteren die je maar kunt verzinnen.'

Maar ik droomde nooit immoreel, ik was door en door fatsoenlijk in mijn slaap, géén vlek in de lakens; ik sliep uitstekend en ik wilde ook uitstekend leven en mijn immoraliteit in de werkelijkheid beleven. Niet dromen maar doen! Ik was het beu nog langer levens te verzinnen, je moest al die levens kunnen leiden – driedimensionaal – fantasie was me niet genoeg. 'Fantasie is laf. Ik wil alles ervaren en niemand zal me tegenhouden. Weg met de verbeelding, leve de werkelijkheid.'

'Ook moord?' vroeg Werner.

'Daar is het allemaal mee begonnen.'

'Je overschreeuwt jezelf.'

Die nacht droomde ik een droom die ik Werner liever niet vertelde... Ik heb een grote rol in een toneelstuk en ken mijn tekst niet. Het is nog vroeg in de avond als ik naar het theater loop, ik weet dat ik er weinig van terecht zal brengen. Mijn naam staat niet op de affiches. Doe ik wel mee? Ik wandel door de stad, naar de haven. De kade ruikt zout en er kruipt mist op uit zee. Ik wil weg met een boot. Maar er vaart niks, er is geen zicht en van het luieren kan ik niet genieten. Met loden schoenen loop ik terug naar het theater. Het stuk is al ruim een uur bezig als ik binnenkom – ze zullen me niet meer nodig hebben. Zodra een kleedster mij in de gangen ziet, gooit ze een rode mantel over me heen, een soort kardinaalsjurk, en word ik het toneel opgeduwd. De acteurs hebben mijn optreden tot het laatst bewaard, nu moet ik alsnog mijn lange clausen zeggen, en ik schreeuw en hoor mezelf niet...

•

'Wat zat erin?' vroeg de agent van de spoorwegpolitie.
'Aantekeningen, boeken, collegedictaten en mijn portemonnee, giropas, cheques.'
De agent vertikte mijn antwoorden tot ambtelijk proza. Hij had er zijn jasje bij uitgedaan, het was benauwd in het raamloze kantoor, de treinen raasden boven ons hoofd, de lampen beefden, maar de lucht stond stil, het stonk naar oude petten. Ik hield me recht en waardig.
'Zijn er personen getuige van de diefstal geweest?'
'Iedereen had haast.' Achterin werd een gehandboeide man weggeleid.
'Herkent u iemand?'
'Ik dacht even...'
'Was het een buitenlander?'
'Moeilijk te zeggen.'
'Nou, u ziet wat hier binnenkomt.' De agent keek me onderzoekend aan, ja, ík zag er anders uit: onopvallende overjas, polkadotdas, schoenen met kwastjes én mijn roze sokken. Theater. Das en sokken moesten zich in zijn geheugen branden. De agent las het proces-verbaal voor en ik luisterde verbaasd naar mijn eigen verhaal: wat een plechtige taal liet hij me spreken, alsof ik een eeuw geleden bestolen was. Ik zette mijn handtekening en liep naar buiten – met de verontwaardiging van een bestolene in mijn houding. Zo, de eerste akte zat erop, nu de fiets uit de stalling halen, controleren of de plastic tas met verkleedkleren nog onder de snelbinders zat, en als de wiedeweerga naar het dichtstbijzijnde girokantoor fietsen om daar mijn kascheques te verzilveren, maar

niet voordat ik onderweg in een krul andere sokken had aangetrokken, mijn das had afgedaan, sjaaltje om, jas uit, leren jack en handschoenen aan. Het innen kon beginnen.

Door de draaideur, in de rij. Dames gaan voor, wek geen ergernis op, laat geen herinnering achter, het is druk en dat is goed, je moet een nummer zijn. Maak je rug breed, de mensen achter je mogen niet over je schouders zien dat je met handschoenen aan handtekeningen zet. Hoekig, onwennig, je eigen valse handtekening. Geen vingerafdruk zal ons verraden.

Het ging zo eenvoudig: mijn leren jack verdween in een vuilniszak, samen met de handschoenen en het sjaaltje – de zoveelste offerande. Voor ik het geld verstopte, telde ik het nog eenmaal na, ik kon er mijn dringendste schulden mee aflossen, een nieuw, nog stoerder jack kopen, maar die gedachte verlichtte mij niet.

Ik sliep slecht – de man in mijn ooghoek hield me wakker. Ik banjerde door het huis. 'Kijk, daar staat een oplichter,' zei de spiegel. 'Dief dief,' schreeuwden de pauwen in de nacht. Ik trok de plee niet door, meed de badkamer uit angst Werner onder ogen te komen. Zou hij me ooit nog vertrouwen? Was ik te ver gegaan, afgegleden... en kon ik nog terug? Ik moest spijt hebben, maar ik voelde geen spijt. Angst, dat wel. De angst dat het uitkwam en de schaamte dat anderen het van me wisten. En als het niet uitkwam, zou het later dan gaan knagen? Elk giroafschrift werd een verwijt. Kon ik ooit eerlijkheid van een ander verwachten? Stampei maken als ik ergens werd bedrogen of afgezet? Een schoft kan geen aanspraak maken op fatsoen. De eerlijken zullen me voortdurend aan mijn eigen oneerlijkheid herinneren. Ik moest ook met Werner breken, zijn eerlijkheid zou ondraaglijk worden. Er zat niks anders op dan mijn toevlucht bij gelijken te zoeken, alleen onder het schorem voelde ik me thuis... de kring werd steeds kleiner. Met trots had het niets meer te maken: ik dook onder voor het verwijt van de fatsoenlijken. En ik wilde juist bij iedereen horen! Het ergste waren mijn eigen herinneringen, die zouden altijd blijven knagen, ik vergat nooit iets, mijn hele kop zat vol met vroeger. En daar kon ik niet over zwijgen, vooral niet als ik te veel gedronken had. Ik fluisterde het 's nachts al in mijn kussen, straks schreeuwde ik het aan tafel uit. Het brandde op mijn tong: God, wat moet ik doen? Was ik maar katholiek als Van het Reve, dan kon je biechten, vond je vergeving. Alle hoeren waren katholiek – boven elk bed hing een kruisje, anders hield je het niet vol... Maar ik geloofde niets. De mens was een klonter atomen. En toch zat ik hele nachten tegen een denkbeeldige god te jammeren. Ik beloofde hem mezelf aan te geven.

'Of is het stom?' vroeg ik aan Werner. Ik had hem beschaamd de buit getoond.

'Kan ik duizend gulden van je lenen?' vroeg hij met een opgetrokken wenkbrauw.

'Nou even geen spot,' schreeuwde ik. 'Zal ik het doen of niet?'

Hij keek me zwijgend aan. Ik liep naar het raam en

spuugde mijn afschuw tegen het glas.

En al wat hij zei was: 'Zie je wel dat je een geweten hebt.'

Ik belde de spoorwegpolitie. 'Valse aangifte? Dan dient u onverwijld naar het bureau te komen!' De agent, een ander ditmaal, draaide verveeld drie met carbon belegde vellen in de schrijfmachine en daar gingen we weer: *Hierbij verklaart ondergetekende dat zijn verklaring dd...* letter voor letter sloeg hij op het vale lint, het carbon zoog mijn zonden in triplo op. De feiten, zwart op wit, daar ging het hem om. Voor spijt, terzijdes en fraaie zinswendingen had hij geen oor. 'De spoorwegpolitie is nu met u klaar,' zei hij, 'wat zich buiten het station afspeelt, valt onder de gemeentepolitie.' Hij bracht me naar de arrestantenkamer, daar zou ik worden opgehaald. Ik schoof aan bij zakkenrollers, drugsverkopers en pisbakhoeren.

We rookten, namen elkaar op, en zeiden eerst niet veel. Het neonlicht maakte ons niet mooier, de meesten zagen bleek en vlekkerig van te weinig zon. Wat een armzalige jekkies droegen ze, onder de vlekken, en alles zo onverzorgd: afgetrapte gymschoenen, rafelige spijkerbroeken, reclame-T-shirts, vuile nagels, lelijke tatoeages... En daar zat ik tussen, geperst en gepoetst, bescheiden en ingetogen gekleed en vooral schoon, héél en schoon. Maar dat was het ergste niet. Hun domheid was zo stuitend. Ze bazelden maar wat, ze begrepen de bovenwereld niet, de verontwaardiging droop van hun gezicht: het was allemaal zunnie d'r schuld, ze hadden niks gedaan... Ze konden niet eens goed liegen. Jean Genet had zich die dag niet laten vangen.

Telkens als er een uniform voorbijliep, distantieerde mijn lichaam zich van mijn lotgenoten: 'U ziet toch dat ik hier niet bij hoor! Kijk eens naar mijn beschaafde kleren, mijn nobel gezicht? Mijn onfortuinlijke aanwezigheid berust op een vergissing.' Ik daalde niet, ik steeg in dat schamele hok. Maar ook mij paste de handboei toen ik pols aan pols met een junk naar een arrestantenbus op het eerste perron werd geleid, tegen de stroom reizigers in. Ons zweet rook naar dezelfde angst.

Weer werden formulieren ingevuld, gegevens met twee vingers opgetikt, weer klonk het carbon als een omfloerste trom. Na verhoor parkeerden ze me op een gang tegenover een wand vol plakkaten van vermiste meisjes en bont-en-blauwe lijken. Maar erger waren de blikken van de passerende agenten. 'Student,' noemden ze me. 'Neem jij die student effe...' 'Heb die student al...' de minachting droop van hun smoelen. Dat ze plat spraken was tot daaraan toe – waar kon je anders agenten rekruteren dan uit de onderlaag, betrek de machtelozen bij de macht – maar vanwaar die bevoogdende toon van iemand die weet dat hij aan de goede kant staat... welke goede kant? De kant van spierbal en gribus? Ze hadden nog getrimde nozemkuiven, platgedrukt door veelvuldig petgebruik. Ik rechtte mijn rug tegen hun verachting, maar het lukte me niet, hun ogen drukten op mijn schouders en wie me aankeek, groette ik welgemanierd.

Na ruim een uur wachten kwam een oudere man in burger me ophalen: of ik hem maar wilde volgen. Hij leidde me naar een trappenhuis aan het eind van de gang. We gingen naar beneden en wisselden geen woord. Mijn hart bonkte in mijn keel. Wat was hij? Inspecteur, rechercheur? Een bureauman zo te zien, geen echte boevenvanger; zijn zitvlak glom, de ellebogen van zijn jasje waren sleets. Wat had ik van hem te vrezen? Vergissen was toch menselijk? Beter ten halve gekeerd... Ik zou alles eerlijk opbiechten.

Hij opende een metalen deur en we kwamen op een lange kale gang. Onze voetstappen klonken hol en ik zag ons beiden lopen, niet gespiegeld in verf of glas, maar van bovenaf... wie was die jongen die zo gedwee achter hem aan liep? Had hij spijt, of speelde hij spijt? Waarom balde hij zijn vuist? Pas op, die smeris kan alles zien... hij veracht je...

We belandden in een uit hout en glas opgetrokken vertrek, grenzend aan een grote kantoorzaal aan het water, de deur ging op de knip, de luxaflex werd neergelaten en een stoel aan de andere kant van het bureau aangeschoven. Grijs staal, met een kleedje en een gekleide asbak naast het vloeiblad, een foto in een standaard – ik kon alleen de achterkant zien, maar raadde een vrouw en twee trotse dochters tegen streepjesbehang.

'Dit is de eerste keer dat u in aanraking komt met de politie?' vroeg hij bladerend door de processen-verbaal.

'Ja,' zei ik bedremmeld.

'En, bevalt het?'

'Nee, ik heb een grote fout gemaakt.'

'Goed dat u dat inziet, maar het komt er wel erg vlot uit.' Hij keek me onbewogen aan: 'Interessanter is het waarom.'

'Misschien heb ik er niet goed over nagedacht.'

'Aha, een spontane daad dus, met een spontane ver-kleedpartij en spontane malversaties... Misschien heeft u niet goed over uw smoezen nagedacht...' Hij leunde voorover: 'U beseft dat valse aangifte een ernstig mis-drijf is?'

'Erger dan de diefstal zelf?'

'U overtreedt de wet,' zei de man.

Hij bood me een sigaret aan, schonk koffie uit een thermoskan en ging er makkelijk bij zitten. 'Student? Letteren? Zo... Dan zal ik wat beter op mijn woorden letten. De mensen spreken slordig Nederlands tegen-woordig, vindt u niet?'

We keuvelden over taal. Hij las graag, zei hij, het kwam er alleen zo weinig van, te druk. Maar mensen waren ook net boeken: 'Ieder heeft zo zijn verhaal.' On-dertussen bleef hij me aankijken, doordringend, maar steeds vriendelijker. 'Onze-Lieve-Heer heeft vreemde kostgangers, ik zou er een encyclopedie over kunnen schrijven.' We rookten nog een sigaret, gaandeweg het gesprek noemde hij me 'jongen'.

'Doe je aan sport?'

'Nee, ik dank mijn goede gezondheid aan het feit dat ik me altijd verre heb gehouden van enige sportbeoefe-ning.' Die zin las ik ooit in een interview met een stok-oude professor.

De politieman kon er niet om lachen. 'Je kunt er anders veel in kwijt, jongen,' zei hij na het uitspuwen van een tabaksspriet. 'En militaire dienst?'

'Nee, afgekeurd. Platvoeten.'

'Zou goed voor je zijn geweest.'

'Ik haat militairen. Dan heb ik liever met misdadigers te doen.'

'Zeg dat maar niet als je straks voor de rechter staat.' Hij zag me schrikken, en sloeg meteen toe – alsof hij plotseling begreep over welk gemis we hadden gesproken: 'Zeg jongen, leeft je vader nog?'

'Nee.' Mijn stem brak en ik begon onbedaarlijk te huilen.

V

Plonger au fond du gouffre, Enfer ou Ciel,

qu'importe?

Au fond de l'Inconnu pour trouver du nouveau!

CHARLES BAUDELAIRE, *Le voyage*

Mijn moeder zocht ik niet meer op, mijn zusters bestonden niet meer, ze hadden zich voortgeplant, er lagen
geboortekaartjes met vreemde namen in de fruitschaal
te vergelen, een felicitatie sturen ging me te ver – familie was een andere planeet. Halfstad meed ik als de pest,
ik haatte tevreden mensen. Mijn studie verwaarloosde
ik, al was er wel eens een dag dat ik hard studeerde, zo'n
dag na een nacht die ik wilde vergeten en waarop ik me
voornam een nieuw leven te beginnen. Ook mijn oude
huisgenoten zag ik nauwelijks nog, onze levens spoor-
den niet meer. Sinds ik overhaast bij Maud vertrokken
was, sliep ik veel te lang uit – ik miste de gekooide wek-
kers uit de dierentuin en vooral Werners luiheid om me
tegen af te zetten. Ik miste hem ook op een andere manier en soms belde ik hem op om te zeggen hoe druk ik
het had, dan hoorde ik in ieder geval zijn stem. Werner
ging niet meer mee op kroegentocht – de stad was al
verkend. 'We drinken te veel,' had hij gezegd. Nu, dat
trof dan mooi want ik was het beu door hem te worden
bekeken en bekritiseerd. Ik wist donders goed wat ik

deed en vaderlijke adviezen had ik niet nodig. Ik wilde van geen vaders in mijn leven weten. Ik hoorde niet bij hem, ik leek ook niet op hem. Misschien was ik te slecht voor hem. Kots me maar uit. Toch zou hij trots geweest zijn op mijn magere ribbenkast; die pillen hielpen, ze verdreven de honger, de slaap... Maar hoe verlekkerd ik ook bij het aan- en uitkleden mijn eigen ribben kon tellen, mezelf bekijken durfde ik niet meer. Sinds ik mezelf een keer in de spiegel was kwijtgeraakt, liep ik van mijn eigen ogen weg.

Het was op een ochtend gebeurd, na een lange nacht. Ik kwam duizelig van moeheid thuis en stond me uit te kleden, ik keek in de spiegel en zag mijn nieuwe kamer als een schilderij: het brede bed, de boeken in de kast, de nieuwe tafel, de affiches aan de wand, de plank met wat restanten servies, de stoel waar mijn kleren op lagen. Ik zag alleen mezelf niet. Ik stond voor een onbewoond schilderij. Leeg was ik. Weg. Eindelijk vrij.

•

Sjeng was de laatste halte. Hoeren konden er ongestoord op krachten komen wanneer een schip dronken matrozen de Wallen had bestormd, pooiers maakten er de kas op en Chinezen gokten achter het gordijn – alles mocht, zolang je de bediening niet lastigviel, want dan vond je een trillend mes naast je glas. Wie de weg naar Sjeng kende, wou alleen nog maar drank, en troost misschien, maar dat kon je niet bestellen. Die avond zaten ze er allemaal: de grafoloog met een bloedmooi meisje – elke avond een ander, hoe deed hij het? Omdat hij niets met ze doet, zeiden ze, alleen hun hand vasthouden en ze een mooi karakter aankletsen. De co-assistent schreef zijn recepten uit, gekke Kareltje was in gesprek met zichzelf en professor Trotski sloeg met zijn vuist op tafel; hij was al jaren zo overtuigd van zijn eigen gelijk dat hij er een eeltbobbel ter grootte van een schildpad aan had overgehouden. En dan had je Poolse Yvanca, een stokoude hoer die ooit op een tank mee naar het Westen was gereden en nu voor een gulden haar kut liet zien, en die gulden gaf je ook als je niets wou zien, ze trok uit gewoonte haar rok op. Achterin zaten de humeurige hoeren, die je uitscholden als je te lang naar ze keek, en de travestieten, blazend naar de taxichauffeurs die hen in hun kont knepen... en er maar langslopen, reet zwaaiend, en bij mekaar uithuilen en de plee te lang bezet houden. En dan de vechters met hun kwaaie dronk, overhemd uit en op de vuist met wie ook maar even verdacht keek. En de woonwagenbewoners, luidruchtig en geil. En de stille mannen die boven hun jenever zaten te huilen. En hij, bedeesd aan de zijkant, op een bank achter een lange tafel – een groentje tussen de grauwe drinkers en toch kende hij die mensen al jaren... Zoals de vrouw in de witte jurk die voor zijn tafel danste... nooit eerder gezien, maar de ouderwetse stof, het kanten borduursel om haar borsten, de bloedkoralen ketting, ja, haar hele houding herinnerde hem aan de vergeelde portretten in oude familiealbums. Mooi was ze geweest, in een andere tijd, een ander land. Ze had hoge jukbeenderen, zwart opgemaakte amandelvormige ogen, scherpe heupen. Ze danste als een schonkige jonk. En weg voer ze, naar een andere hoek.

Een schouderloze jongen schoof zijn kant op, maar hij had geen zin om met hem te praten, hij droop zo, die jongen: schouders, haren en gezicht, alles wees naar beneden. Dus schoof hij zelf door, naar de twee vrouwen die zij aan zij hun roes uitsliepen – kwijlend, met open monden, in ladderkousen en versleten jassen en toch, ook zij waren mooi, zoals iedereen bij Sjeng mooi was, zelfs Yvanca, die haar rok maar helemaal had uitgedaan en haar borsten op haar handen wiegde en langs de tafels bedelde: 'Kusje, kusje...' en we kusten haar doodmoeie tepels, door duizenden lippen gezoend.

De vrouw danste weer voor zijn tafel – ze stak haar kont naar de banken, kreeg plotseling een hoge rug, het wit van haar jurk was goor, maar draaide ze naar het licht, dan viel er een schaduw op haar wangen en was ze betoverend mooi. Hun ogen vonden elkaar – ogen die met hem wilden dansen. Hij schudde van nee, maar de schouderloze jongen schoof de tafel opzij... nu moest hij wel. De jukebox ging harder, hij stapte in haar armen en probeerde nergens aan te denken, het ritme moest in zijn kop, de stemmen eruit. Lichaam moest hij zijn, alleen maar lichaam. Hij voelde haar heupen, haar handen om zijn middel en pas toen zag hij hoe grijs haar ogen waren, doorzichtig haast. Zulke lichte ogen had hij niet eerder in zijn leven gezien en hij schrok van de leegte achter die koolzwarte randen. Lokte het ravijn of de hemel? Ze voelde zijn weifeling en trok hem dichter naar zich toe, hij keek van haar weg en troostte zich in haar nek, haar doffe haren plakten tegen zijn wangen – zoet rook ze. Hij legde zijn handen op haar billen en droomde dat hij er niet was.

'Je hebt een goed gevoel voor ritme,' zei ze. 'Je bent een zachte man, geen gemene knijperd.' Hoorde die stem bij dat gezicht, zo plat en lijzig? Hij danste met een echte Amsterdamse. Het vreemde zat alleen in haar ogen. De jonk zonk onder zijn handen... maar ze liet hem niet los, hees zich aan hem op en het beviel hem ook wel, zo'n del. Hij kneedde haar kont: haar weke praatjes mochten hem niet onschadelijk maken. Ze kuste zijn wang, haar tong kroop naar zijn tong, hij proefde het zwart om haar ogen en ze dansten tot zij wankelde en houvast bij de flipperkast zocht. Hij leidde haar naar een tafel, ze vroeg om een bessen met ijs. 'Van dansen krijg je dorst,' – er ontbrak een hoektand als ze lachte, zijn tong had het al eerder ontdekt –, 'ik ben Mireille.'

Ze werkte in een lijstenwinkel, en hij?

'In een bibliotheek.' Iets anders kon hij zo gauw niet verzinnen.

'Ik ben geen leestype,' zei Mireille. Maar ze hield wel van mooie fotoboeken, over verre landen en zo: 'Me vader was een Chinees, vandaar.'

'Ik houd van schilderijen,' zei hij.

'Toevallig, hè, allebei dat artistieke.'

Ze dronken de verschillen weg: nog een bessenjenever met ijs en een dubbele J&B – de whisky uit de romans van Graham Greene.

'Nou heb ik je naam nog niet verstaan?' Ze boog zich naar hem toe en hij zag een grijze scheiding. 'Graham.' Ja, waarom niet? Laat hem ook eens een Engelse moeder hebben... Graham veegde een stuk van de tafel schoon en haalde nieuwe drank. 'Nou Grejem, ik wil zo nog wel effe met je. Ik ben gek op dansen, echt waar...' Ze had het lang niet gedaan, vroeger, ja, toen ging ze veel uit... maar ze was al drie jaar gescheiden: 'Kan je het zien?' Nee, niet meteen. 'Ik weet niet eens waar hij zit, hij laat niks van zich horen, die hufter.' Geen cent betaalde de klootzak en hij had haar halve huis leeggeroofd... nam zelfs de spaarpotten van zijn eigen dochters mee, begreep hij dat nou? En toen Graham uitlegde wat de man mogelijk bezielde – 'Mensen kunnen moeilijk over hun emoties praten en dan vermoorden ze elkaar om een theelepeltje', – zuchtte ze: 'Ja, zo is het,' en ze kroop tegen hem aan en hij troostte haar elleboog. 'We gaan niet zeuren,' nam ze zich voor. En hij? Was hij een vrije jongen nog? Hij wist niet wat hij zou liegen... 'Ja, ja, pakken wat je pakken kan, en wegwezen,' zei ze, 'ik ken die types.'

'Ik ben tussen vrouwen opgevoed,' zei hij.

Ze gingen weer dansen, maar de muziek kon ze niks meer schelen, ze wreven alleen nog maar tegen elkaar en dachten allebei aan hetzelfde. 'Bij wie?' vroeg ze. 'Bij jou,' zei hij.

De uitsmijter hielp haar in haar jas, de voering zat los en haar hand kon het mouwgat niet vinden – nou anders hij wel – ze maakten schunnige grapjes. 'Je moet niks van me denken, hoor,' zei ze in de taxi, 'ik ben heus geen beroeps.'

Achter in de auto begon hij haar te ruiken, het zoete parfum werd bitter, haar witte jurk vuiler, haar oksels stonken. Hij nieste. Het was de buurt waar ze doorreden, de Westergasfabriek. Hij wou haar niet ruiken, niet zien, al had ze zwarte plooien in haar nek. Ze was een ouwe schuit en het kon hem niks verdommen. Ze trapte een verveloze deur open, ging hem voor langs fietsen en dozen lege flessen. De rommel in de kamer was te groot om op te ruimen, de stank te scherp om waar te nemen, kattenbak, luiers, etensresten... het mocht hem niet raken, hij pantserde zich en wachtte af... volgde haar billen die achter een dun gordijn verdwenen – ze had dorst, erge dorst –, hij hoorde hoe ze haar schoenen uittrapte, glazen pakte, de ijskast opende en hij lulde met haar mee – zij achter het gordijn, hij tussen de bakjes van de afhaalchinees op een plakkerige bruinleren bank. 'Let niet op de rommel hoor... dat komt, ik ga hier weg.' Ze stond op een lijst bij Gemeente Huisvesting, maar de buitenlanders gingen voor, haar lieten ze stikken... een halve woning met z'n vieren! Zij met d'r drie grietjes, die sliepen achter. En duur die grietjes! Wist hij wat een paar gympen kostte en een spijkerbroek?

Mireille kwam met een arm vol flessen bier binnen. Hij maakte plaats op de salontafel, stapelde een paar borden op elkaar; ze kleefden aan de onderkant, onwillekeurig hield hij er een op en zag een ring van grijs vet.

'Ik heb geen schone glazen meer, mag het zo?' Aan schoonmaken had ze een bloedhekel, dat deed ze de hele dag al op de lijstenmakerij, werkster was ze daar, niks artistieks, de hele dag boenen, dan kon je thuis geen sop meer zien. Ze opende twee flesjes bier, de kroonkurken vielen op het kleed. Hij raapte er een op. 'Laat leggen, dat komt morgen wel...' Ze dronk staand een flesje leeg en zakte op de bank, hij trok net op tijd een halfaangevroten bakje Chinees weg en zette het naast de vuile borden. 'Hou nou 'ns op.' Ze legde haar hoofd in zijn schoot... Zijn handen aarzelden.

Een kind riep van achter het gordijn: 'Mamma, mamma.' 'Wat mot je?' Pissen moest ze. 'Verdomme, kan je dat zelf niet, vraag of Fatima je help... mamma heb nou bezoek.' 'Pappa?' Nee, pappa niet, een kennis. Morgen zouen ze hem wel zien. Ze schurkte dichter tegen hem aan: 'Ik ken het niet hebben, vannacht effe niet,' en terwijl ze hem onder zijn kin streelde en hij haar lippen ontweek, drukte ze met haar grote teen op een knop van de stereotoren naast de bank. Andy Williams donderde door de kamer.

'Mammie!'

'Godverdomme, hou je bek.'

'Ga even naar d'r toe,' zei hij.

'Begin jij ook al?' Ze hing met een open mond voor zijn mond. Maar de kinderen gunden hun moeder geen zoen, het gordijn schoof opzij en plotseling stonden er twee in de kamer – kleuters nog, met grote bruine ogen en zwarte krullen, in niks hun moeder, op de jukbeenderen na. Mireille stoof op en joeg haar dochters naar achteren. Een glas viel en hij hoorde klappen, krijsen: het was niet te doen, ze lieten d'r ook nooit met rust: 'Naar bed of ik sla je in bed!' Hij kromp ineen... ze sloeg... ze bleef slaan... hij dook weg van haar handen door dicht bij de speaker te gaan zitten, maar de kinderstemmen drongen door alles heen, door muur, gordijn, vuil en tijd... hij wilde opstaan, haar van haar kinderen vandaan sleuren, terugslaan... maar hij versteende... tot het huilen minder werd en er kreuntjes uit de slaapkamer kwamen... ze troostte haar dochters: 'Mamma is effe bezig.'

En daar kwam mamma weer de kamer binnen, met een wanhopige lach en een beslagen fles wodka in de hand. Van bier moest je maar pissen. Hij wou niet meer. Zij dronk uit de fles: 'Wat krijgen we nou? We zouen niet zeuren.' Ze trapte een halfvolle bierfles om, knoeide met de wodka en ging op de punt van de tafel zitten, met haar kont in de foe yong hai. Lachen was dat, ze trok haar jurk over haar hoofd – het vuil sliertte langs haar haren – jurk over de stoel, bh erachteraan... tieten zwaaiden door de kamer, haar onderbroek snoerde haar vel. Ze wierp zich op de bank: 'Komt er nog wat van?' vroeg ze hees. Hij dronk een vol glas wodka leeg. Weer keek er een krullenkop tussen de gordijnen, een ouder meisje: 'Ma-am...' Mireille smeet een kussen naar het gordijn: 'Fatima, laat je moeder met rust.'

'Kom op, kleed je uit.' Ze trok aan zijn riem en sjorde zijn broek naar beneden... Ze zouden het heel voorzichtig doen... 'Stil stil,' hijgde hij. Gulzig greep ze naar zijn pik en reed tegen hem aan. Hij vermande zich en dacht: Ik naai d'r meedogenloos... maar hij hoorde de kinderen in de keuken rommelen. Zij kreunde, hij gromde... er viel een kussen van de bank. Het lawaai achter hield aan, Mireille stond op, trapte tegen het gordijn, de kinderen gilden.

Hij zocht zijn kleren bij elkaar – hij moest echt gaan. Mireille wierp zich om zijn nek, balde haar vuisten en timmerde op zijn rug: 'Dat kan je niet maken, godverdomme... naai me, naai me.' Ze schopte haar onderbroek uit en ging voor hem staan. Hij moest in haar komen. Het lukte niet meer, hoe ze ook trok en zoog. 'Mam,' klonk het van achter het gordijn. De oudste hield haar jongere zusjes niet meer in bedwang. 'Rot op,' zei moeder met volle mond. 'Rot zelf op,' schreeuwde een kind. 'Het gaat niet,' zei hij. Fatima kwam achter het gordijn vandaan – in een te klein T-shirt, haar onderbuik en benen waren bloot. Ze keek naar haar gehurkte moeder... lachte verlegen... keek doortrapt. Hij draaide zich om, greep naar zijn broek. 'Is zij soms beter?' Ze duwde het kind voor zich uit, trok het T-shirt over haar hoofd en wreef met haar hand over haar onbehaarde schaamstreek. 'Hier pak d'r,' schreeuwde ze, 'dat willen jullie toch allemaal?'

'Nee,' zei hij, 'nee.' Hij raapte het T-shirt op en verzamelde kopjes en glaswerk om naar de keuken te brengen. Twee meisjes schoten langs hem de kamer in. Ze kropen tegen hun moeder aan, die zich wijdbeens stond te bevredigen.

•

Een paar nachten later staat hij tussen de druggies en ander schorem waar hij bang voor is. Hij spreekt een Surinaamse dealer aan die hem apart neemt en tegen hem smoest... er komt een Duitser bij staan, ze proeven, snuiven. Hij moet ervan niezen, maar koopt een zakje – twee geeltjes. De Duitser legt hem uit hoeveel een geeltje is. Ze lopen met elkaar op: ja, die kwalität ist Klasse in Amsterdam. Wil hij ook pillen? Hij houdt een handje op. Pillen, waarvoor? Voor de Ruhe, zegt Mischa, ja, der Mischa heeft ervaring: Pulver zum wakker werden und Pillen zum schlafen.

Mischa heeft zijn gezicht getatoeëerd, zijn voorhoofd is een rebus. Komt het van dat snuifje cocaïne dat hij zijn ogen er niet vanaf kan houden? De blauwe tekens schrijven zich voort tot onder Mischa's opgeschoren blonde haar. En dan dat leren jack met franjes en een Maltezer kruis van spijkernoppen op de rug – hij maakt hem een compliment. 'Magst du das?' Mischa weet een kroeg waar mannen in Lederklamotten komen. Sehr geil. De mensen schrikken onderweg van zijn gezicht; wie raar kijkt, kan een Schlag voor z'n kop krijgen. Het vraagteken tussen zijn wenkbrauwen loopt rood aan – schön nicht? – dat was zijn eerste tatoeage.

Mischa leidt hem door stegen achter de Wallen tot ze voor een deur met zwartgeschilderd glas staan: het honk van de motorclub. Geen motorfiets buiten te zien, je moet het weten. Het is een bruin lokaal, met schrootjes betimmerd en met foto's beplakt: James Dean op de motor, Van het Reve in zijn jekker en Napoleon te paard...

die ook al? Een brigade petten neemt hem onderzoekend op. Deze mannen kirren niet, ze meten hem, wegen hem en draaien zich weer om. Hij glimt ook niet, hij draagt niet eens een spijkerbroek.

Ze nemen plaats aan de bar, Mischa koopt hem een fles bier. Ze drinken, roken, glimlachen verveeld – hij doet wat zijn gids doet en als Mischa een oude *Bildzeitung* uit een stapel drukwerk opvist, leest hij over zijn schouder mee: Mann entführt von Ufo!!! Exclusief interview. 'Sie bestaan,' zegt Mischa, 'ik hab sie gezien, boven Hannover... op een winternacht, bei ganz klare Himmel...' Ja, Hannover, daar is hij geboren. Hannover houdt niet van Schwulen. Maar in Amsterdam wordt hij ook gediscrimineerd... als Duitser: 'Ik bin niet met dem Krieg begonnen.'

Mischa haalt een spiegeltje uit zijn binnenzak, legt een scheermes op de krant en strijkt een bankbiljet glad. Dan schudt hij wat cocaïne op de spiegel – het is nog te nat en moet eerst drogen. Het jack gaat uit, twee versierde armen komen bloot. 'Tatoeages zijn wie chips,' zegt Mischa, die een strak wit onderhemd draagt, 'aan één heb je nie genug.' Hij spaart voor een grote op zijn rug, een worstelaar van Hokusai, zoiets... maar ja, dat kost geld en werk vindt hij niet, vanwege zijn gezicht... 'Nah, het is toch mein gezicht?'

Wat moet Mischa anders doen dan klauen, ze maken een dief van hem.

Hij begrijpt de hint en biedt zijn nieuwe vriend snel een tweede pilsje aan – nee, tap heeft de barman niet, kerels drinken uit flessen. Hij moet pissen, maar aarzelt: het is druk achterin. En dan ziet hij een mee-eter op Mischa's schouder: een kopspijkergrote korrel. Zijn vingers jeuken. Hij kijkt hem rijp. Mag het? 'Ein schöner Rücken kann auch entzücken.' Mischa draait zijn rug naar hem toe, rolt het biljet tot een rietje en hakt de korrels fijn. De barkeeper trekt de klep van zijn pet naar voren. Mischa snuift, kijkt met waterige ogen naar het opgezogen spoor... Nu hij: in één teug door de neus. Het pakt hem achter in de keel, hij kan niet goed meer slikken. Mischa klauwt een ijsblokje bij de barman weg: 'Saugen.' Zijn verhemelte voelt als stopverf, maar het spul doet niks in zijn kop, helemaal niks...

Hij lacht om de hemelse blik van Mischa – high van de Vim – en zet zijn duimen op de mee-eter. Hij drukt, knijpt, een worm kruipt naar buiten, eerst taai en onwillig, maar de bodem geeft mee, een molshoop breekt open... een krater... wit en geel... Hij heeft een bierviltje nodig om het talgvet af te vegen. Zijn duimen komen klaar. Mischa snuift. De mannen achter liet hij staan.

*

De steeg was moeilijk terug te vinden en de weg durfde hij niet te vragen. Tot hij twee motorrijders te voet zag, met bungelende sleutelhangers aan hun riem, daarna was het een kwestie van volgen. Zwart achter zwart, al glom zijn rijbroek minder en was zijn t-shirt te dof – wat glom waren zijn jack en zijn ketting; de cowboylaarzen kraakten voor twee... Er smeulde een sigaret in de kom van zijn hand. Hij stapte achter de sleutels naar binnen en deed als zij: bestelde zijn fles, liep naar de achterkant van het lokaal en leunde tegen de muur, sippend, zwijgend, kijkend. Het waren geen jongens die daar stonden, maar mannen, stoer, breed in de schouders en lelijk, de meeste waren foeilelijk... maar geil. Een andere schoonheid telde hier, de schoonheid van hetzelfde, iedereen kopieerde hetzelfde ideaal. Of je nu een hazenlip had, of je schouders in de geboortetunnel tot flessenhals waren gekneed – het donderde niet: leer gaf een harnas.

Een man ging voor een man staan, zwijgend betastten ze elkaar – broek kletste tegen broek. Ze schuifelden naar een schot in de hoek, hij hoorde het tikken van gespen, het krassen van zolen over de met zand bestrooide planken, een man bukte, zijn rug glansde. Hij keek weer strak voor zich uit. Een jongen kwam op hem af, in een gescheurde spijkerbroek, goor t-shirt. Hij had lang blond haar. 'Hou je van pervers?' vroeg hij lijzig.

'Wat is dat?'

'Pissen, schijten, fisten...'

'Waar?' vroeg hij met bevende stem.

'Bij mij thuis.'

'Nee, dank je.'

Hij liep naar voren, bestelde een nieuwe fles, keek, wachtte en snoof de restanten cocaïne op – rotzooi waar hij van niezen moest; niets voor hem, drank, veel drank, dat maakte hem onverschillig.

Het werd voller in de club, de meesten liepen meteen

door naar achteren, de praters groepten bij de bar, maar hij had niks te bespreken, dus liep hij weer naar de stille drukte en koos een lege plek onder een van de speakers. De boxen hingen aan dikke elastieken, deinend op één ritme. Hij voelde ogen langs zijn lichaam gaan, ogen onder petten. Niet alle mannen zagen er zo vervaarlijk uit, er stonden ook spijkerbroeken tussen en koppen met haar of kale, maar de glans overheerste in de kluwen, de zwarte glans van het uniforme lumberjack. Sommigen droegen hoge laarzen en schuine riemen over de borst – soldaten... ze speelden soldaatje en er kon geen lachje af. Toch waren ze zacht in de omgang, zo op het eerste gezicht: ze drongen niet bij de bar, pakten elkaar teder bij de arm als ze zich uit een groep losmaakten, bedankten elkaar voor bewezen diensten met zachte tikjes op de kont... ze bedoelden het niet kwaad. Het leer was hun code, geil en herkenbaar, angstaanjagend voor de buitenwereld, maar onderling hadden ze niets van elkaar te vrezen.

Hij stapte de kluwen in en liet het gebeuren: glijdend door het leer, langs ongeschoren kaken, snorren, kleppen... in het stikkeduister, tot hij houvast vond bij een hand en nog een, zijn t-shirt werd uit zijn broek getrokken, de ketting schuurde langs zijn strot, onzichtbare handen klemden om zijn dijen, wreven over zijn buik, een onzichtbare tong likte zijn oor, zijn nek, een andere verkende zijn tepels, zijn t-shirt ging aan flarden, een tong links, een tong rechts, een tong onder – drie snorren voedde hij – iemand duwde een flesje onder zijn neus, hij snoof, alle neuzen snoven, tongen werden dikker, likten, spuwden, tanden beten, zijn laarzen raakten de grond niet meer, de handen tilden hem op, hij zweefde... Dit was de vervoering die hij zocht: boven harde handen uit vliegen. Hij landde in een schilderij van Jeroen Bosch... tussen de zwarte pantserkevers, krioelende tongen en slangen... ongedierte... Zoals de man die gebukt stond met zijn broek op zijn enkels, smekend om slaag of erger. Zo mocht hij nooit worden. Hij scheurde zich los, zonder groet, zonder iemand in de ogen te kijken. Nog diezelfde nacht lag de rijbroek in de vuilnisbak, de laarzen én de ketting. Het was niet gebeurd.

•

Zijn ketting miste hij het meest van al. Het voelde zo leeg in bed; als hij midden in de nacht wakker werd en woelde, was er niemand die hem even streelde en zei: 'Hallo, wat liggen we lekker hè?' Hij miste hem onder de douche als hij moed voor de dag verzamelde en zich voornam: vandaag mag iedereen ons zien. Hij had hem bij zijn vertrek van Maud teruggepikt en sinds hij weer alleen woonde veel gedragen – in het geheim, goed weggestopt, uit angst ermee betrapt te worden. Niet dat elke passant in zijn kraag zat te turen, maar hij zag zelf meteen of mannen een ketting droegen of niet, hij keurde ze erop, keek dwars door hun overhemden heen en als hij ook maar de contouren ontwaarde, was zijn oordeel niet mild: mannen met kettingen hadden geen smaak, het waren doorgaans louche patjepeeërs, bij geen van

hen wilde hij horen, behalve misschien bij de glazen-
wassers, die hadden tenminste de torso die erbij paste,
bij hen híng de ketting niet, hij lág – óp hun nekspieren:
een dikke korte zilveren slang die ze onder het neuken
van de honderden huisvrouwen gewoon konden omhou-
den zonder tanden uit de mond te slaan. Zo'n ketting
hoorde bij hun gilde en het werd hun dus vergeven, zoals het zwarte mannen vergeven was, want die hadden
soul, net als popsterren; ook zij mochten alles doen en
dragen wat het publiek zichzelf verboden had.

Toen hij zijn ketting na die zondige nacht in de vuilnisbak gooide, voelde hij zich even bevrijd... maar na
een paar weken trok het verlangen weer aan zijn nek en
dacht hij aan niets anders: ⎯⎯⎯⎯⎯⎯⎯⎯⎯⎯

'Waarom wind ik je zo op,' vroeg de Cartier-ketting in
de etalage van de juwelier.

'Je maakt mij mooier,' zei hij, 'je wilt dat ik afval,
bruiner word. Je laat me schoenen met twee kleuren
dragen. Je leert me vrouwen aan te katsen – samen komen we vier keer klaar. Je bent een opschepper.'

'Houd je meer van mij dan van mensen?' vroeg de
ketting.

'Je bent mijn beste vriend. Je troost me. Je weelde
maakt me rustig, alleen... ik vind het moeilijk je ergens
te introduceren, een Cartier laat zich slecht met anderen
delen. Bij de dokter moet ik je verstoppen, anders krijg
ik een ziekenfondsbehandeling. Mee naar college kan je
evenmin, mijn medestudenten zullen me niet serieus
nemen. Goud en letters verdragen elkaar slecht: op

mijn instituut zijn ze de mening toegedaan dat literatuur een ernstige zaak is, een zaak van lijden en een
bete broods, van zuinige monden en juchtlederen
schoeisel. Glans en wellust zijn verdacht, ook in de stijl.
Blader door een Nederlands Schrijversprentenboek en je
ziet de groten in te korte lange broeken, opspringende
overhemdkragen en verkeerd gestrikte dassen. Dood of
levend, ze zijn aandoenlijk, wars van uiterlijke schijn, de
geest is het enige dat telt, zozeer dat ze zelfs de karakters in hun boeken vergeten aan te kleden. O nee, onze
schrijvers flaneren niet, op Couperus na, die vier bladzijden lucide over een zakdoek kon zeuren. Maar zijn
collega's bespotten hem.

Het rokje van Byron, de honderden dassen van Honoré de Balzac – auteur van een handboek over de wijze
van strikken –, de witte schoenen van Svevo, de gevoer-
de zijden hemden van Tennessee Williams, de donegal
tweeds van Mann en Camus... het zou slecht vallen in
een land waar het dragen van een maatpak hoogst verdacht is. Je kan hier als kunstenaar aanzien verwerven
door je arm voor te doen... ook en vooral als je het niet
bent, want het etaleren van bescheidenheid geldt hier
als een goede eigenschap – terwijl je maar om je heen
hoeft te kijken om te ontdekken dat juist bescheiden
beroemdheden de grootste ijdeltuiten zijn: *"Ik ben maar
een letterknecht..." "Het is een gave Gods..." "Beschouw
mijn poëzie als de triangel in een groot orkest..." "Ik noem
mij liever reporter dan schrijver..."* Bah! Wat dat betreft
zou ik in goudlamé op college willen verschijnen, maar

daar ben ik helaas te laf voor en bovendien: ik kleed me om aan te trekken, niet om af te stoten.

Nee, ik neem je liever mee naar plaatsen waar niemand ons kent... Met een ketting de wereld rond. Maar juist onder vreemden verloochen ik je keer op keer. Stel je voor, we zitten op een terras en jij wilt ook wat zien. "Goed," zeg ik, "wie kent ons hier, vooruit, ik toon je de boulevards, een stukje maar, niet meer dan een knoopje." Zón erop en schitter. Komt er een man naast ons zitten, drie knopen open en de bink spelen – een eersteklas plebejer. "Kijk eens naast je, Cartier," fluister ik, "zo willen wij toch niet zijn? Bij die lui horen we niet."

"Wees niet zo bang," zal je zeggen, "jij hebt toch geen ordinaire kop?"

"De mensen delen elkaar nu eenmaal makkelijk op uiterlijkheden in," werp ik dan tegen, "mijn kaste accepteert jouw type niet."

"Je schaamt je voor me," zeg jij.

"Knoop dicht, niemand mag je hier zien."

"Wat een achterbakse vent!" roep je uit het vooronder. "Kan je wel, de kat in het donker knijpen en voor de buitenwereld mooi weer spelen."

Na een paar dagen vraag ik je binnenskamers te blijven. "Je brengt me in verlegenheid," zeg ik. "Gisteren toen we arme mensen tegenkwamen, wist ik niet hoe gauw ik je moest verbergen."

"Hou toch op, de armen zijn juist gek op me, er is geen arme die niet met mij bevriend zou willen zijn."

"Nee, laten we er niet aan beginnen, je weet hoe onze reis eindigt: uiteindelijk gooi ik je weg."

"Alweer!" riep Cartier vanaf zijn fluwelen etalageborst, "hoeveel voorouders heb je nu al niet geofferd, in de goot gemieterd in de hoop dat een zwerver hen zou vinden. Kom ervoor uit, durf met me te pronken."'

Het is niet het pronken, dacht hij, je neemt me in bezit. ─────────────────────────────────────

En zo zeurde het dagen door in zijn kop en niet altijd even lucide: elke hersencel raakte besmet. Kopen of niet kopen? Een ketting gaf hem kracht, een ketting maakte hem zwak – het was een sterke broer van wie hij wegliep als zijn schaduw hem te machtig werd. Hij hees zich aan hem op en raakte daardoor terneergedrukt. Hij hield van hem, maar hun vriendschap was onberekenbaar. Hij moest altijd op zijn hoede zijn: Wat doet-ie? Zet-ie me voor schut, of winnen we terrein? Slaag of lof. Nooit wist hij het. Toch liet hij zich telkens weer door hem verleiden, schakel na schakel. Niemand liet hij dichter tot zich toe dan zijn kelende, strelende vriend.

•

Het was stil in De Blauwe Ballon geweest en niemand had het gemerkt. 'Hoeveel?' vroeg Alicia bij het verlaten van de kelder.

'Driehonderd.'

'Ik had hem op meer geschat.'

'Ik heb hem vijftig gulden gelaten, voor de taxi... hij is te dik om naar huis te lopen.'

Na lang aandringen waren ze op de avances van de

Vlaming ingegaan. Aanvankelijk dachten ze dat hij háár wou hebben – waarom zat hij haar anders de hele nacht te tekenen? Zíj kreeg een fles wijn aangeboden, een schets... Maar het bleken schijnbewegingen te zijn om bij hém uit te komen: Broertje, de nieuwe nachtvriend van Alicia.

'We gaan het meteen opmaken,' zei ze.

'Waar? De halve stad slaapt nog.'

Hij ontgrendelde de buitendeur, de portier was al verdwenen en ze stonden in het felle licht. Alicia zette haar hoed op – een nieuwe aanwinst, pas in het daglicht drong de kleur tot hem door: boterbloemgeel. Het was veel later dan ze dachten... de winkels gingen al open. Alicia's hoed was te breed voor het trottoir, voorbijgangers moesten voor haar uitwijken. Ze verlieten de Wallen en botsten op de stroom reizigers uit het station. Konden al die nuchtere, pasgeschoren en gewassen mensen zien dat zij de hele nacht hadden doorgedronken? Liep hij wel recht genoeg? Zijn leren broek plakte van het bier, zijn spijkerhemd rook zuur, zijn baard brak door, zijn vingers zagen geel van de rook, maar Alicia deinde onaangedaan voor hem uit, slank en smetteloos, haar bleke gezicht verscholen achter een zonnebril. 'Ik kon hem niet laten liggen,' zei ze toen ze voor een etalage van De Bijenkorf haar hoed rechtzette, 'de paspop smeekte of ik haar van dat ding wilde verlossen, het was een daad van naastenliefde.'

De taxi's die voorbijreden waren bezet; ze staken door tot achter het koninklijk paleis en namen lijn 2 naar het

Leidseplein. In de tram staarde iedereen naar Alicia's hoed, niemand lette op haar handen. Toen ze weer buiten stonden liet ze hem háár vangst zien: een portefeuille met nog geen vijfentwintig gulden. 'Ik dacht je te overtreffen,' zei ze.

'Stelen van armen brengt ongeluk,' kapittelde hij.

Alicia liep quasi gepikeerd voor hem uit en liet de portefeuille in de schoot van een bedelende hippie vallen. 'Zo beter?'

Het was druk op het Leidseplein, de Vondelparkslapers kwamen in de stad ontbijten en er zaten al toeristen op de terrassen te wachten tot de Nachtwacht openging. Alicia bleef staan bij een souvenirstalletje, nam een rieten mandtas van de haak en hing hem over haar schouder. De koopman zag niets. Een Amerikaanse wees giechelend naar haar hoed. De hoed ging in de mandtas.

Naast de schouwburg hingen affiches voor *Malakoff* – een Russische opera, voor het eerst in het Westen opgevoerd. De première was de volgende avond. Ze bekeken de foto's in de vitrines... allemaal onbekende koppen: een Russische bas, een Zuid-Vietnamese sopraan... 'Vluchtelingen half geld,' zei Alicia. Eén ster herkenden ze: de man in corduroy uit De Blauwe Ballon, zijn dikke hoofd puilde uit het kader. Decors en kostuums: Walter Lange (België). De kassa's waren nog gesloten – 'uitverkocht' stond er in rode letters boven; ze besloten hun relaties te gebruiken.

Ze liepen de Leidsestraat in. 'Ik trakteer op het ontbijt,' zei Alicia en ze trok hem mee naar Dikker & Thijs, geroemd om zijn fijne delicatessen. De gerookte zalm lag al in de etalage te zweten. Ze keurden de uitgestalde waren op de tafel in het midden van de winkel, knepen in de verse vijgen, bestudeerden de etiketten van bijzondere wijnen. Het personeel liep van voor naar achter en was bezig schalen met salades in de vitrines uit te stallen. Er verdwenen twee flessen gekoelde champagne onder de hoed. Alicia woog de blikjes kaviaar in haar hand. 'Wil je de Perzische sevruga of de Russische beluga?' vroeg ze luid met één oog naar het personeel. 'De beste,' zei hij met een knalrood hoofd. Ze nam twee kleine sevruga en een groot blik beluga, liep naar de toonbank, maar bedacht zich op het laatste moment... 'Nee, dat is onhandig, ik kan ze niet koud bewaren.' Of meneer de sevruga voor haar zolang apart wilde houden? De bediende nam de twee blikjes aan en Alicia rekende een pakje crackers af; de beluga zat al onder de hoed. Alicia had een zwak voor Rusland.

'En nu een tafel met mooi uitzicht,' zei ze buiten op straat. De hoed schitterde weer op haar zwarte haar.

'Wijs me de weg,' zei hij.

De taxi deed er lang over, de Rijnstraat bleek halverwege opgebroken. De Wolkenkrabber lag te soezen in de ochtendzon. Zuid heeft een ander licht, vond Alicia, een beetje zoals Parijs. Dat kwam door de boulevardachtige straten en de brede Amstel, die de wijk als een Seine omzoomde en de staaf van steen en glas een zilveren glans gaf. Ze maakte zich zorgen over de temperatuur van de champagne.

De taxi stopte voor het bordes. Een valwind greep Alicia's hoed en hij ving hem voor haar op – elegant, als een danser in een musical. Ze nam hem bij de arm en zonder ook maar een blik op de naambordjes te werpen liepen ze naar de lift achter in de hal en drukten op het knopje. De glazen portiersloges aan weerszijden van de draaideur stonden vol fietsen. Ze keken omhoog naar de dalende lussen... een strop dacht hij, maar Alicia gaf hem een knipoog. Ze kende geen angst en het verbaasde hem hoe rustig hij telkens werd als hij haar aanraakte. Hij streelde haar hand. Er is geen toekomst en er is geen verleden, zei hij in zichzelf, er is alleen nu!

Ze stapten in en zoemden naar de hoogste verdieping. De lift stopte in een vestibule met twee deuren. 'Welke nemen we?' vroeg Alicia. Eén deur was pas geverfd en had nog geen naambordje. Nieuwe bewoners, precies wat ze zochten. Alicia fatsoeneerde zich in de spiegelende lak – hoed recht, zonnebril op de punt van haar neus – en belde aan.

Een vrouw in een schort deed open. 'Goedemorgen,' zei hij, 'mijn zus is in dit appartement geboren en heeft maar één wens: het uitzicht van haar jeugd terug te zien.'

'Maar dat gaat niet. Mevrouw Weil is ziek.'

'Ach wat vervelend, wat scheelt eraan?' vroeg Alicia.

'Ze holt achteruit.'

'Tine, wie is daar?' klonk het van achter een deur.

'Mensen, mevrouw... mensen voor het uitzicht.'

'Laat ze binnen.'

Het appartement rook naar verf. Ze betraden een ruime, zonnige kamer, het uitzicht sloeg hun in het gezicht, zo fel was het licht, de Amstel glinsterde in de verte. Het duurde even voor hun ogen eraan gewend waren en ze een vrouw in een stoel voor het raam zagen zitten – oud en uitgezakt, ongekamd, in een roze duster met een leeg ontbijtbord op schoot. Ze keek vol verwachting naar haar bezoekers op: één glas van haar bril was zwart en onder het andere zat een compres. 'Neem ons niet kwalijk, mevrouw,' zei hij, 'wij lijken brutale indringers, maar wij willen u allesbehalve storen. Het gaat ons om één blik, een laatste blik.'

'Bent u van de film?'

'Nee, mevrouw, wij zijn broer en zus en willen zo graag...'

'Ik heb al zoveel mensen gehad die hier wilden filmen. Maar ik begin er niet aan. Ik ga nooit naar de bioscoop.' Ze trok het compres weg, een etteroog grijnsde hen aan.

'Het is weinig veranderd,' zei Alicia, die achter haar langs naar het raam liep.

'U kent het hier?'

'Dertig jaar geleden... ik moet zes zijn geweest toen we hier vertrokken.'

'Zal ik ze uitlaten, mevrouw?' vroeg Tine.

'Wees niet zo wantrouwend, Tine. Zet liever koffie.'

'Wij hebben champagne bij ons,' zei Alicia. 'Heeft u glazen?'

'Maar wie bent u...' protesteerde Tine.

'Tine...' zei mevrouw Weil dreigend. Tine verdween naar de keuken. 'Ze is hier al heel lang, ze denkt dat het haar huis is.'

'Het blijft een prachtig uitzicht,' zei Alicia.

'Ik zie het niet meer,' zei mevrouw Weil.

'Uw ogen...'

'Nee, daarvoor al. Het beweegt me te weinig, alleen het verkeer, maar dat is altijd hetzelfde.'

Ze keken zwijgend naar beneden, over platte daken vol televisieantennes en miezerige huizenblokken... Op een paar grachten na had Amsterdam geen enkele allure, het bewijs lag aan zijn voeten: wat een inburgerlijke, benauwde, foeilelijke stad was het toch; als Parijs er ook zo uitzag, hoefde hij daar in ieder geval nooit naartoe.

Hij draaide zich weg van het raam en verkende de grote l-vormige kamer. Het interieur paste bij het uitzicht: zakelijk formica, plafonnières van melkglas, een wandmeubel met een encyclopedie en een plank ingelijste foto's, een canvas bank, geen boeken, nergens een krant. Waarom gooide mevrouw Weil zich niet meteen van het balkon?

Tine kwam met twee glazen binnen. 'Mevrouw mag niet vanwege haar suiker.'

Mevrouw Weil pakte een glas van de tafel en hield het met twee handen op. 'Doet u uw helm toch af,' zei ze tegen Alicia. De champagne schuimde overdadig en de zilte geur van de kaviaar prikkelde zijn neus. Tine keek toe zonder een hand uit te steken.

'Breng ons bordjes en de paarlemoeren lepel, Tine.'

Mevrouw Weil deed haar bril af en inspecteerde de grijze beluga, haar andere oog was een witte bol. De lepel trilde op het bord toen Tine het haar aanreikte. 'Metaal tast de smaak aan,' zei ze terwijl ze een klodder op de rug van haar hand lepelde en de kaviaar gelukzalig oplikte. Ze liet de champagne lang in haar mond tintelen. 'Wat doen jullie voor de kost?'

'Leven, zoveel mogelijk leven,' zei Alicia met gebroken stem en afgewend gelaat. Hij ging bezorgd naast haar staan – zolang ze zich aan haar rol hield, kon hij zich een houding geven.

'Hoe lang heeft u in de Wolkenkrabber gewoond?' vroeg mevrouw Weil aan Alicia.

'Misschien zaten we een paar verdiepingen lager.'

'Frieda was bevriend met een meisje hieronder.'

'Had ze een bril, vlechten?' Alicia liep naar de plank met fotolijstjes.

'Dat ben ik zelf, toen was ik van haar in verwachting,' zei mevrouw Weil zonder op te kijken. 'Die foto is hier op dit balkon genomen, herkent u het uitzicht niet? De ramen en de lichtreclame aan de overkant.'

'Mijn zus is ernstig ziek,' zei hij, 'misschien haalt ze de dingen door elkaar.'

'Tijdens mijn laatste verblijf in het ziekenhuis is dit appartement helemaal opgeknapt... ze dachten dat ik nooit meer terug zou komen. Tine ook, hè Tine?' Mevrouw Weil nam niet de moeite naar haar om te kijken... Tine trok zich terug. 'Ze waren de spullen al aan het verdelen. Maar ik ben helemaal niet van plan dood te gaan.'

Alicia zette de foto terug. 'Ik hoop dat u nog lang te leven heeft.' Ze leegde haar glas, pakte tas en hoed op en stak haar hand uit om afscheid te nemen.

'Insgelijks,' zei mevrouw Weil. Ze greep Alicia bij de pols en trok haar naar zich toe. 'Ik ben de gevangene van een donker uitzicht. Laat me je gezicht voelen.' Ze hees zich aan Alicia op en haar oude vingers betastten de poederbleke wangen. Alicia deed haar zonnebril af...'Je bent gegroeid,' zei mevrouw Weil, 'maar was je vroeger ook zo mager?' Alicia maakte zich van haar los en duwde haar voorzichtig terug in haar stoel. 'Hè, blijf nog even... Ik krijg weinig bezoek. Je hebt zo'n mooie stem... ik hoor zelden andere stemmen.'

'U kunt toch naar de radio luisteren,' zei Alicia. Ze stond voor het wandmeubel en opende een paar kasten.

'Zoekt u wat?' vroeg mevrouw Weil zonder zich om te draaien.

'De radio,' zei Alicia vlak.

'U heeft scherpe oren.' Hij liep naar de deur en wenkte Alicia, die in de laden begon te neuzen – hij kon het niet meer aanzien.

'De radio is ook weg, Tine deelt mijn smaak niet. Ik zeg altijd: mijn oren komen tekort.'

'Er is morgen een première van *Malakoff*,' zei Alicia.

'Wat is dat?'

'Een Russische opera...' De naam van de componist was haar ontschoten.

'Opera? Mijn platen zijn ook allemaal weg.'

'Met een Zuid-Vietnamese sopraan.'

'Kunnen die zingen?'

'We nodigen u uit.'

In de lift naar beneden keek hij Alicia vragend aan.

'Een moment van zwakte,' zei ze.

In de taxi viel ze op zijn schouder in slaap. De champagne was te lauw geweest.

Hij bracht haar naar haar kamer, de post lag voor de deur, er zat een aanmaning van de huisbaas bij: vier maanden huurschuld, binnen een week te voldoen, anders kreeg ze een deurwaarder op haar dak. De PTT had zijn dreigement al uitgevoerd: de telefoon was afgesneden. De zangleraar eiste duizend gulden lesgeld op. Alicia's nekspieren trilden, hij legde haar op bed en streelde haar... 'Zusje,' fluisterde hij. Ze kusten elkaar lang en slaperig... De Blauwe Ballon hing nog in haar haar. 'Regel jij drie kaartjes, Broertje?'

Alicia sliep nog toen hij in haar armen wakker werd. Hij nam een douche, besprenkelde zijn overhemd met Chanel no. 5, ging naar buiten en nam een taxi naar de schouwburg. De juffrouw achter het loket luisterde ongeïnteresseerd naar zijn verhaal: oude diva wil *Malakoff* zien, de laatste opera van haar leven... Het mens was onvermurwbaar. 'Ze is blind,' zei hij, 'ze kan nauwelijks lopen, is er geen klapstoel vrij?' Ze zette hem op de wachtlijst – met een beetje geluk brak iemand zijn been.

Hij kocht een krant bij de ILA en bladerde er door een operagids. *Malakoff* werd niet behandeld. De communistische boekhandel verderop had een Engelse gids waarin elke Rus stond – hij wikkelde het boek in zijn krant en liep zonder af te rekenen naar buiten.

Het was spitsuur op de marmeren wc-trappen van Hotel Americain, de kantoren gingen uit. Er werd lang getreuzeld voor de spiegels bij de wastafels. De schoonmaker vulde de eaux de toilette bij en kamde de haarborstels uit; pas als er genoeg rijksdaalders op zijn schotel rinkelden trok hij zich terug in zijn werkhok. Twee mannen deelden één toilet. Hij deed een plas tegen de urinoirwand en keek strak voor zich uit. Een man met grijzende slapen liep achter hem aan mee naar boven, halverwege de trap ontmoetten hun ogen elkaar – duidelijke taal. Boven in het overvolle café-restaurant vroeg de man of hij iets wilde drinken. 'Niet hier,' zei hij koel. Pas toen zag hij het krijtstreeppak, fijn afgezoomd langs de revers, de soepele zwarte schoenen. Even viel hij uit zijn rol... hij keek over de hoofden heen naar buiten, schokschouderde... maar trapte zijn aarzeling weg. 'Ik heb een kamer in het hotel,' drong de man aan.

Het leek een gentleman, maar in de lift kon hij zijn handen niet thuishouden. 'Draag je die broek ook naar je werk?'

'Altijd,' antwoordde hij ferm en zelfverzekerd.

'Heb je een vaste vriend?'

'Ik naai wie ik wil.' Hij telde de verdiepingen en de man verkende het leer. Het bordje 'Don't disturb' zwaaide nog na aan de deurknop toen de man hem begon te zoenen. Wild reed hij tegen hem aan. Nee sorry, dat deed-ie niet, en op de rand van het bed komen zitten wou hij ook niet. Het moest staand. De man drukte zich tegen zijn borst, maar werd weggeduwd. Een zoen op zijn wang dan? Nee. De krijtstreep beefde. Hij leunde onverschillig tegen de deur – wijdbeens en glimmend. De man deed een stap achteruit en hij zag hem met trillende vingers zijn gulp openknopen... Donkerblauwe voering, handgemaakte knoopsgaten... ouwe zak. Hij slikte de walging weg, duwde de man op zijn knieën. De man kroop voor hem. Hij zag tranen langs zijn dijen glijden en troostte hem met een klapje op de schouders. Nu was hij de baas.

Alicia lag nog op bed toen hij thuiskwam. Hij gooide haar de operagids toe, liep door naar de keuken en draaide de kraan open. 'Het is een sprookje... Malakoff is een reus,' riep ze tegen de loeiende geiser in. Hij kwam met een natte handdoek in de hand naast haar zitten en terwijl zij de ingewikkelde samenvatting voorlas – 'The giant Malakoff is the personification of collective Man' – wreef hij over de vlekken op zijn broek. 'Laten we niet gaan,' zei hij, 'je verstaat toch geen woord.'

Ze droogde het leer met haar laken. Wilde geuren kwamen los. Ze kropen tegen elkaar aan en lieten hun neuzen spreken... Zij vond een minnaar in die geur... meer liet ze niet los. Hij rook het paardenzadel dat hij vroeger in moest vetten, hoe allergisch hij ook voor paarden was... Ze spraken over de reuzen in hun leven: 'Ik werd op handen gedragen,' zei Alicia.

'Ik wilde die grote handen zachter maken.' Hij schrok van zijn eigen woorden.

'Daar houden reuzen niet van,' zei Alicia en kletste hem lachend op zijn billen; hij durfde nergens aan te denken. Ze betastte zijn achterzak, tikte op een portefeuille. Hij gaf hem af, de inhoud was nog niet geïnspecteerd, de geur van de eigenaar stond hem tegen. Negen briefjes van honderd telde ze uit. 'Voor je zangles,' zei hij.

Ze keek langdurig naar een foto die achter de biljetten stak. 'Leuk gezinnetje,' zei ze.

De recensie in *Het Parool* was vernietigend: de Vietnamese bleek niet bij stem en de reus imponeerde niet – ze hadden er niets aan gemist. Meer opzien baarde het kleine bericht dat De Blauwe Ballon was dichtgetimmerd. De politie hield het etablissement al weken in de gaten: er gebeurden dingen die niet deugden. De illegale uitbaters waren voortvluchtig. 'Waar moeten we nu voortaan heen?' vroeg hij aan Alicia.

'Op een dag vlucht jij ook,' zei ze. 'Ze lopen allemaal weg.'

'Wie zal er dan voor mijn zusje zorgen?'

Ze trokken de lakens over zich heen en wandelden door hun fantasieën. Hij droomde dat hij vloog, bevrijd van alle schuld.

Toen hij wakker werd, hing er een zware gouden ketting om zijn nek.

•

Hij trilde van de benauwenis dat hij zo slecht kon zijn, maar dagdromen was hem niet echt genoeg. Vóelen moest hij het, erváren hoe het was om zonder geweten te leven. De boeken die hij voor zijn studie las, de poëzie, het schrijven van eigen gedichten – raffelgedachten in dronkenschap genoteerd (briljant natuurlijk... tot hij ze nuchter overlas) – ja, zelfs het zich verplaatsen in een ander haalde het niet bij de sensaties van de nacht. Hij had het hek van een donkere tuin geopend, aan de lust gesnoven en sindsdien wist hij dat de dagwereld hem zulk genot nooit zou kunnen bieden. Alleen in het donker kon hij zichzelf verliezen, een man zonder verleden en toekomst zijn. Lust was een roes. Lust was een onbekend lichaam, honderd lichamen... Vrouwen, mannen, om en om en om.

De mannen. Kwamen bijeen in pakhuizen waar werd gezwegen. De man met het gasmasker kón ook niets zeggen: inademen-uitademen, meer leven viel er uit zijn slurf niet te halen. Zijn rubberpak piepte als hij ging verzitten, hij keek strak voor zich uit, had een buikje, dunne benen, schriele borst: een muis die zich olifant waande. Naast hem zat een travestiet. Kort daarvoor was ze als kantoorbediende binnengekomen en direct naar de wc gelopen, een kwartier later kwam ze als witkanten dametje terug. Ook zij zweeg en keek strak voor zich uit. Op wie werd er gewacht? Boven kraakten de vloeren. Een man met cowboyhoed en *chaps* over zijn spijkerbroek kwam de trap af en leidde een man met een hondenriem om zijn nek naar de bar – meester en knecht hadden elkaar gevonden. Mannen, overal mannen – de meeste in zwart leer. Ze liepen langs de nissen, keken achter de schotten en het gasmasker zuchtte achter ze aan.

Waarom gedroegen ze zich zo? Wat was er met ze aan de hand? Wat deelde hij met hen? Vanwaar deze verkleedpartij? Ze paradeerden en gingen zich te buiten, dansten als Sharks en Jets in de peuken – *alone and disconnected*. Maar het was geen toneelclub, ze deelden geen trots, oogstten geen bewondering – al hunkerden ze er nog zo naar.

'Waarom draag je een masker?' vroeg hij aan een lederen man die alleen maar ogen, neus en lippen toonde – als schaamdelen, zo teer leken ze. Ook zijn handen waren van leer.

De man liep weg, hij had die vraag niet mogen stellen. Maar aan de bar, uit het gedrang, stond hij weer naast hem en toen hij bestelde, hoorde hij dat het een beschaafde man was – althans in stem. Een glas later zei het masker: 'Zelfs dieren doen dit niet.' Hij had hem dit keer niets gevraagd.

Hij zocht de ogen van de man, die van de zijkant af gezien diep in het masker lagen. Maar ook dat druiste tegen de code in: men negeerde elkaar na de daad, dronk in stilte door en wachtte tot er genoeg krachten waren verzameld om je weer mee te laten sleuren. Wie wou praten, moest schreeuwen of onder de muziek door de juiste toonhoogte vinden, want *the beat goes on* – in het stotende ritme waarop het goed neuken was. Hij probeerde de juiste toon te vinden, misschien was dit een man die zijn vragen kon beantwoorden? En ze spraken over de muziek, de stompzinnige dreun die ieders gehoor verpestte. Het masker haatte popmuziek, klassiek vulde zijn leven... de man was beslist een kenner. Zou hij met hem bevriend kunnen raken? Samen een brug tussen nacht en dag slaan, schoonheid én verdorvenheid delen? Misschien zelfs de verdorvenheid met schoonheid bestrijden! Hun gesprek duurde te kort om het te ontdekken, het masker liet zich weer door andere ogen verleiden. Verraad was deel van de opwinding. Vrienden maakte je hier niet.

Twee midnightcowboys lachten hem toe – ze sloegen elkaar van plezier op de schouders, loerden niet, keken met open gezichten, ontspannen, zonder een spoor van gêne, alsof ze een lunapark bezochten. Ze liepen de trap naar het duister op, gebaarden hem mee te gaan... Hij volgde, ze betrokken hem bij hun spel, stoeiden, vreeën, openden zich voor hem. Wat ze wilden las hij uit hun handen. Twee vingers wreven tegen elkaar – minnaars? Nee. Broers? Ja, knikten ze. Een van hen wees naar zijn mond. Iets drinken? klokte de ander met zijn duim. Het moesten ervaren jongens zijn, ze hadden geleerd zich in deze hel verstaanbaar te maken. Maar ook terug aan de bar bleef het stil, ze sloegen hem dankbaar op de schouders en schaterden geluidloos. Het waren doofstommen.

De vrouwen.

Na afloop trok hij telkens naar de vrouwen, maar niemand die dat weten mocht – voor de buitenwereld hield hij van mannen. Want één ding was hem duidelijk geworden: eens homo altijd homo. Al had je maar één keer met een man geslapen en koos je later voor een vrouw, dan nog bleef je homo, en wel van het ergste soort: een homo die het ontkende. Nog zieliger waren de vrijgezellen die niets met vrouwen durfden, want dat waren homo's die het van zichzelf niet wisten. Vooral vrouwen hadden er een handje van de twijfelaars af te voeren – dan lag het tenminste niet aan hen als een man hun avances afwees. En de homo's zelf natuurlijk, die lijfden iedereen in. Twee voetballers hoefden maar iets te lang aan elkaars schouders te hangen, een politicus iets te laat te trouwen of ze waren 'een nicht als een paard'. Wel, hij zou niet laf zijn. Niemand zou hem er ooit van kunnen beschuldigen dat hij zichzelf verloochende, al was het maar een deel van zichzelf. Hoe graag hij ook geaccepteerd wilde worden, hoe verdorven hij zichzelf ook vond, als de goede kant de verkeerde kant verdoemde, wist hij voor wie hij moest kiezen. Dit was zíjn oorlog, zíjn verzet.

Op de universiteit kwam hij er rond voor uit; de weinige keren dat hij op een werkcollege verscheen, kon hij zijn gebrek aan kennis verdoezelen door op de gelijkslachtige belangstelling van deze of gene auteur te wijzen – ook als het niet terzake deed. De literatuur leverde de bewijzen: Walt Whitman, Lord Byron, Brendan Behan, Marcel Proust, Thomas Mann, E.M. Forster, Melville, Swinburne, Flaubert, Gide, Lorca, Goethe, Hans Christian Andersen... zwaan kleef aan en de stroom rijst al meer en meer. Hoe meer deelnemers, hoe groter de trots... hoe draaglijker de schande. Maar wat die schrijvers en dichters verzwegen, was de hardheid van hun liefde, het schunnige verraad. Alleen jeugd en schoonheid gold onder de heren: een nieuw gezicht werd snel te oud gevonden. Niet dat hij zich daartegen verzette, hij paste zich aan, misdroeg zich evenzeer – maar zachtheid vond hij niet. En als hij ergens naar verlangde was het dat: duizend kusjes op zijn oor, aaitjes, fluisteringen... wederzijds. Vrouwen waren zacht, zachter dan mannen, dacht hij. Hoeveel fijner was hun huid, dieper hun schoot en hoger hun stem? Bij vrouwen kon hij teder zijn, ook buiten het bed. Wijding, noemde hij dat – overgave, aandacht, goede manieren, cadeautjes, lieve woorden, een gedicht. Voor mannen kon hij geen Rilke citeren, niets aan een man leek op een roos, hoe zijn roze poepgat ook klopte. Vrouwen roken lekkerder.

Maar ook met de wijding moest je voorzichtig zijn. 'De man die een deur voor een vrouw opendoet, slaat hem in feite in haar gezicht.' Het was geen vrouw die dat schreef maar een man, een progressief psychiater die zich aan de zijde van de Dolle Mina's had geschaard. Vrouwen versieren 'deugde' niet volgens hem, want Don Juans verdringen 'in feite' hun homoseksuele verlangens. De woorden 'deugen' en 'in feite' kwam hij steeds vaker in de kranten tegen. Hij wist niet wat viezer was: de stront van je pik wassen of de woorden *deugen* en *in feite* uit je pen laten vloeien.

Niet de vrouw, híj was de minderwaardige partij. En daarom zocht hij naar vrouwen die niet al te kieskeurig deden. Al zijn escapades eindigden bij de hoeren – nog steeds, hoe laat het ook werd. Hoeren gingen nooit dicht. Ook na de mannen moest hij bij ze langs – als zocht hij de zegen van hun zachte hand, hoezeer onder het strelen de meter ook tikte. Alleen bij hen vond hij ontlading.

Voor de buitenwereld kon je beter homo zijn dan hoerenloper – en wat de buitenwereld vond, achtte hij van groot belang. Trotse hoerenlopers bestonden niet – wel trotse hoeren. Hoerenlopen was ook minder in de mode. Maar waar vond hij vrouwen die hem accepteerden? Op de Universiteitsbibliotheek kwam hij soms studentes van zijn eigen leeftijd tegen die broeierig naar hem keken. In de Algemene Studiezaal werd meer geloerd dan geleerd, vooral tegen sluitingstijd... Hij viel zo op dat ijverige meisje met inkt aan haar vingers en een dik dictaatcahier – hennahaar, groene ogen, zigeunerjurk, gele klompen van Jan Jansen – ze pakte langzaam haar tas in, wachtte onder aan de trap, treuzelde bij haar fiets. Het 'ja' lag duidelijk in haar ogen, hij hoefde alleen maar te vragen of ze zin had nog even naar het café te gaan. Ze maakte een gebaar, maar hij ging er niet op in. Zie je wel, hij kon het niet met gelijken, dat meisje kwam veel te dichtbij. Niet dat het vrijen hem tegenstond, maar lieve meisjes wilden weten wie hij was, ze vroegen naar namen en verledens en voor je het wist lag je hemd bij hen in het sop te weken. Met haar ogen voor ogen fietste hij van haar weg. Hij zou haar die nacht bedriegen met een vrouw uit Amsterdam-Zuid.

Daar woonden de afgestudeerden, in huizen met bruidssluier tot aan de balkons en voor de deur fietsen met kinderzitjes. Een getto was het, een etalage van geslaagde levens, huis aan huis dezelfde ingelijste kunst, dezelfde boeken in de kast – liefst in de voorkamer uitgestald opdat de hele straat erin kon delen; nooit, nooit zou hij daar willen wonen, vastgeklemd tussen etages, huwelijk, hypotheek en kindergejengel... maar waarom verfoeide hij die mensen zo? Hij herkende hun boeken aan de rug – hij las ze zelf; hij herkende de kunst aan de muur, ze lieten hem toe in hun huizen, hij sprak hun taal en toch hoorde hij er niet bij. Betrad hij daarom hun cafés, waar na twaalven een wanhopig flirten begon, om de bevestiging te zoeken dat hij vrijer was? Hij drong in hun kring, keurde de piste, liep over het koord en loog erop los...

Waar kwam hij vandaan, wat deed hij?

Equilibrist, derde geslacht.

Er zat altijd wel een vrouw in het publiek die een nacht vangnet wilde zijn. En als ze dan in bed hun postcoïtale sigaret rookten, nam zij hém in vertrouwen: 'Ik ben geen kind van mijn vader, en mijn vader weet dat niet,' bekende een vrouw uit de Van Breestraat.

'Vind je dat erg?' vroeg hij, bekaf van de glijpartij op haar satijnen lakens.

'Ja, want we dragen allemaal zijn naam, een naam die we hoog moeten houden.'

'Is het de man op die foto?'

'Nee, dat is mijn man.'

En dan wist hij: ze vertelt me dingen die ze een ander niet vertelt, ze is openhartig omdat ik op doorreis ben. Morgen sla ik elders mijn tent op; ze vertrouwt me omdat ik haar vertrouwen niet kan beschamen – niet waar ze bij is. Hij hoefde haar niet terug te bellen. Maar wennen deed het nooit, zo ging je eigenlijk niet met vrouwen om.

En als er helemaal geen lichamen meer waren, als alle drank gedronken was, dan wou hij nog niet naar huis. Zwerven moest hij, in zijn eentje dwalen door de nacht, tot de slaap in zijn oren bonkte. Misschien was lust niet het belangrijkste in zijn leven – er gingen weken voorbij dat hij de warmte van een medemens niet voelde én niet miste –, misschien zocht hij een andere vervulling, hij wist alleen niet welke... Was het de dood, verlangde hij naar gevaar? De dood was zijn enige zekerheid – hij kon zich verzuipen of te pletter springen, hij had het in eigen hand, de hijskranen in de haven waren hoog genoeg. Nee, de dood zocht hij niet, nog niet. Gevaar? Deerde hem niet. Hij raakte steeds verder van de bange jongen van vroeger verwijderd – vooral verkleed en 's nachts. Het spel een man zonder heden of verleden te zijn lukte zo goed dat hij in die rol dreigde te blijven steken. De jongens en meisjes met wie hij een blauwe maandag op de Toneelschool had gezeten waren al beroemd – hij kwam hun namen op affiches tegen in de stad, zíj stonden in de schijnwerpers. Maud redigeerde nu een eigen blad. Werner mocht weinig ambitie tonen, hij ging wel op in zijn vak – hij had zelfs een baantje:

patiënten met straatfobie uitlaten. En hij? Hij kon niet meer terug. Zag hij zichzelf ergens in een plas of ruit voorbijgaan, dan liep daar een vreemd lichaam. Zonder een trek van de jongen die hij ooit was, geen onschuldige ogen meer, geen verlegen lach, een gezicht zonder geweten. Hoe lang hij ook naar zichzelf staarde, zijn oude ik gaf geen kik. Daar stond een held uit een Teutoonse legende. Een Siegfried die zich in zijn Tarnkappe onzichtbaar waande. Een bastaard op zoek naar de draak. Geen speer kon hem raken. Behalve op het ene plekje dat hij niet bedekken kon, waar een blad uit de dagwereld op zijn huid was gewaaid... daar was hij kwetsbaar. Zijn laatste rest geweten had zich er verzameld. In het duister merkte hij het niet, maar in het licht brandde die plek en dan gloeide de schaamte door zijn hele lichaam. De schaamte over zijn mislukte leven. 'Gooi de Tarnkappe af,' schreeuwde een verre stem, 'offer de ketting, stop met de drank!' Werken moest hij, bouwen in plaats van vernietigen. *Du mußt dein Leben ändern.*

•

Halfstad vierde de zomer en moeder haar verjaardag. De familie kwam in het Spandershof bijeen: de zusters met hun mannen en hun kroost, ooms en tantes, neven, nichten – zestig jaren was ze al en een windvlaag blies de kaarsjes uit. Moeder ontving buiten, aan een lange roze tafel, tussen paarse bougainvillea. De rieten stoelen kraakten en eendjes kwaakten in de vijver. Naast ieder bord lag een kaartje met naam en portret van de gast, door de kleinkinderen getekend. Iedereen leek wel een beetje op zichzelf, behalve hij: ze hadden hem geen gezicht gegeven, hij was een cirkel met een grijns – de oom van horen zeggen.

Hij droeg een turquoise overhemd met hoge boord en lange punten – een model dat het vooral goed deed op mediterrane jachten, heel duur en decadent – zonder das, daaronder een nieuwe gouden ketting en om het toch nog aangepast af te dekken blazer, flannel en brogues. Een beetje overdressed als hij zich met zijn zwagers vergeleek: no-iron mannen met glimmende Old Spice-kinnen en te breed gestrikte dassen. Maar voor een Gooise lunch kon hij er op het eerste oog mee door: blazers domineerden het terras, chokers staken trots uit geruite overhemden, zonnebrillen schitterden als diadeem in dameskapsels en de Chanelpakjes van Maison Haring krikten menig moeder op. De zijne droeg een geel met blauwe biezen.

Ze hieven het glas op de jarige – een heel klein slokje nam ze, anders werd ze teut – en zij hief weer het glas op hem: 'Wat heerlijk je hier te mogen hebben.' Familie, de meesten had hij in jaren niet gezien, toch was het als vanouds: ze hadden elkaar niets te zeggen. Moeder wilde dat hij naast haar kwam zitten: 'Jammer dat Maud niet mee kon komen,' fluisterde ze luid langs zijn oor.

'Heeft hij een vriendinnetje?' informeerde een snerpende tante.

'Je hebt je haar geverfd,' riep Saskia over tafel. Ze voerde links en rechts een kind en had met de jaren ook

346

zichzelf niet vergeten – ze was een vette kloek geworden. Maar deftig, zíj had d'r haar gebakken, net als de koningin.

'Dat is henna,' zei hij.

'Heel apart,' vond zijn moeder. Hij voelde zich bekeken en besproken – dat wilde hij en wilde hij niet. Zijn turquoise overhemd was een vlag: ten aanval. Hij droeg het om zijn familie te tarten, maar nu hij tussen ze zat, trok hij zijn blazer tegen zijn kraag: ze mochten zijn ketting niet zien. Waarom deed hij hem niet af, dan kon hij zich beter ontspannen. Hij durfde niet eens naar een baby te bukken, uit vrees dat de ketting naar buiten zou piepen.

En waar woonde hij nou en had hij zijn kandidaats al? Straks was hij de eerste doctorandus in de familie. 'De trots van je vader,' zei zijn moeder.

Maar ik heb hem de kans niet gegeven, dacht hij... en het moordend oog drong zich weer op.

En wat ging hij na zijn studie doen?

'Reizen,' zei hij, om nooit meer terug te keren. Voorgoed uit het zicht. On the road, net als Jack Kerouac, die hij net aan het lezen was. 'Rugzak om, duim op en weg weg weg.' De g's schraapten langs zijn verhemelte, een neefje dat aan de andere kant van de tafel zat te tekenen, keek hem geschrokken aan.

'Dan zul je eerst geld moeten verdienen,' zei zijn moeder.

'Ik laat me onderhouden.'

Ooo, lachten de vrouwen aan tafel...

Was dat zo'n schandelijke opmerking, zij lieten hun mannen toch ook voor zich werken?

'Ik heb recht op mijn pensioen,' beet zijn moeder hem toe. Ze wuifde naar het neefje dat zijn ogen maar niet van die vreemde oom kon afhouden.

'Zelfmoord is mijn pensioen.'

'Wat kan Tommie toch goed tekenen.' Zijn moeder spreidde haar armen, het neefje werd aangereikt, op schoot getrokken en met krijt en al geknuffeld en geprezen. O jee, een kras op moeders mantelpak. Geeft niks, geeft niks. Moeder werd een oma waar hij bijzat, voor het eerst, en hij werd zoon en vader tegelijk.

Kleinkinderen, je kon er niet genoeg van krijgen. En o, zo grappig wat-ie tegen oma had gezegd: dat als ze doodging, hij met haar zou trouwen. Zo'n kind toch, zonder besef van de nare kanten van het leven, zich niet bewust van enig kwaad. Het kind zweeg, men sprak namens het kind, op imbeciele toon, het hoofd scheef van vertedering. Ja, Tommie zou de oude slaapster wakker kussen. Tommie was een prins... Lief was Tommie, een gelukskind, een mirakel. En hij die voor oom moest spelen keek naar dat veel te grote hoofd, naar handjes die in boter grepen... het was een lelijk kind, een gedrocht dat hij wilde slaan en hij greep naar zijn servet om zijn woede weg te knijpen.

Tommie kreeg genoeg van oma, hij wilde bij de nieuwe oom op schoot, hij hield zijn handjes al op. Oom reageerde niet, zag alleen maar vette vingers, neefje dreinde en trok aan zijn mouw. 'Laat dat, Tommie,' riep moeder Saskia, 'je oom vindt het niet leuk.' Dat liet hij zich niet zeggen: 'Kom maar, Tom, kom...' Neefje maakte de overstap van schoot naar schoot en stampte met zijn voetjes op zijn kruis. Hij tilde het ventje aan zijn armpjes op – zo dun en broos het bot – verzette hem, veegde hem vetvrij. Tommie keek hem allerschattigst aan, omhelsde hem, likte hem. 'Tommie, laat dat,' riep zijn moeder. Tommie zoende hem op zijn mond, trappelde van plezier, verkende ooms flannel pik en ballen met zijn tenen, schopte de paddestoel om, oom kromp ineen, hoorde de familie denken en duwde het ventje van zich af. De tafel keek. Tommies handjes grepen naar de punten van de turquoise kraag, oom gaf mee, de handjes pakten de glimmende ketting, trokken hem uit het overhemd. Oom bloosde... En nog voor iemand een opmerking kon maken, riep hij over tafel: 'Heb ik van Maud gekregen. Ordinair, hè?'

Het werd even stil: twee zwagers trokken rare gezichten, een tante verruilde van bril. 'Wat een reuzencadeau,' zei zijn moeder.

'Ik vind het zo tuttig bij een man,' zei Saskia.

Waren prins Bernhard, prince Edward en Leonard Bernstein tutten? Hij kon een voorname kettinglijst opnoemen, maar hij speelde de valse nicht, de glazenwasser, de pooier: zijn repertoire uit het Theater van de Onzekerheid.

Zijn neefje schrok van al die rare stemmen en zette het op een huilen. Hij werd er eindelijk van verlost. Hij ging naar de wc om zijn handen te wassen, probeerde de vlekken met heet water weg te krijgen. En af ging de ketting, weg die keurende gezichten, en dan weer om, weer af, weer om... tot zijn handen zo trilden dat hij de sluiting niet meer open kreeg. Nu moest hij wel. Hij zou met open hemd naar binnen gaan en vertellen wie hij werkelijk was... Bij wie hij zich echt thuisvoelde: bij hoeren die voor een gulden hun rok optrokken, bij fetisjisten en mannen in kant, bij de kapotte mensen. Hij was het monster van de familie.

•

Juist op de dagen dat iedereen dicht bij elkaar schoof, de huiselijke dagen tussen Kerst en Nieuwjaar, kwam bij hem het verlangen op alleen te zijn, los van de lijm der gezelligheid. Dan wilde hij naar een plek waar mensen hun vertrouwde omgeving verlieten: een station, een vliegveld. Als ze maar niet naar huis gingen. Reizigers zocht hij, doorgaande reizigers.

Het was druk in de stationshal. Vakantiegangers met ski's op de schouders baanden zich een weg door de alledaagse forenzenstroom, gastarbeiders plakten bij de kiosk, afhalers wachtten onder de klok en ook de oude vieze mannen waren weer present, die kwamen voor elkaar, om te praten en te likkebaarden – de stationshal was hun huiskamer. Hij achtte ze geen blik waardig, hij nam de trap naar het eerste perron, liep tot aan het einde van de overkapping en stak een sigaret op. Hij was niet de enige roker die zich daar ophield, er stonden een paar schoffies te paffen, stoer en joelerig, en verder naar achteren, langs een verlaten spoor, gloeiden hier en daar wat tules op en het radeloze gezicht van een junk; het lokaas wachtte op de prooi.

Hij kende de gezichten maar groette niemand, behalve één: Maurits. Rokende Maurits met zijn ernstige kop, de mooiste jongen van perron 1. Hij kon voor een Griek doorgaan of een Apache, met zijn roodbruine vel, lange zwarte haren, snavelneus en sensuele mond. Maurits leek nergens te wonen, hij kwam met een trein, vertrok met een trein en 's nachts verleidde hij wie hij wilde. Hij liep als een danser, op zijn enkelhoge gymschoenen, in zijn bloedstrakke spijkerbroek, tenger was hij en klein, niet ouder dan vijfentwintig, maar hij keek als the leader of the pack – op en top een Shark. Maurits bepaalde de pikorde en hij mocht je of hij mocht je niet. Zij mochten elkaar, al begrepen beiden niet waarom – ze verkenden samen de toiletten, rookten samen, praatten wat, schatten de reizigers in... herkenden ze iets in elkaar? De rouw om hun glimlach, de wanhoop in hun ogen? Nee, zo dichterlijk was het niet: Maurits was een schoft, een duivel aan wie hij zich spiegelde – om te kijken of hij ook zo was.

'Je moet ze haten,' zei Maurits ernstig, 'anders word je ziek, en laat je niet dwingen, blijf altijd de baas, verzwak ze, knijp ze af en kijk ze nooit aan, hoe maf en lam ze ook zijn, de smeerlappen.' Hij liet hem praten en haten en verliet hem niet... De band zat in het volgen. Mee de spoordijk op, de trap af en onder de brug sigaretten roken, loeren tot ze je wilden en in taxi's stappen, hotelkamers betreden, kleren uittrekken, met vreemde stemmen praten – niet jij denkt, maar je lichaam. Je moet ze openbreken, tot bloedens toe, één zijn met hun ingewanden. Hun vuil is jouw zeep. En dan de baan weer op en in het zicht van de vorige de volgende nemen. Hetzelfde anders: harder, gemener, kouder, later...

Een man kwam aangelopen, robuust en breed in het schijnsel van een lantaarnpaal, zijn adem hing wit voor zijn gezicht. Het was een pafferige man van dichtbij gezien. Ze stootten elkaar aan. Maurits lokte, de man volgde en hij, de leerling, liep er op gepaste afstand achteraan. Ze hielden stil bij een kademuur waar het schuim en vuil tegen de stenen klotste. De man opende zijn jas, zocht iets in zijn binnenzak, Maurits deed een stap achteruit, greep naar zijn heup, de man beefde, hield een flesje op en snoof eraan. Maurits wenkte hem en het flesje ging rond... Ze snoven, ze vielen bijna om... tot een kwade kracht hen optilde en als slaapwandelaars langs de hemelrand voerde. Ze duwden de man tegen de muur, armen hoog, benen uit elkaar en zetten ieder een knie tegen een dij, reden tegen hem op... Ze hadden een man in hun macht, een bange man. Maar de bange man was sterk, rukte zich los, trapte hen van zich af, zijn ogen gloeiden... hij trok een verbouwereerde Maurits naar zich toe en beet hem in zijn mond. Maurits spartelde tussen zijn armen, hij had te weinig kracht om de geweldenaar van zich af te duwen. En de leerling? Die wreef over zijn pijnlijke schenen en vloekte binnensmonds. Hij was weggesprongen, keek naar de liefdesworsteling en vocht op afstand mee. Zijn laarzen schuurden over de keien, als een paard dat zijn hoeven scherpt. De man snoof, zijn nek zwol uit zijn kraag. Maurits verdween in zijn greep. Hij wilde zijn vriend bevrijden, de man wegschoppen, maar het oog hield hem tegen: een oog dat niet viel weg te trappen...

Paardman ligt op bed en hij speelt voor paard op de gang. Hij is allergisch voor echte paarden, maar als bezem tussen zijn benen kan hij ze de baas. De dokter heeft Paardman rust voorgeschreven, zijn hart is op. Het hele huis dient stil te zijn – alleen Paardmans hijgen jaagt tegen de ramen, adem die tot bloemen bevriest. De meisjes sluipen door de kamers, maar hij dendert door de gang: ridders galopperen. Hij heeft beloofd te fluisteren, maar een reus nam bevel over zijn stem en telt hardop het ritme: een, twee, drie. Schreeuwen geeft hem lucht, stampen maakt hem groter. De rollen zijn omgedraaid: Paardman is te zwak om hem te vertrappen, eindelijk kan hij tonen hoe bijzonder hij is.

Moeder trekt hem uit de gang de kamer binnen: 'Stil jij, we weten wel dat je er bent.' Hoe kan hij Paardman nu verrassen? Hij wil een mooi toneelstuk voor hem opvoeren. Wie zal hij zijn, als hij geen ridder mag zijn? Zal hij een meisje voor hem spelen, een stil verleidelijk meisje? Daar houdt Paardman van: zie hoe de oudste zonder kloppen met een dienblad zijn kamer binnengaat, kop en schotel trillen van verwachting... ssst ssst... zij maakt nauwelijks geluid. En ze komt met een glimlach naar buiten. Hij wordt niet toegelaten. Hij is te druk voor Paardmans hart.

Zijn paard gaat op stal in de werkkast en hij sluipt naar de badkamer: meisjes zijn ondergoed in de wasmand. Hij licht het deksel op en snuift... snuift tot het hem duizelt en voor hij het weet is hij een vrouw. Hij zoekt een flinke bh uit – nee, niet die van zijn moeder, dat zou te schunnig wezen –, hij neemt de grootste van de meisjes, bindt hem om, legt een verkennersknoop en laat het elastiek op zijn vel kletsen – een geluid dat hij vaak achter gesloten deuren heeft gehoord. Hij voelt zijn borsten groeien... ze stuwen uit zijn buik omhoog. Hij zet zijn handen op zijn heupen, laat ze dwalen naar zijn onderbuik; wat daar zit, hoort niet bij een meisje, weg dat vieze ding, verstop het tussen je benen. En nu een mooie onderbroek, stap in... scheur het kant aan de pijpen niet, streel de randjes.

Nu is hij zoals zij. Lippenstift, crème en poeder doen de rest. Als Paardman hem zo eens zag...? Zou hij hem dan nog in zijn gezicht slaan, plat op de wang, zomaar zonder reden, een paar keer per dag in het voorbijgaan. Of zou Paardman hem met zachte hand voor laten gaan, hem in zijn jas helpen en aan tafel het eerste opscheppen? Zal hij hem ooit nog naar de stal meesleuren en zijn kop door het vuile stro halen om hem het niezen af te leren? Nee, Paardman zal zijn po legen, zoals hij hem opdraagt te doen als de meisjes ongesteld zijn. En zou hij maandverband voor hem kopen? Nefa-rood, Nefa-blauw, lieve kind, ik hou van jou. En hoe staat Paardman voor de toonbank als de drogist de doos maandverband zwijgend in bruin papier verpakt? Zou hij zich net zo schamen als hij? Zou hij zeggen dat zijn jongen lekker rook en hem met een broche verrassen? Een palmboom van rijnsteentjes, met een glimmendzwart negertje erin. Paardman kan een meisje alles vergeven. Draai die kont, benen tegen elkaar en doe als zij! Knip met je vingers het ritme van hun lievelingsplaten en pak hem bij zijn heupen. Alles aan Paardman wiebelt mee, ook de ballen onder zijn harige pik... dof als kaneel zijn ze, blauw bijna. Hij is daar niet bruin, hij heeft daar geen haar. Kom Paardman, dans met je kleine giechelige meisje.

Een elfje danst een rondje voor de zieke, een meisje kruipt bij Paardman in bed. Paardman steigert onder de dekens, hij schreeuwt, schopt, draait geschrokken van die rode lippen weg. Het meisje bijt zich in zijn pyjamajasje vast, grijpt een knoop, zoekt de haren om Paardmans hart, en lager: alle haren wil het voelen, aaien. Het is niet bang voor die vuurspuwende ogen, het rijdt te paard, zijn eigen kleine meisje rijdt te paard. Paardman duwt zijn zoon van zich af, scheurt de bh van zijn rug en wrijft die lipsticksmoel aan de lakens schoon. Het meisje niest, Paardman hijgt – ze worden één in hun ademnood.

IJs kraakte onder zijn nieuwe laarzen. Hij trapte in een bevroren plas en de schimmen verdwenen op slag. Maurits en de man stonden nog steeds tegenover elkaar, heel innig. Snuivend en vechtend. Maurits wrikte zich los, de houding van de man verslapte. Maurits haalde uit, een, twee, drie. Een vuist flikkerde in de duisternis.

Het wit om zijn ogen werd groter, wreedheid verlichtte zijn gezicht. Steek hem, steek hem... op afstand stak hij mee, zijn vuist was een mes, zijn lul klopte van drift. Rode hand, dode hand... dit was geen rol, dit was zijn wezen: een woedende jongen drong uit de coulissen naar voren, zonder schmink of masker. Hij wist donders goed wie hij was, hij kon zijn ware aard niet langer verbergen, hoe groot en oud en vet hij ook zou worden. Woedend was hij, een woedende man uit één stuk. De kade was behekst. De muur bewoog, rochelde, een jas rukte zich los uit de stenen.

Paardman trapt zijn zoon uit bed. Een glas valt van het nachtkastje op het zeil. Paardman rolt zich naar de rand, kijkt geschrokken naar de scherven, roept... heel zachtjes, maar hij is niet boos, hij is te moe en lacht een beetje... dat is toch lachen wat hij doet? Paardman bijt naar adem, valt achterover terug in bed, knijpt lucht uit de kussens. Het elfje ruimt de scherven op, snijdt zich aan het glas... maar het is flink en klimt met een rode hand terug in bed. Paardman wil iets zeggen, zijn lippen spreken zonder geluid, paarse letters ziet hij om zijn mond. Hij kruipt op hem, zoent zijn handen en hoog gaat Paardmans borst, hoog hoog hijgen ze tegen elkaar. Rode hand naast dode hand.

Maurits kwam naast hem staan. Ze spraken over kleren. Ze rookten gitanes.

Het bad liep. *We waren van een koude begrafenis thuisgekomen en lieten de geiser loeien. De marmeren kerkvloer had onze voeten versteend; het gezwatel om de groeve was diep in onze botten getrokken. De pastoor hield maar niet op, ondanks de extreme kou. Het schepje zand op de kist klonk als een schot hagel. Pa Trip had de nodige instructies achtergelaten om zich van een plaats in de hemel te verzekeren – geld speelde deze keer geen rol –, maar de rouwenden verlangden langzamerhand naar het vagevuur. Wij keken niet op een paar kubieke meter gas. Werner zat al in het schuim, ik serveerde thee met rum en nam de kaartjes van de bloemstukken door die de begrafenisondernemer aan Werner had meegegeven.*

'Hij was toch nog populair.'

Werner fronste. 'Bij vrienden en collega's, ja.'

'Directie stoffenbeurs... Confectiecentrum... Kamer van Koophandel Halfstad.'

'Zo kwaadaardig was hij niet, alleen tegenover óns kon hij zijn gekte niet beheersen. Zíjn vader verwaarloosde zijn gezin, dus deed hij hetzelfde, zo van: wat ik niet gekregen heb, krijgen jullie ook niet...'

'En daar ga jij om staan janken... hoe kan je voor zo'n schoft.'

'Het was jouw vader niet.'

'We zitten toch niet aan die zakken vast?'

'Ik doe mijn best aan hem te ontsnappen.' Werner zag er doodmoe uit, zijn pantser van cynisme leek gebroken. De laatste weken had hij zijn vader veel bezocht, aan zijn bed gewaakt en gewacht, gewacht op dat ene woord. Ik had met hem te doen, maar kon niet laten hem te jennen. Mijn verzet was te groot – waar bleef je als je van je vijanden ging houden? 'Onder zo'n vader valt niet uit te komen,' zei hij rillerig, 'ook genetisch niet. Hoe ouder ik word, hoe meer ik hem in mijzelf tegenkom.'

'Sla die spiegel stuk,' riep ik. 'Daar ben ik nou jaren bang voor geweest... dat we op ze gaan lijken! Je levensloop ligt toch niet vast? We kunnen van koers veranderen, een paar graden en je komt al ergens anders uit. Ik wil echt een ander worden.'

'Alweer?'

'Ergens onder al die mannen die ik speelde, zit de man die ik werkelijk ben. Mezelf.'

'Wat een inzicht.'

'Ja, spot maar. Toch zag ik het allemaal helder tussen die graven en dat kwam vooral door de aanwezigen. Al die ouwe smoelen van vroeger.'

'Zeg, beledig mijn moeder niet.'

'En Maud. Aardig dat ze gekomen is, trouwens. Ik was niets veranderd, zei ze. Die jongen van vroeger stond haar nog helder voor de geest. Zo gaat dat... je krijgt een plaats in andermans hoofd en hoe je ook verandert, je hebt geen invloed meer op hoe je daar wordt opgeslagen. We doen het allemaal: we zien, luisteren, trekken conclusies en delen in. Maar het geheugen zit niet stil. Mensen kneden je naar hun eigen beeld. Er vindt een dubbele verandering plaats: bij jou en bij de ander. Je hoort over je praten als een door vele tongen verteld verhaal. Ik haatte haar versie van mijzelf.'

'Dat kan je Maud niet kwalijk nemen.'

'Nee, maar wel de jongeman die er aanleiding toe gaf. Ik moet de vele personen die ik wil zijn, beperken. Ik ben het zat iedereen te behagen. Het spel is uit. Ik wil nog maar één kant laten zien. Mijn eigen kant. Wat dat ook is, desnoods gewoon. Toen ik me vanmiddag aan het graf stond te vervelen, heb ik die jongen van vroeger met al zijn maskers en toneelkleren in de kuil gemieterd, de kist met vaders achterna.'

'Zo makkelijk kom je niet van hem af.'

'Ik haat hem, hij heeft me al genoeg tijd gekost.'

'Je bent te oud voor hem geworden.' Werner kneep zijn neus dicht en dook onder water – grijnzend.

'Te fatsoenlijk,' schreeuwde ik.

'Mensen worden pas fatsoenlijk als ze geen verboden dingen meer kunnen doen,' zei hij boven water komend.

'Hij bestaat niet meer,' beet ik Werner toe.

'Veroordeel hem toch niet zo.'

'Waarom zou ik begrip voor die jongen moeten tonen? Ik ben geen therapeut. Onze generatie is bijna aan begrip ten onder gegaan. De vreselijke dingen die we beweerden:

"De misdadiger toont ons de schuldige omgeving", "In de gevangenis sluiten we onze eigen vrijheid op" – dat soort weekheid was bon ton. Tout comprendre c'est tout pardonner... wat een gevaarlijke flauwekul. Hoe ver kan je daar in gaan? Moet ik soms alles van hem goedpraten omdat zijn vader gek uit de oorlog is gekomen? Dat suggereert hij toch, tussen zijn praatjes door. Trap er niet in. Die jongen heeft nooit een oorlog meegemaakt, onze hele generatie niet. Hij was in oorlog met zijn vader, c'est tout.'

'Je bent te hard.'

'Zand erover.'

Vroeger moest nu echt afgelopen zijn, ik had de kasten leeggehaald en wat stonk weggegooid. Het ging me lukken, het lukte me al jaren, maar terug in het oude decor vreesde ik even dat het verleden sterker was. Doek!

Werner draaide de kraan dicht en het geraas hield eindelijk op. Het was behaaglijk in onze stolp geworden en de rum verwarmde onze hoofden. De kaartjes van de bloemen krulden op mijn schoot. 'Maud heeft ook nog iets gestuurd, zie ik.'

'Ja, dat is aardig,' zei Werner afwezig.

We lazen zwijgend de laatste groeten... en ik zag de bloemen voor mijn vader uit huis worden gedragen. De rouwstoet die langs het raam voorbijtrekt en ik zit binnen. Ziek en zwak verklaard. Onwaardig hem te begraven. Ik loop door het huis, inspecteer zijn slaapkamer, haal zijn schoenen onder het bed vandaan, zet de spanners erin, opdat de kracht van zijn tenen er levend in blijft, berg ze onder in de klerenkast, aai zijn broeken, jasjes en hoor ze zacht praten... *zachter dan hij ooit sprak, ze zijn niet kwaad: ik mag ze aan, de mouwen wenken mij.* Ik pas de sjamberloek, het mooiste jasje, met de opgenaaide krullen, en loop naar de spiegel en groei verliefd in mijn vader. Ik hield van hem. Zo wilde ik van hem houden, op mijn manier... de manier die hem funest werd.

'Gek eigenlijk, Maud heeft mijn ouders nooit ontmoet,' zei Werner.

'Ze weet hoe het hoort, keurige familie, traditie.'

Hij keek me spottend aan. 'Zij weet wat trouw en vriendschap is.'

'Ik stond naast je, lul, ik heb je mijn zakdoek gegeven, daar kan geen krans tegenop... We leken wel een stel.'

'Wat vreselijk voor je.'

'Ze keken zo... Twee ouwe mieën... bah. Was ik er maar een, dan kon ik ze tenminste choqueren.'

'Het is geen toneel.'

'Gewoon rechttoe rechtaan homo zijn: ik zou ervoor tekenen. Maar het is me niet gelukt, sorry...'

'Je hebt je anders niet onbetuigd gelaten.'

'Schijnbewegingen... Waarom is het eigenlijk nooit iets geworden tussen ons?'

'Omdat ik geen vrouw ben.'

'Zou het zo eenvoudig zijn?' Voor Werner had ik geen geheimen, met niemand was ik zo vertrouwd, we hoefden ons niet mooier voor te doen. We hielden van elkaar en dat zeiden we ook, vierden we ook. Daar hadden we geen lichaam bij nodig. Praten, eten, drinken en de sessies in en om het bad waren ons genoeg. 'Ik ben altijd heel bang voor de liefde geweest, ik zocht het schone en het zuivere...'

'Zuiverheid bestaat niet,' zei Werner somber in zichzelf. 'Als je in de hoofden van mensen kon kijken die de liefde bedrijven, zou je schrikken.'

'Maar dat is fantasie. Laat ze dromen. Ik meende alles in het echt te moeten beleven en dacht dat het me niet zou raken, ik kon immers iedereen zijn.'

We vulden de theekopjes met rum en overzagen het slagveld.

'Je zal altijd rollen blijven spelen,' zei Werner.

'Dat zal wel, maar dan liever op papier. Al lezend en schrijvend achter mijn tafel. Daar mag ik mijn vader verleiden en vermoorden zoveel als ik wil. In mijn fantasie kan ik de schunnigste verlangens uitleven. En dat doe ik ook... alleen dan is het kwaad draaglijk, en de haat, de zelfhaat en de woede. Mijn fantasie is een tegenwicht voor de nacht geworden, er zit niks anders op, ook al blijf ik ernaar verlangen. Maar ik kan dat verlangen tot een kunst verheffen... tot een draaglijk gevaar. Draaglijke schoonheid. Rilke beschrijft het al in de Duineser Elegien: Den das Schöne ist nichts als des Schrecklichen Anfang, den wir noch grade ertragen... Het schone als het nog net door ons te verdragen begin der verschrikking...'

'Je blaast het allemaal zo op.'

'Ik maak het niet groter, ik maak het kleiner. Ik wil niet meer vluchten maar thuiskomen,' zei ik, of dacht ik, want we vervielen telkens in een stil voor ons uit kijken. Ik nam me voor trouw te zijn. Was trouw niet een vorm van zuiverheid? Trouw aan de vriendschap. Trouw aan mijn idea-

len. *Trouw aan mijn ware zelf. Trouw aan het papier.*
'*De schrijftafel wacht,*' *zei ik toen Werner druipend voor me stond. Ja, ik zou de verspilde tijd ten nutte maken en de woede. Vooral de woede.* '*Ik heb me voorgenomen gelukkig te worden.*'

Verantwoording

Ik wil de geschreven bronnen van *Dubbelliefde* graag met mijn lezers delen. Freud natuurlijk – de schrijver meer dan de psychoanalyticus. Jaren geleden las ik zijn essay *Het onbehagen in de cultuur*, een studie over de onverzoenlijke tegenstelling tussen menselijke driften en de beperkingen die de beschaving ons oplegt (Sigmund Freud, Nederlandse Editie, Cultuur en Religie 3, Meppel 1984). Ook zijn schets *De Misdadigers uit schuldbewustzijn* werkte verhelderend (Cultuur en Religie 1).

Fernando Pessoa's *Het boek der rusteloosheid* las ik in juni 1990, kort nadat de Nederlandse vertaling was verschenen, maar het greep me te veel aan en na 113 bladzijden heb ik het verder ongelezen gelaten. Zijn notities over een 'heteronieme persoonlijkheid' kwamen angstig dichtbij. Ik wist toen allang dat ik een boek zou schrijven over een man die meende uit meerdere mannen te bestaan. In 1985 kondigde ik zelfs de werktitel aan: *Die in het donker* – onder verwijzing naar Jan Camperts roman over de Amsterdamse zelfkant. Mocht er in *Dubbelliefde* een herinnering aan Pessoa zijn blijven hangen, dan beschouw ik dat als een hommage aan de schrijver. Misschien breng ik nu de moed op hem uit te lezen.

De idealen, ideeën en illusies van de jaren zeventig kwamen me weer helder voor de geest na het lezen van het 'tijdsdokument' *Wij wereldverbeteraars* (Amsterdam 1981). Vooral het daarin opgenomen *Logboek van een lange mars*, van Eddie Korlaar, inspireerde me. Tien jaar later verscheen *Alles moet anders. Het onvervuld verlangen van een linkse generatie*. De bijdragen van Elsbeth Etty ('Met twee linkerhanden') en Anet Bleich / Max van Weezel ('Und weil der Mensch ein Mensch ist') riepen levendige herinneringen op (Amsterdam 1991). Ik ben hun daarvoor erkentelijk.

De hele en halve citaten over het Nieuwe Toneel, Griekenland, homoseksualiteit en gezag, zijn of zelfverzonnen, of bewerkingen van verzamelde knipsels en pamfletten uit die jaren – veelal zonder naam.

Plato's *Symposion* heb ik in de levendige vertaling van Hans Warren en Mario Molegraaf gelezen en geciteerd (Amsterdam 1997). Ook raadpleegde ik de bloemlezing van Gerard Koolschijn: *Plato, schrijver* (Amsterdam 1987).

Dubbelliefde bevat enkele poëticale knipogen. Hopelijk herkent ook de lezer: Achterberg, Lucebert, Perk, Vasalis en Bloem. W.F. Hermans groet ik met een opmerking over de wolkenkrabber in Amsterdam-Zuid, die een rol speelt in zijn *De tranen der acacia's*. Er zit ook een half citaat van Mulisch in, over de mening van links. Het stond ooit in *de Gids*, meen ik, geen idee wanneer. Want zoals een mens uit vele mensen bestaat, zo bestaat een schrijver uit vele lezers.

Adriaan van Dis